O CLUBE DAS 5 DA MANHÃ

ROBIN SHARMA

O CLUBE DAS 5 DA MANHÃ

Tradução
Patrícia Azeredo

13ª edição

Rio de Janeiro | 2025

CIP-BRASIL. CATALOGAÇÃO NA PUBLICAÇÃO
SINDICATO NACIONAL DOS EDITORES DE LIVROS, RJ

S541c   Sharma, Robin, 1964-
13ª ed.   O clube das 5 da manhã / Robin Sharma; tradução Patrícia Azeredo. –
13ª ed. – Rio de Janeiro: Best*Seller*, 2025.

Tradução de: The 5 AM club
ISBN 978-85-7684-337-5

1. Sucesso – Aspectos psicológicos. 2. Autorrealização. I. Azeredo, Patrícia.
II. Título.

CDD: 158.1

19-57758   CDU: 159.947

Meri Gleice Rodrigues de Souza – Bibliotecária – CRB-7/6439

Texto revisado segundo o novo Acordo Ortográfico da Língua Portuguesa.

Título original:
The 5 AM club

Copyright © 2018 por Robin Sharma
Copyright da tradução © 2019 por Editora Best Seller Ltda

Todos os direitos reservados. Proibida a reprodução, no todo ou em parte, sem autorização
prévia por escrito da editora, sejam quais forem os meios empregados.

Publicado mediante acordo com HarperCollins Publishers Ltd., Toronto, Canadá

Direitos exclusivos de publicação em língua portuguesa para o Brasil
adquiridos pela
Editora Best Seller Ltda.
Rua Argentina, 171, parte, São Cristóvão
Rio de Janeiro, RJ – 20921-380
que se reserva a propriedade literária desta tradução

Impresso no Brasil

ISBN 978-85-7684-337-5

Seja um leitor preferencial Record.
Cadastre-se no site www.record.com.br e receba informações
sobre nossos lançamentos e nossas promoções.

Atendimento e venda direta ao leitor
sac@record.com.br

MENSAGEM DO AUTOR E DEDICATÓRIA

Sou muito grato por este livro ter chegado às suas mãos. Espero, sinceramente, que ele ajude a expressar seus dons e talentos linda e completamente, além de causar revoluções e transformações heroicas em sua criatividade, produtividade, prosperidade e serviço ao mundo.

O Clube das 5 da Manhã se baseia em um conceito e método que venho ensinando a empreendedores de sucesso, CEOs de empresas lendárias, superastros do esporte, ícones da música e integrantes da realeza há mais de vinte anos, com extraordinário sucesso.

Escrevi este livro no período de quatro anos que passei na Itália, África do Sul, Canadá, Suíça, Rússia, Brasil e Ilhas Maurício. Algumas vezes, as palavras fluíam sem esforço como se uma calma brisa de verão soprasse nas minhas costas, mas em outros momentos tive dificuldade de seguir em frente. Às vezes eu me sentia acenando a bandeira branca do esgotamento criativo, e, ao longo desse processo intensamente espiritual uma responsabilidade maior do que as minhas próprias necessidades me estimulou a continuar.

Dei tudo de mim para escrever este livro, e agradeço imensamente a todas as pessoas incríveis de todo o mundo que me ajudaram a terminar o Clube das 5 da Manhã.

Assim, de coração pleno, dedico humildemente esta obra a você, leitor. O mundo precisa de mais heróis e por que esperar quando você pode se tornar um deles? Começando hoje mesmo.

Com amor e respeito,

SUMÁRIO

Capítulo 1: A façanha perigosa   11

Capítulo 2: A filosofia diária para se transformar em lenda   13

Capítulo 3: Um encontro inesperado e surpreendente com um desconhecido   21

Capítulo 4: Como abrir mão da mediocridade e de tudo o que é comum   29

Capítulo 5: Uma aventura bizarra rumo à maestria matinal   47

Capítulo 6: Como obter o auge da produtividade, virtuosidade e invencibilidade   59

Capítulo 7: A preparação para a mudança começa no paraíso   73

Capítulo 8: O método das 5 da manhã: a rotina matinal de quem constrói o mundo   83

Capítulo 9: O modelo para expressar a grandeza   95

Capítulo 10: Os quatro focos de quem faz a história   111

Capítulo 11: Como enfrentar os altos e baixos da vida   155

Capítulo 12: O Clube das 5 da Manhã descobre o protocolo para instalação de hábitos   165

Capítulo 13: O Clube das 5 da Manhã aprende a fórmula *20/20/20*   201

Capítulo 14: O Clube das 5 da Manhã entende que dormir é essencial   231

Capítulo 15: O Clube das 5 da Manhã aprende com os mestres as
10 táticas da genialidade para toda a vida   245

Capítulo 16: O Clube das 5 da Manhã reconhece os ciclos gêmeos
do desempenho excepcional   269

Capítulo 17: Os integrantes do Clube das 5 da Manhã se
transformam nos heróis da própria vida   303

Epílogo: Cinco anos depois   317

"Teremos a eternidade para celebrar as vitórias e poucas horas antes do nascer do sol para conquistá-las." — **Amy Carmichael**

"Nunca é tarde demais ou, no meu caso, cedo demais para ser quem você quer ser [...] Espero que tenha uma vida da qual se orgulhe. E se não se orgulhar dela, espero que encontre forças para começar tudo de novo." — **F. Scott Fitzgerald**

"E aqueles que foram vistos dançando foram julgados insanos por aqueles que não podiam escutar a música." — **Friedrich Nietzsche**

Capítulo 1

A façanha perigosa

Uma arma seria violento demais. Uma forca, arcaico demais. E uma lâmina no pulso, silencioso demais. Então a pergunta passou a ser: *Como terminar uma vida antes gloriosa de modo rápido e preciso, com o mínimo de confusão e o máximo de impacto?*

Apenas um ano as circunstâncias eram muito mais esperançosas. A empreendedora tinha sido amplamente celebrada como titã de sua área, líder da sociedade e filantropa. Ela estava com trinta e poucos anos e chefiava a empresa de tecnologia que havia fundado no quarto do alojamento da faculdade e que alcançara o domínio do mercado, sem parar de crescer, fabricando produtos adorados pelos clientes.

Agora, porém, ela fora pega de surpresa e enfrentava um golpe cruel e invejoso cujo intuito era diluir significativamente sua posição na empresa em que havia investido a maior parte da vida, obrigando a empreendedora a procurar um novo emprego.

A crueldade dessa impressionante reviravolta era insuportável para ela. Por baixo da fachada usualmente fria batia um coração carinhoso, misericordioso e profundamente amoroso. Ela se sentia traída pela vida. E achava que merecia mais.

Pensou em tomar uma dose gigantesca de calmantes. A façanha perigosa seria mais limpa dessa forma. *Bastava ingerir tudo para fazer o serviço rapidamente*, pensou, *preciso fugir desta dor.*

Foi quando ela viu algo na penteadeira chique de seu quarto todo branco: um ingresso para uma palestra sobre otimização pessoal, um presente da mãe. A empreendedora geralmente zombava dos frequentadores desse tipo de evento, chamando todos de "asas quebradas", dizendo que eles procuravam as respostas de um pseudoguru quando tudo o que era necessário para ter uma vida prolífica e bem-sucedida já estava dentro deles.

Talvez fosse hora de repensar isso. Ela não conseguia ver muitas opções. Ou a empreendedora iria ao seminário e teria alguma revelação que salvaria sua vida ou encontraria a paz por meio de uma morte rápida.

Capítulo 2

A filosofia diária para se transformar em lenda

"Não deixem que se apague o seu fogo insubstituível, fagulha por fagulha, nos pântanos do desespero do 'mais ou menos', do 'não é bem isso', do 'ainda não', do 'de jeito nenhum'. Não deixem morrer o herói que vive em suas almas, solitário e frustrado por nunca ter conseguido atingir a vida merecida. [...] O mundo que vocês desejavam pode ser conquistado: ele existe, é real, é seu." — **Ayn Rand**

Ele era um palestrante de grande talento. Um Orador Fascinante.

Chegando ao fim de uma carreira de sucesso e agora na casa dos 80 anos, ele foi reverenciado pelo mundo como um mestre inspirador, líder lendário e orientador sincero que ajudava pessoas comuns a perceberem seus maiores dons.

Em uma cultura repleta de volatilidade, incerteza e insegurança, os eventos do Orador Fascinante lotavam estádios com pessoas que não só desejavam levar uma vida magistral e plena de criatividade, produtividade e prosperidade como também existir de um modo que elevasse a humanidade de uma maneira visceral. Tudo isso para que, ao final, elas se sentissem confiantes de terem deixado um legado incrível e sua marca nas gerações futuras.

O trabalho desse homem era único. Ele misturava diversas abordagens que fortaleciam o guerreiro existente no caráter de cada um com ideias que honravam o comovente poeta que mora no coração de todos. Suas mensagens ensinavam indivíduos comuns a serem altamente bem-sucedidos no campo dos negócios e, ainda, reivindicar a magia de uma vida plenamente vivida. Assim é possível recuperar a sensação de espanto que conhecíamos antes desse mundo duro e frio acorrentar nosso gênio natural com uma orgia de distrações complexas, superficiais e tecnológicas.

Embora o Orador Fascinante fosse alto, a idade o deixara levemente encurvado. No caminho até o palco, ele andava com cuidado, sem perder a graciosidade. Um terno risca de giz carvão muito bem-cortado dava a ele uma aparência elegante, e óculos de lentes azuis acrescentavam um certo tom de jovialidade.

— A vida é curta demais para minimizar seus talentos — falou o Orador Fascinante para milhares de pessoas. — Você nasceu com a oportunidade e também a responsabilidade de virar uma lenda. Você foi feito para realizar projetos de nível magistral, criado para fazer proezas importantes e construído de modo a ser uma força para o bem neste pequeno planeta. Dentro de você existe a capacidade de reconquistar a soberania sobre sua grandeza primal em uma civilização que não anda muito civilizada. E também restaurar sua nobreza nesta comunidade global em que a maioria deseja comprar bons sapatos e adquire objetos caros, mas raramente investe no aperfeiçoamento pessoal. A liderança pessoal exige, ou melhor, obriga você a deixar de ser um zumbi cibernético atraído incessantemente por dispositivos digitais e reestruturar sua vida para exibir maestria, exemplificar a decência e abrir mão do egocentrismo que limita as pessoas boas. As grandes mulheres e os grandes homens do mundo eram doadores, não tomadores. Renuncie à ilusão comum de que as pessoas que acumulam mais vencem e faça um trabalho heroico que abale o mercado pela originalidade e pela utilidade. Enquanto fizer isso, minha recomendação é para também criar uma vida particular forte em ética, rica em belezas maravilhosas e inflexível no que diz respeito à proteção de sua paz interior. É assim, meus amigos, que se voa com os anjos. E entre os deuses.

O Orador Fascinante fez uma pausa e engoliu uma quantidade de ar tão grande quanto uma montanha. Sua respiração ficou tensa e fez um barulho de sopro quando o palestrante inspirou. Em seguida, ele olhou para suas botas pretas no estilo militar, estilosas e engraxadas.

Quem estava na primeira fila viu uma lágrima escorrer pelo rosto ainda bonito, embora desgastado pelo tempo.

Ele manteve o olhar para baixo. O silêncio era estridente. O Orador Fascinante parecia instável.

Após alguns momentos estressantes que levaram algumas pessoas da plateia a se mexerem desconfortavelmente nas cadeiras, o Orador Fascinante abaixou o microfone que segurava na mão esquerda, colocou a mão livre no bolso da calça e puxou um lenço de linho dobrado, enxugando o rosto em seguida.

— Cada um de vocês tem um chamado na vida. Todos carregam o instinto para a excelência dentro de si. Ninguém nesta sala precisa se manter congelado em uma existência comum e sucumbir à mediocridade em massa do comportamento visível na sociedade nem à falta coletiva de profissionalismo, tão clara na indústria. A limitação não passa de uma atitude que muita gente boa pratica todos os dias até acreditar que ela é real. Fico triste ao ver tantos seres humanos de grande potencial empacados em uma história e acreditando que não podem ser extraordinários, tanto em nível profissional quanto pessoal. É preciso lembrar que suas desculpas são corruptoras, seus medos, mentirosos, e suas dúvidas, ladras.

Muitos acenaram com a cabeça. Alguns bateram palmas. Vários aplausos vieram a seguir.

— Eu entendo vocês, de verdade — continuou o Orador Fascinante. — Sei que enfrentaram situações difíceis na vida. Todos nós enfrentamos. Entendo que você talvez sinta que a situação não terminou como você pensava quando era criança, cheio de fogo, desejo e fascinação. Você não planejou viver todos os dias da mesma forma, não é? Em um emprego que pode estar sufocando sua alma, lidando com preocupações estressantes e responsabilidades sem-fim que reprimem sua originalidade e roubam sua energia, correndo atrás de objetivos sem importância e ansiosos para satisfazer imediatamente desejos triviais, em geral movidos por uma tecnologia que nos escraviza em vez de nos libertar. Viver a mesma semana algumas milhares de vezes e chamar de vida. Preciso dizer que muitos de nós morrem aos 30 anos e são enterrados aos 80, então eu entendo. Vocês esperavam que tudo fosse diferente, mais interessante, empolgante, realizador, especial e mágico.

A voz do Orador Fascinante ficou embargada quando ele falou isso. Ele teve dificuldade de respirar por um instante. Um olhar de preocupação franziu a sobrancelha do palestrante, que se sentou em uma cadeira creme cuidadosamente posta na lateral do palco por um de seus assistentes.

— E, sim, eu tenho plena consciência que existem muitos nesta sala que atualmente estão levando vidas que amam. Vocês têm um sucesso incrível no mundo, com total controle da vida e enriquecem suas famílias e comunidades por meio de uma eletricidade quase sobrenatural. Bom trabalho. Bravo. Mesmo assim vocês também tiveram épocas em que ficaram perdidos no vale frígido e perigoso da escuridão. Vocês também conheceram o colapso de sua magnificência criativa e de sua eminência produtiva, reduzidas a um pequeno círculo de conforto, medo e entorpecimento que traíram as mansões da maestria e as reservas de bravura dentro de vocês. E também ficaram decepcionados com os invernos estéreis de uma vida mal-vivida. Vocês tiveram vários sonhos de infância negados, foram magoados por pessoas em quem confiavam e tiveram seu coração inocente devastando, ficando com a vida dizimada, tal qual um país em ruínas após um ataque de ambiciosos invasores estrangeiros.

O grande salão de conferências ficou imensamente silencioso.

— Não importa onde você esteja no caminho da vida, não deixe a dor de um passo imperfeito prejudicar a glória do seu futuro fabuloso. Você tem muito mais poder do que a maioria das pessoas pode entender atualmente. Vitórias esplêndidas e bênçãos imediatas estão vindo em sua direção. E você está exatamente onde precisa estar para desenvolver as características necessárias para ter a vida incrivelmente produtiva, extremamente prodigiosa e excepcionalmente influente que você conquistou com os esforços mais árduos. Nada está errado no momento, mesmo com a sensação de que tudo está desmoronando. Se você sente que a vida está uma bagunça agora, é apenas porque seus medos estão um pouco mais fortes que sua fé. Com a prática será possível abaixar o volume da voz deste seu eu assustado e aumentar o tom do seu eu interior triunfante. A verdade é que todo evento desafiador, toda pessoa tóxica que você já encontrou e todos os problemas que enfrentou foram a preparação perfeita para transformá-lo na pessoa que é hoje. Essas lições eram necessárias para ativar os tesouros, talentos e poderes que agora estão despertando dentro de você. Nada foi um acidente. Zero foi desperdiçado. Você está exatamente onde precisa estar para começar a vida dos seus desejos mais supremos. Uma vida que pode levá-lo a construir impérios, além de mudar o mundo. Talvez até mesmo fazer história.

— Tudo isso parece fácil, mas é muito mais difícil na vida real — gritou um homem de boné de beisebol vermelho, sentado na quinta fila. Ele vestia uma camiseta cinza e jeans daquele tipo que você já compra rasgados no shopping. Embora a explosão possa ter parecido desrespeitosa, o tom da voz do participante e sua linguagem corporal demonstravam admiração sincera pelo Orador Fascinante.

— Concordo com você, ser humano maravilhoso — respondeu o Orador Fascinante, com uma elegância que influenciou toda a plateia, a voz soando um tanto mais forte quando ele se levantou da cadeira. — As ideias não valem nada se não forem aplicadas. As menores implementações sempre valem mais do que a maior das intenções. Além disso, se fosse fácil ser uma pessoa incrível e desenvolver uma vida lendária, todos estariam fazendo isso. Entende o que eu digo?

— Claro, cara — respondeu o homem de boné vermelho, esfregando o lábio inferior com o dedo.

— A sociedade nos vendeu uma série de inverdades — continuou o Orador Fascinante. — O prazer é preferível ao terrível — ainda que majestoso — fato de que todas as possibilidades exigem trabalho árduo, reinvenção constante e uma dedicação tão profunda quanto a do mar para deixar nosso porto seguro todos os dias. Acredito que a sedução da complacência e de uma vida fácil seja 100 vezes mais brutal, no fim das contas, do que uma vida em que você vai com tudo e assume uma postura imbatível na luta pelos seus sonhos. *A excelência começa onde termina sua zona de conforto* é uma regra da qual os bem-sucedidos, influentes e mais felizes sempre se lembram.

O homem concordou com a cabeça. Algumas pessoas na plateia estavam fazendo o mesmo.

— Desde muito cedo somos programados para pensar que viver sendo leal aos valores da maestria, inteligência e decência exige pouco esforço. Assim, se a estrada ficar difícil e exigir um pouco de paciência, nós pensamos que estamos no caminho errado — comentou o Orador Fascinante, segurando o braço da cadeira de madeira e novamente dobrando o corpo magro rumo ao assento.

— Estimulamos uma cultura de pessoas frágeis, fracas e delicadas que não conseguem cumprir promessas, fogem de compromissos e abdicam de suas aspirações diante do menor obstáculo.

Nesse momento o palestrante suspirou alto.

— Difícil é bom. A verdadeira grandeza e a realização de sua genialidade inerente são feitas para ser um esporte difícil. Apenas os dedicados a ponto de enfrentar seus maiores limites conseguirão expandi-los. E o sofrimento que acontece ao longo da jornada para materializar seus poderes especiais, habilidades mais fortes e ambições mais inspiradoras é uma das maiores fontes de satisfação humana. Uma grande chave para a felicidade — e paz interior — está em saber que você fez tudo o que precisava para conquistar suas recompensas, e investiu apaixonadamente o esforço e a audácia para se transformar no seu melhor. A lenda do jazz Miles Davis se esforçou ferozmente e além do que era comum para a área dele a fim de explorar totalmente seu potencial magnífico. Michelangelo fez sacrifícios enormes em termos mentais, emocionais, físicos e espirituais enquanto produzia sua arte maravilhosa. Rosa Parks, uma simples costureira com uma coragem impressionante, suportou duras humilhações quando foi presa por não abrir mão de seu lugar em um ônibus em plena segregação racial nos Estados Unidos, inflamando o movimento dos direitos civis. Charles Darwin demonstrou o tipo de resolução que a virtuosidade exige ao estudar cirrípedes (sim, cirrípedes) por oito longos anos enquanto formulava sua Teoria da Evolução. Esse tipo de dedicação à otimização da habilidade agora seria rotulado de "loucura" pela maioria das pessoas em nosso mundo moderno, que passa grande parte do tempo insubstituível rolando selfies, assistindo ao que os amigos virtuais comeram no café da manhã e jogando videogames violentos — observou o Orador Fascinante enquanto olhava pelo salão, como se estivesse comprometido a encarar diretamente cada um dos integrantes da plateia.

— Stephen King trabalhou como professor de redação em escolas de ensino médio e em uma lavanderia industrial antes de vender *Carrie*, o romance que lhe deu a fama — continuou o velho palestrante. — Ah, e King ficou tão desestimulado pelas rejeições e negativas que jogou fora o manuscrito produzido no trailer onde morava, desistindo da luta. King só o enviou para publicação quando a esposa dele, Tabitha, descobriu a obra enquanto o marido estava fora de casa, limpou as cinzas de cigarro, leu o livro e garantiu ao autor que era brilhante. Mesmo assim, o adiantamento pelos direitos de venda da edição em capa dura foi de insignificantes US$ 2.500 (cerca de R$ 9.400).

— Está falando sério? — perguntou uma mulher sentada perto do palco. Ela usava um chapéu verde nada discreto, enfeitado com uma grande pena vermelha, e estava visivelmente satisfeita com a própria originalidade.

— Estou — confirmou o Orador. — E embora Vincent van Gogh tenha criado 900 pinturas e mais de mil desenhos enquanto viveu, sua fama só começou após sua morte. A vontade de produzir não era inspirada pelo combustível para o ego que é o aplauso popular, e sim por um instinto mais sábio, que o levou a liberar seu poder criativo, independente das dificuldades que precisou enfrentar para isso. Virar uma lenda nunca é fácil, mas eu prefiro esta jornada à mágoa de estar empacado no comum que tantas pessoas potencialmente heroicas enfrentam o tempo todo — articulou ele com firmeza.

— De qualquer modo, deixe-me dizer apenas que seu maior desconforto representa sua maior oportunidade. As crenças que mais perturbam, os sentimentos que mais ameaçam os projetos que mais enervam e os desdobramentos de seus talentos que sua parte insegura está resistindo são totalmente necessários. Siga por esses caminhos rumo à grandeza como produtor criativo, defensor das possibilidades e da liberdade pessoal. Então, aceite essas crenças, sentimentos e projetos rapidamente em vez de estruturar sua vida de um jeito projetado para dispensá-los. Enfrentar o que apavora é a forma de recuperar o poder esquecido e voltar para a inocência e o espanto que perdeu após a infância.

De repente, o Orador Fascinante começou a tossir. No começo era uma tosse fraca. Mas ganhou força, como se ele estivesse possuído por um demônio em busca de vingança.

Nos bastidores um homem de terno com um cabelo cortado à moda militar falou em um microfone colocado discretamente na manga da camisa. As luzes começaram a piscar e depois diminuíram. Algumas pessoas da plateia perto do palco ficaram em pé, sem saber o que fazer.

Uma mulher especialmente bonita que tinha o cabelo preso em um coque bem arrumado, um sorriso perfeito e usava um vestido preto justo com gola branca bordada correu pela escada de metal que o Orador Fascinante tinha subido no começo da palestra. Ela carregava um telefone em uma das mãos e um caderno bem surrado na outra. Os saltos vermelhos faziam um barulho de "plec, plec, plec, plec" enquanto ela corria na direção do chefe.

Contudo, a mulher chegou tarde demais.

O Orador Fascinante caiu duro, como um boxeador nocauteado que tivesse um grande coração e pouca habilidade no último assalto de uma carreira que deveria ter acabado há anos. O palestrante estava imóvel no chão. Um pequeno filete de sangue escapou de um corte na cabeça dele, causado pela queda. Os óculos estavam ao lado do corpo e o lenço ainda permanecia em suas mãos. Os olhos dele, que antes eram brilhantes, estavam fechados.

Capítulo 3

Um encontro inesperado e surpreendente com um desconhecido

"Não viva como se tivesse 10 mil anos sobrando. O destino paira sobre você. Enquanto ainda estiver vivendo, enquanto ainda existir nesta Terra, lute para virar uma pessoa verdadeiramente grande."
— **Marco Aurélio, imperador romano**

A empreendedora mentiu para as pessoas que encontrou na palestra, dizendo que seu objetivo ali era aprender as fórmulas incríveis do Orador Fascinante para a produtividade exponencial, além de conhecer a neurociência por trás do domínio pessoal que ele ensinava aos líderes do mercado. Ela revelou sua expectativa de que a metodologia do guru lhe daria uma vantagem inigualável sobre os concorrentes, permitindo que a empresa dominasse o mercado com rapidez e de modo inquestionável. Você sabe o verdadeiro motivo pelo qual ela estava lá: a empreendedora precisava recuperar a esperança. E salvar a própria vida.

O artista fora ao evento para descobrir um jeito de alimentar a criatividade e multiplicar sua capacidade com o intuito de deixar uma marca duradoura em sua área com as pinturas que fazia.

E o sem-teto parecia ter entrado de fininho na palestra quando ninguém estava olhando.

A empresária e o artista estavam sentados lado a lado. Eles se conheceram ali.

— Você acha que ele morreu? — perguntou ela enquanto o artista mexia nervosamente nos dreads ao estilo de Bob Marley que cobriam sua cabeça.

O rosto da empreendedora era anguloso e comprido. Diversas rugas e sulcos marcantes cobriam-lhe a testa como sulcos em uma fazenda recém-plantada. O cabelo castanho era de comprimento médio e arrumado para passar a mensagem de "Estou falando sério e não se atreva a cruzar meu caminho." Ela era magra como uma atleta de longa distância, com braços finos e pernas ágeis que surgiam de uma saia de grife azul bem discreta. Os olhos da empreendedora pareciam tristes, devido a antigas mágoas que nunca foram curadas e ao caos atual que assolava sua adorada empresa.

— Não sei ao certo. Ele está velho. E caiu com força. Meu Deus, que loucura isso. Nunca vi algo assim — comentou o artista, puxando ansiosamente um de seus brincos.

— Estou conhecendo o trabalho dele agora. Não sou muito fã desse tipo de evento — explicou a empreendedora. Ela continuou sentada, com os braços cruzados por cima de uma blusa creme com um imenso laço na cor preta colocado de modo chique sobre o decote. — Mas gostei de muitas informações sobre produtividade nessa era de dispositivos que destroem o foco e a capacidade de pensar profundamente. As palavras dele me fizeram perceber que preciso resguardar melhor meus bens cognitivos — continuou ela, de um jeito bastante formal. A empreendedora não tinha interesse algum em revelar os problemas pelos quais estava passando e, obviamente, buscava proteger sua imagem de mulher de negócios ilustre, pronta para subir na carreira.

— Ele é ótimo, com certeza. E me ajudou muito. Não acredito no que acabou de acontecer. Surreal, não é? — disse o artista, parecendo nervoso.

Ele era pintor e acompanhava o trabalho do Orador Fascinante para inspirar seu ofício, além de melhorar a vida pessoal. Contudo, por algum motivo, os demônios internos pareciam controlar sua natureza maior, levando o artista a inevitavelmente sabotar suas ambições hercúleas e ideias originais.

O artista era gordo, usava cavanhaque, debaixo do queixo e vestia camiseta preta e bermuda idem, que ia até abaixo dos joelhos rechonchudos. Botas pretas com sola de borracha, do tipo que os australianos usam, completavam

O CLUBE DAS 5 DA MANHÃ

o uniforme criativo. Tatuagens se espalhavam pelos seus dois braços e pela perna esquerda do artista. Uma delas dizia: "Ricos São Falsos", enquanto a outra ostentava uma frase de Salvador Dalí, o famoso artista espanhol, e afirmava simplesmente: "Eu não uso drogas. Eu sou as drogas."

— E aí, gente? — cumprimentou o sem-teto de modo inadequadamente alto algumas fileiras atrás da empreendedora e do artista. O auditório ainda estava esvaziando e os técnicos de audiovisual desmontavam o palco ruidosamente. A equipe do evento varria o chão ao som de uma canção relaxante do Nightmares on Wax.

Os dois se viraram para ver uma pessoa de cabelo desgrenhado, com o rosto que parecia não ter sido barbeado há décadas e um conjunto esfarrapado de roupas terrivelmente sujas.

— Sim? — perguntou a empreendedora em um tom tão frio quanto um cubo de gelo no ártico. — Posso ajudá-lo?

— Ei, irmão, o que há? — falou o artista, com mais empatia.

O sem-teto levantou-se da cadeira, mudou de lugar e sentou perto dos dois.

— Vocês acham que o guru bateu as botas? — perguntou ele enquanto cutucava uma casca de ferida em um dos pulsos.

— Não sei. Espero que não — respondeu o artista enquanto mexia em outro dreadlock.

— Gostaram do seminário? Cês curtem o que o coroa aí fala? — continuou o desconhecido esfarrapado.

— Com certeza! — afirmou o artista. — Adoro o trabalho dele. Tenho dificuldade para colocar tudo em prática, mas o que ele disse é profundo. E poderoso.

— Não tenho certeza — disse a empreendedora, cinicamente. — Gostei de muito do que ouvi hoje, mas ainda não estou convencida de algumas coisas. Vou precisar de um tempo para processar tudo isso.

— Bom, eu acho que ele é o *numero uno* — disse o sem-teto, com um arroto. — Fiz minha fortuna graças aos ensinamentos do Orador Fascinante. E tive uma vida de altíssimo nível graças a ele também. A maioria das pessoas deseja que algo fenomenal aconteça. Ele me ensinou que pessoas de desempenho excepcional *fazem* algo fenomenal acontecer com elas. E o melhor é que ele não só mostrou uma filosofia secreta para realizar meus grandes sonhos como ensinou a tecnologia — as táticas e as ferramentas — para traduzir estas informações em resultados. Suas ideias revolucionárias sobre a instalação de uma rotina matinal imensamente produtiva transformaram o impacto que tive na minha área profissional.

Uma cicatriz irregular corria pela testa do sem-teto, logo acima do olho direito. A barba desgrenhada do homem era grisalha. Em torno do pescoço ele usava um cordão de contas, como os dos sadhus indianos usam em seus templos. Embora a hipérbole tenha feito o maltrapilho parecer instável e o seu semblante desse a impressão que ele vivia nas ruas há anos, sua voz revelava um tom irregular de autoridade. E os olhos, a confiança de um leão.

— Totalmente doido. Se ele tem uma fortuna, eu sou a Madre Teresa — cochichou a empreendedora para o artista.

— Estou contigo. Parece maluco mesmo, mas olha só o relógio imenso dele — respondeu o artista.

No pulso esquerdo do sem-teto, que parecia estar na casa dos sessenta anos, estava um daqueles relógios imensos que os gerentes de fundos multimercado britânicos tendem a usar quando saem para jantar em Mayfair. Ele tinha um mostrador prateado, com uma armação de aço inoxidável, um ponteiro das horas fino e vermelho e um ponteiro de minutos laranja da cor do pôr do sol. Esta medalha de honra, digna de nota, estava presa com uma tira de borracha preta, dando um estilo mergulhador a todo o visual luxuoso.

— Mil dólares, fácil. Algumas pessoas compraram relógios assim quando nossa empresa abriu para o mercado de capitais. Infelizmente, o preço das nossas ações despencou, mas eles ficaram com os malditos relógios — analisou a empreendedora discretamente.

— E aí, de que parte da palestra do Orador Fascinante vocês gostaram mais? — perguntou o vagabundo, ainda coçando o pulso. — Foi todo aquele lance sobre a psicologia dos gênios? Ou os modelos incríveis sobre truques de produtividade dos bilionários que ele jogou no meio? Talvez vocês tenham se empolgado com toda aquela neurobiologia que cria o alto desempenho.

Ou curtiram a teoria dele sobre nossa responsabilidade de virar lendas servindo como instrumento para benefício da humanidade que ele comentou antes daquele final dramático? — O sem-teto deu uma piscadela. E olhou para o relógio imenso.

— Olha, pessoal, isso foi divertido, mas o tempo é uma das *commodities* mais preciosas que aprendi a proteger e blindar. O brilhante investidor Warren Buffet disse que os ricos investem em tempo e os pobres investem em dinheiro. Então eu não posso ficar de papo com vocês por muito tempo. Tenho um encontro com um jatinho e uma pista de decolagem. Sabem?

— Ele parece delirante — disse a empreendedora. — Buffett também disse: "Eu compro ternos caros e eles parecem baratos em mim." Talvez você também se lembre desta frase — continuou a empreendedora, sendo mais direta. — Realmente não quero ser grossa, mas não sei como o senhor entrou aqui. E não faço ideia de onde o senhor comprou esse relógio enorme ou de que jatinho o senhor está falando. E, por favor, pare de falar desse jeito sobre o que aconteceu na apresentação. Não há nada de engraçado nisso. Sério, não sei ao certo se aquele senhor ainda está respirando.

— Com certeza não foi bacana — disse o artista, coçando o cavanhaque. — E por que você fala igual a um surfista?

— Pô, pessoal, relaxa — disse o sem-teto. — Em primeiro lugar, eu *sou* um surfista. Passei minha adolescência em cima de uma prancha em Malibu. Costumava surfar perto de um *point* onde as ondas eram iradas. Agora eu surfo ondas menores em Tamarin Bay, um lugar que vocês *haoles* nunca devem ter ido.

— Nunca ouvi falar desse lugar. E o senhor é bem ultrajante — contestou a empreendedora com frieza.

Era impossível parar o sem-teto.

— Em segundo lugar, *fui* muito bem-sucedido no mundo dos negócios. Criei uma série de empresas imensamente lucrativas nessa era em que as firmas ganham bilhões em lucros, mas nada no lucro líquido. Que piada! O mundo está ficando meio pirado. Muita ganância e pouco bom senso. E terceiro, se a senhora me permite — acrescentou ele com a voz ficando mais forte — E existe *sim* um avião esperando por mim. Em uma pista de pouso perto daqui. Então, antes de ir, vou perguntar de novo porque estou curioso: de que parte da apresentação do Orador Fascinante vocês dois gostaram mais?

— Basicamente tudo. Adorei tanto que gravei cada palavra que a antiga lenda disse — respondeu o artista.

— Isso é ilegal. Você pode ter sérios problemas com a justiça por isso — alertou o sem-teto, cruzando os braços com firmeza.

— É contra a lei — confirmou a empreendedora. — Por que você faria isso?

— Porque eu quis. Deu vontade. Faço o que eu quiser fazer. Regras são feitas para serem quebradas, sabe? Picasso disse que é preciso aprender as regras como um profissional para poder quebrá-las como um artista. Preciso ser eu mesmo e não alguma ovelha sem culhões, seguindo cegamente o rebanho por um caminho que não leva a lugar algum. A maioria das pessoas, especialmente quem tem dinheiro, não passa de um bando de fraudes. É como o Orador Fascinante costuma dizer: "Você pode se encaixar ou pode mudar o mundo. É impossível fazer os dois." Então eu gravei tudo. Atire em mim, se quiser. A cadeia poderia ser interessante, eu provavelmente conheceria umas pessoas bacanas por lá — desafiou o artista.

— Ah, tudo bem. Não gosto da sua decisão, mas adorei a paixão. Então vá em frente, manda ver. Toque as partes do seminário que mais o empolgaram — pediu o sem-teto.

— Tudo o que eu gravei vai fazer sua mente explodir! — O artista levantou o braço, revelando uma tatuagem detalhada do virtuoso guitarrista Jimi Hendrix, com a frase "Quando o poder do amor superar o amor pelo poder, o mundo conhecerá a paz" por cima do rosto do falecido superastro. — Você está prestes a ouvir algo especial — acrescentou ele.

— Sim, vá em frente e toque as partes que você mais gostou — estimulou a empreendedora, levantando-se. Ela não tinha certeza do motivo, mas algo estava começando a mudar em seu âmago. *Talvez a vida esteja me derrubando para que eu possa me levantar de novo*, pensou ela.

Estar nesse evento, encontrar o artista, ouvir as palavras do Orador Fascinante, mesmo sem concordar com tudo, estava lhe dando a sensação que a situação vivenciada em sua empresa poderia ser algum tipo de preparação exigida para a grandeza. A empreendedora ainda estava cética, mas sentia que estava se abrindo. E talvez crescendo. Então ela prometeu a si mesma que continuaria seguindo esse processo em vez de recuar. O jeito antigo de existir não lhe servia mais. Era hora de mudar.

A empreendedora pensou em uma citação que ela amava de Theodore Roosevelt:

> "Não é o crítico que importa, nem aquele que aponta os tropeços do forte ou onde poderia ter feito melhor. Todo o crédito pertence ao homem que está de fato na arena, cuja face está desfigurada pela poeira, pelo suor e pelo sangue, que luta com valentia, erra e decepciona repetidas vezes porque não há esforço sem erros e percalços, mas que na verdade prospera em seus atos, conhece grande entusiasmo, grande devoção e se dedica a uma causa que vale a pena, que conhece o triunfo das grandes conquistas no final e, no pior caso, se fracassar, pelo menos fracassa enquanto ousa com grandeza, para que seu lugar jamais possa estar com as almas frias e tímidas que não conheceram vitória nem derrota."

Ela também se lembrou da frase aprendida no discurso do Orador Fascinante, algo como: "No momento em que você mais sente vontade de desistir, é preciso encontrar a força para seguir adiante." E, assim, a mulher de negócios procurou no fundo de si e jurou continuar sua busca por respostas, pela resolução de seus problemas e por vivenciar dias imensamente melhores. A esperança aumentava gradualmente, suas preocupações diminuíam aos poucos e a pequena e calma voz do seu melhor eu começava a sussurrar que uma aventura muito especial estava prestes a começar.

CAPÍTULO 4

Como abrir mão da mediocridade
e de tudo o que é comum

**"Ora, algumas vezes cheguei a acreditar em até seis
coisas impossíveis antes do café da manhã."
— Lewis Carroll, *Alice no País das Maravilhas***

— Você é pintor, certo? — perguntou o sem-teto, brincando com um botão
solto na camisa surrada.

— Sou. Meio frustrado. Sou bom, mas não ótimo — murmurou o artista.

— Tenho muitas obras de arte no meu apartamento em Zurique — disse
o sem-teto com um sorriso satisfeito. — Comprei um lugar pertinho da
Bahnhofstrasse pouco antes de os preços subirem. Aprendi a importância
de estar cercado apenas do bom e do melhor, em qualquer lugar. Esta foi
uma dos melhores atitudes vencedoras que tive para criar a vida que construí. Em minha área, só permito gente de alto nível, porque não é possível
ter uma empresa de nível A e colaboradores de nível C. Nós só lançamos
produtos que abalam o mercado e mudam totalmente a área, de tão valiosos
que são. Minhas empresas só oferecem serviços que enriquecem os clientes
de modo ético, fornecem uma experiência de usuário de tirar o fôlego e geram seguidores fanáticos que não se imaginam fazendo negócios com outra
pessoa. Na minha vida pessoal é o mesmo: consumo apenas os melhores
alimentos, embora não coma muito. Eu leio apenas os livros mais originais
e informativos, passo o tempo nos espaços mais cheios de luz e inspiradores

e visito os lugares mais encantadores. E quando se trata de relacionamentos, só me cerco de seres humanos que alimentam minha alegria, aumentam minha paz e me empolgam para ser um homem melhor. A vida é valiosa demais para passar tempo com pessoas que não entendem você, com quem simplesmente não há clima por terem valores diferentes e padrões mais baixos que os seus, além de terem mente, coração, saúde e alma diferentes dos seus. É um pequeno milagre como nossas influências e ambiente moldam a produtividade e o impacto de modo poderoso e profundo.

— Interessante — observou a empreendedora, olhando para o telefone. — Ele parece saber o que está falando — murmurou suavemente para o artista, com os olhos ainda na tela.

A teia de aranha de rugas no rosto da empreendedora relaxou um pouco mais. Em um dos pulsos, ela usava duas pulseiras de prata. Uma com a frase "Transforme os não-consigos em eu-consigos" enquanto na outra estava gravado "Feito é melhor que perfeito." A empreendedora tinha se presenteado com as joias quando a empresa estava na fase de startup e ela se sentia altamente confiante.

— Eu entendo a questão da mente, mas não sei como o coração, a saúde e a alma podem influenciar tudo isso, cara.

— Você vai entender — afirmou o sem-teto. — Quando o fizer, sua forma de criar, produzir e se comportar no mundo nunca mais será a mesma. São conceitos incrivelmente revolucionários para qualquer criador de impérios e construtor de mundos. E poucas pessoas do planeta atualmente conhecem isso. Se conhecessem, todos os elementos importantes da vida deles melhorariam rapidamente. Por ora, eu apenas gostaria de manter o compromisso pessoal com a qualidade excepcional em tudo ao meu redor. O ambiente realmente molda sua percepção, inspiração e implantação. A arte alimenta minha alma, grandes livros deixam minha esperança pronta para as batalhas, conversas ricas aumentam minha criatividade, músicas maravilhosas elevam meu coração e belas paisagens fortalecem meu ânimo. E basta uma manhã cheia de positividade para fazer um download monumental de ideias inventivas que elevam toda uma geração, sabe? Também preciso dizer que elevar a humanidade é o esporte máximo praticado pelos 5% melhores. O verdadeiro propósito do comércio não é apenas fazer fortuna pessoal. O verdadeiro motivo para estar no jogo é ser útil para a sociedade. Meu foco principal nos negócios é servir. Dinheiro, poder e prestígio são apenas subprodutos inevitáveis que surgiram ao longo do meu caminho. Um velho e notável amigo me ensinou esse jeito de trabalhar quando eu era jovem e mudou totalmente o estado da minha prosperidade e a magnitude da minha liberdade pessoal. Essa filosofia divergente de fazer negócios dominou meu jeito de agir desde então. Quem sabe, talvez eu apresente meu mentor para vocês em algum momento.

O vagabundo fez uma pausa e olhou para seu grande relógio. Depois, fechou os olhos e disse estas palavras: "Controle suas manhãs. Mude de vida." Como em um passe de mágica, um pedacinho de papel branco apareceu na palma da mão esquerda dele, que estava esticada. Foi um belo truque. Você teria ficado incrivelmente impressionado se estivesse lá com essas três almas. No papel havia a imagem de um anjo de asas enorme, usando uma coroa, de frente ao sol, sendo iluminado pelos seus raios.

A empreendedora e o artista ficaram boquiabertos nesse momento, parecendo tanto confusos quanto hipnotizados.

— Vocês dois têm um herói dentro de si. Vocês sabiam disso quando eram crianças, antes que adultos os fizessem limitar seus poderes, acorrentar sua genialidade e trair as verdades do seu coração — disse o sem-teto, fazendo coro ao discurso do Orador Fascinante.

— Adultos são crianças deterioradas — continuou ele. — Quando vocês eram muito mais jovens, sabiam como viver. Olhar para as estrelas os deliciavam, correr em um parque fazia vocês se sentirem vivos e caçar borboletas os enchia de felicidade. Ah, como eu adoro borboletas. À medida que vão crescendo, vocês desaprendem a ser humanos. Esquecem como ser ousados, empolgados, carinhosos e como viver intensamente. Os preciosos reservatórios de esperança diminuíram e ser comum passou a ser aceitável. A lâmpada da criatividade, positividade e intimidade com a própria grandeza se apagou quando vocês começaram a se preocupar em se encaixar, ganhar popularidade e ter mais do que os outros. Bom, eu digo o seguinte: não participe do mundo dos adultos entorpecidos, com toda a escassez, apatia e limitações. Estou convidando vocês a entrar em uma realidade secreta, conhecida apenas pelos verdadeiros mestres, grandes gênios e lendas da história. Tudo para descobrir os poderes primais interiores que vocês nem sabiam que existiam. É possível criar mágica no trabalho e na vida pessoal. Eu certamente criei e estou aqui para ajudar vocês a fazer o mesmo.

Antes que a empreendedora e o artista pudessem pronunciar qualquer palavra, o sem-teto continuou a discursar:

— Ah, eu estava falando da importância da arte. E do ecossistema sobre o qual a vida é construída. Isso me faz pensar nas palavras incríveis do escritor português Fernando Pessoa: "A arte livra-nos ilusoriamente da sordidez de sermos. Enquanto sentimos os males e as injúrias de Hamlet, príncipe da Dinamarca, não sentimos os nossos — vis porque são nossos e vis porque são vis." Também me lembra o que Vincent van Gogh disse: "Não tenho certeza de nada, mas a visão das estrelas me faz sonhar."

O sem-teto engoliu em seco com força, desviou o olhar e pigarreou nervosamente.

— Cara, eu passei por muita coisa. Fui bastante derrubado e chutado pela vida. Fiquei doente, fui atacado, agredido e maltratado. Olha isso, minha história parece uma música country. Se minha garota tivesse me traído e o meu cachorro morrido, eu teria uma música de sucesso.

O sem-teto riu. Um tipo de risada estranha, gutural, de palhaço de circo chapado de ácido. E depois continuou:

— Enfim, tudo bem. A dor é a porta para a profundidade, estão me entendendo? E a tragédia é a grande purificadora da natureza, pois queima a falsidade, o medo e a arrogância do ego e nos devolve o brilhantismo e a genialidade, se vocês tiverem a coragem de procurar o que lhes fere. O sofrimento gera muitas recompensas, incluindo empatia, originalidade e capacidade das pessoas se identificarem com você. Nas palavras de Jonas Salk, "Tive sonhos e pesadelos, mas eu venci meus pesadelos por causa dos meus sonhos" — acrescentou ele com nostalgia.

— Ele é superesquisito. Incrivelmente excêntrico, mas há algo especial nele — admitiu a empreendedora para o artista em voz baixa, removendo um pouco o escudo de cinismo que a protegeu ao longo de sua carreira de sucesso. — O que ele acabou de dizer é exatamente o que eu precisava ouvir. Eu sei que ele parece morar numa caixa de papelão nas ruas, mas ouça as palavras desse homem. Às vezes ele fala como um poeta. Como pode ser tão articulado? De onde vem essa profundidade? E quem é esse "velho amigo" que lhe ensinou tanto? Ele me lembra meu pai, que era meu confidente, melhor amigo e quem me dava mais apoio. Ainda sinto falta dele. Penso nele todo dia.

— Certo — disse o artista ao desconhecido peculiar. — Você perguntou sobre a minha parte favorita da palestra. Com certeza, eu gostei quando o Orador Fascinante mencionou a filosofia do guerreiro espartano: "aquele que transpira mais no treinamento sangra menos na guerra", e também da frase "A grande vitória se faz nas primeiras horas da manhã, quando ninguém está vendo e enquanto todos os outros dormem". Os ensinamentos sobre o valor de uma rotina matinal de alto nível foram ótimos.

A empreendedora olhou para seu celular.

— Fiz algumas anotações, mas não escrevi essas pérolas — comentou, anotando o que acabara de ouvir.

— Nós só ouvimos o que estamos prontos para ouvir. Todo aprendizado nos encontra exatamente onde estamos. E à medida que crescemos, entendemos melhor — observou sabiamente o sem-teto.

A voz do Orador Fascinante ressoou subitamente. Os olhos do sem-teto ficaram tão grandes quanto o Taj Mahal. Dava para ver que ele havia ficado terrivelmente surpreso ao ouvir o tom de voz famoso. Ele deu meia-volta, procurando a fonte. Rapidamente, tudo se esclareceu.

O artista estava tocando a gravação ilícita que fizera da palestra.

— Esta é a parte que eu mais gostei, para responder à sua pergunta, irmão — explicou ele, olhando diretamente nos olhos do maltrapilho.

"Em uma cultura de zumbis cibernéticos, viciados em distração e aflitos pelas interrupções, o jeito mais sábio de garantir a produção consistente de resultados em nível de maestria nas áreas mais importantes de sua vida pessoal e profissional é instalar uma rotina matinal de alto nível. A vitória começa no início do seu dia. E é nas primeiras horas que se fazem os heróis.

"Declare guerra contra a fraqueza e lance uma campanha contra o medo. Você realmente pode acordar cedo. E fazer isso é uma necessidade nessa busca incrível rumo ao status de lenda.

"Cuide muitíssimo bem da parte inicial e o resto do seu dia vai basicamente tomar conta de si. Controle sua manhã. Mude de vida."

Era possível ouvir o Orador Fascinante respirando com dificuldades, como um nadador iniciante que foi rápido e longe demais. O artista continuou a tocar sua gravação, aumentando o volume até o som ficar estridente.

"Aqui está o segredinho precioso que os titãs da indústria, atores de destaque de talento artístico e os ultraconquistadores da humanidade nunca vão dividir com você: resultados colossais dizem muito menos respeito à genética que você herdou e muito mais aos seus hábitos diários. E o ritual matinal é de longe o mais essencial para calibrar e depois automatizar.

"Quando vemos os ícones em ação, a sedução contundente vendida pela nossa civilização nos fez acreditar que eles sempre foram grandes, nasceram para ser excepcionais e tiraram a sorte grande na loteria do DNA, pois a genialidade deles foi herdada. Contudo, a verdade é que estamos observando esses indivíduos em sua glória absoluta após anos seguindo um processo que envolveu horas incessantes de prática. Quando observamos pessoas magníficas nos negócios, esportes, ciências e artes estamos vendo os resultados conquistados graças à concentração obsessiva em um objetivo, ao foco astronômico em uma habilidade, à intensidade do sacrifício aplicada a um objetivo, além de níveis incomuns de preparação e quantidades extremas de pura paciência. Lembre-se: todo profissional foi amador e todo mestre começou como iniciante. Pessoas comuns podem conquistar proezas extraordinárias se transformarem os hábitos certos em rotina."

— Esse cara manda bem — elogiou o sem-teto, batendo palmas com as mãos sujas como uma criança em um parque de diversões. Ele olhou novamente para o relógio e começou a mexer os pés enquanto balançava os quadris para a frente e para trás. O desconhecido agora acenava para o ar e estalava os dedos, novamente de olhos fechados. Sons parecidos

com o que os primeiros rappers faziam quando não tinham rádios-
-gravadores saíram dos lábios rachados do homem. Você ficaria surpreso
ao vê-lo em ação.

— O que raios você está fazendo? — gritou o artista.

— Dançando — respondeu o sem-teto, movendo-se gloriosamente —
Continue me revelando esse belo conhecimento. Sócrates disse: "A educação
é a arte de acender uma chama." E Isaac Asimov escreveu: "O autodidatismo
é o único tipo de educação que existe." Então, continue tocando as palavras
do velho guru, cara. É tudo tão irado!

O artista retomou a gravação:

"Resista fortemente a todo roubo de sua maestria deste mundo que o tenta a
se distrair e causa demência digital. Obrigue sua atenção a voltar ao Everest
do anseio pela expressão total e livre-se hoje mesmo de todos os motivos
que alimentam a estagnação de suas forças. Comece sendo imaginativo, um
desses raros indivíduos que lidera a partir da nobreza do próprio futuro em
vez de liderar através das grades do passado. Cada um de nós está sedento
por dias cheios de pequenos milagres. Cada um de nós deseja ser dono do
heroísmo puro e entrar no modo excepcionalmente livre. Todos os seres
humanos vivos neste momento têm a necessidade psicológica primitiva de
criar obras-primas que impressionam, vivem diariamente entre espanto
incomum e sabem que estão de alguma forma vivendo de modo a enriquecer
a vida alheia. O poeta Thomas Campbell disse lindamente quando observou:
'Viver nos corações que deixamos para trás é não morrer.

"Cada um de nós foi realmente criado para fazer história de modo autêntico e singular. Para alguns, isto significa ser um excelente programador ou
ótimo professor que eleva a mente dos jovens. Para outros, essa oportunidade
leva a ser uma tremenda mãe ou administradora magnífica. Para outra pessoa,
esta boa sorte significa abrir uma ótima empresa ou ser uma vendedora fantástica que atende os clientes de modo soberbo. Esta chance de ser lembrado
pelas gerações futuras e ter uma vida que realmente importa não é algo trivial.
Ela é, de fato, a verdade, mas poucos de nós a descobririam e instalaram a
mentalidade matinal prática e as condições consistentes capazes de garantir

que esses resultados apareçam. Todos nós queremos reconquistar o direito de nascença ao talento elevado, à alegria sem limites e se libertar do medo, mas poucos estão dispostos a fazer o necessário para nossa genialidade oculta se apresentar. Estranho, não é? E muito triste. A maioria de nós foi hipnotizada para longe da luminosidade que é a nossa essência. A maioria passa as horas mais preciosas ocupada em estar ocupada, procurando objetivos triviais e diversões artificiais enquanto deixa a vida real de lado. Esta é a fórmula para se magoar no final. Qual é o objetivo de passar as melhores manhãs e dias potencialmente produtivos escalando montanhas que você só vai perceber que eram erradas quando estiver fraco e enrugado? Muito triste."

— Eu me identifiquei bastante com essa parte — interrompeu a empreendedora, um tanto emocionada. — Definitivamente sou viciada em tecnologia. Não consigo parar de verificar tudo. É a primeira coisa que faço de manhã e a última que faço à noite. Isso está acabando com o meu foco. Mal consigo me concentrar nos produtos que eu e minha equipe nos comprometemos a entregar. E todo esse ruído na minha vida está drenando minha energia. Tudo parece tão complicado! Sinto que não tenho mais tempo para mim. Estou sobrecarregada com tantas mensagens, notificações, anúncios e distrações. E o que o Orador Fascinante disse também é muito útil para aumentar meus padrões como líder, pois meio que estagnei. Minha empresa cresceu mais rápido do que eu esperava e tive mais sucesso do que imaginei, mas algumas situações estão me causando uma tonelada de estresse. — Ela desviou o olhar e cruzou os braços de novo.

Não consigo dizer a eles o que realmente estou enfrentando, pensou ela.

Então continuou:

— Tive que mandar embora gente de quem eu gostava muito, pois as pessoas que se encaixam em um estágio do ciclo de vida de uma empresa podem não se encaixar mais à medida que a empresa evolui. Isso foi difícil. Eles foram os colaboradores certos em um primeiro momento, mas não pertencem à empresa agora. E algumas situações estão acontecendo na empresa que viraram minha vida de cabeça para baixo. Não quero falar muito disso. É só um momento bastante turbulento para mim.

— Bom, sobre a questão de melhorar a liderança — respondeu o sem-teto — lembre-se que o trabalho do líder é ajudar os descrentes a aceitar sua visão, os impotentes a superar suas fraquezas e os desesperançados a desenvolver a fé. E o que você disse sobre abrir mão de empregados de quem gostava, mas que não se encaixavam na situação atual de sua empresa, isso é normal para que um negócio se desenvolva e aconteceu porque eles não conseguiram crescer no mesmo ritmo da empresa e começaram a descer a ladeira, parando de aprender, inventar e melhorar tudo em que se envolviam. Consequentemente, deixaram de ser incubadores de valor para o seu empreendimento. Eles provavelmente culparam você, mas causaram isso — explicou o penetra desconhecido, surpreendendo os ouvintes com a sofisticação de suas ideias sobre construção de equipes e sucesso em empreitadas comerciais.

— É... Isso mesmo — respondeu a empreendedora. — Foi preciso deixá-los para trás, pois não produziam mais os resultados pelos quais estavam sendo pagos para trazer. Em várias noites eu acordo às duas da manhã banhada em suor. Talvez seja como disse o piloto de Fórmula Um, Mario Andretti: "Se tudo parece estar sob controle, você não está indo rápido o suficiente." É assim que eu me sinto na maior parte dos dias. Estamos ultrapassando os indicadores de desempenho tão rapidamente que fico até zonza. Novos colegas de equipe para ensinar, novas marcas para gerenciar, novos mercados para entrar, novos fornecedores para observar, novos produtos para refinar, novos investidores e acionistas para impressionar e mil novas responsabilidades para dar conta. Realmente me sinto sobrecarregada. Tenho uma imensa capacidade para grandes realizações, mas sinto o peso da responsabilidade nos ombros.

A empreendedora apertou mais os braços e franziu a testa distraidamente. Os lábios finos se fecharam como uma anêmona do mar ao notar um predador fatal. E os olhos sugeriam que ela estava sofrendo. Imensamente.

— E sobre estar viciada em tecnologia, lembre-se que se ela for usada *com inteligência* pode acelerar o progresso humano. Usar a tecnologia sabiamente melhora a vida, enriquece o conhecimento e diminui as distâncias neste mundo maravilhoso. É o *mau uso* da tecnologia que está acabando com a mente das pessoas, danificando a produtividade e destruindo nosso tecido social. Se você fica brincando com ele o dia inteiro, o celular está lhe custando sua fortuna, sabe? E o que você acabou de dizer sobre a pressão, isso é fantástico. "A pressão é um privilégio", disse a lenda do tênis Billie Jean King. Crescer e ascender como pessoa é uma das formas mais inteligentes de passar o resto da vida. Com cada desafio vem a oportunidade maravilhosa de subir de nível como líder, realizadora e ser humano. Os obstáculos são apenas testes criados para medir o quanto você realmente deseja as recompensas que ambiciona. Eles aparecem para determinar o quanto você está disposta a melhorar para ser o tipo de pessoa que pode sustentar essa quantidade de sucesso. O fracasso é apenas o crescimento em pele de lobo. E basicamente nada é tão e importante na vida quanto a expansão pessoal, o desenvolvimento do seu potencial. Tolstói escreveu: "Todos pensam em mudar o mundo, mas ninguém pensa em mudar a si mesmo." Ao se tornar uma pessoa melhor, você automaticamente se tornará uma líder e uma produtora melhor. E sim, concordo que o crescimento pode assustar, mas meu mentor me ensinou o seguinte: "a parte de você que se agarra ao medo precisa vivenciar uma espécie de crucificação de modo que a parte merecedora de grandes honras passe por uma espécie de reencarnação." Essas foram exatamente as palavras dele. Uma doideira bastante profunda, não é? — comentou o mendigo acariciando as contas sagradas que usava no pescoço.

Ele continuou falando sem esperar resposta:

— Meu professor especial também disse: "Para encontrar seu melhor eu é preciso abrir mão do seu eu fraco." E isso só acontece por meio do aperfeiçoamento implacável, da reflexão contínua e autoanálise constante. Se vocês não se mantiverem subindo todos os dias, vão ficar empacados pelo resto da vida. Isso me faz pensar nas palavras do jornalista Norman Cousins: "A tragédia da vida não é a morte, e sim o que deixamos morrer em nós enquanto vivemos." — O sem-teto levantou a voz rouca e observou: — Meu professor especial ensinou que depois de transformar o relacionamento primário conosco, descobrimos que os relacionamentos com outras pessoas, o trabalho, a renda e o impacto se transformam. A maioria das pessoas não se suporta. Por isso, elas não conseguem ficar sozinhas. E nem caladas. Elas precisam estar com outras pessoas o tempo todo para fugir da raiva de si devido ao potencial desperdiçado, perdendo as maravilhas e a sabedoria que a solidão e o silêncio trazem. Ou então elas assistem TV sem parar e nem percebem que isso destrói tanto a imaginação quanto a conta bancária.

— Minha vida está bem complicada. Eu me sinto muito sobrecarregada. Não tenho tempo para mim — repetiu a empreendedora. — Não sei o que aconteceu. Tudo ficou tão difícil.

— Eu entendo você — consolou o artista, colocando o braço no ombro de sua nova amiga. — Minha intuição diz que você está passando por muito mais do que está dizendo. E tudo bem. Em alguns dias a vida parece tão confusa que nem consigo sair da cama, sabe? Eu fico deitado, fecho os olhos e fico desejando que o nevoeiro na minha cabeça vá embora, mesmo que por um dia. Não consigo pensar direito em alguns momentos. E nesses dias, meu coração não tem esperança alguma. É uma droga. E muitas pessoas são horríveis, cara. Não sou antissocial. Sou anti-idiotas. Tem muita gente burra por aí hoje em dia. Tirando fotos estúpidas fazendo biquinho, vestindo roupas que não podem pagar e andando com pessoas de quem nem gostam. Eu prefiro ter uma vida reflexiva, arriscada e real. Uma vida de artista. A superficialidade das pessoas me enlouquece.

O artista socou a palma de uma das mãos com o punho fechado. Rugas apareceram ao longo do maxilar e uma veia azul pulsava no pescoço largo do homem.

— Eu entendo, claro — disse o sem-teto. — A vida não é fácil, gente. É um perrengue muitas vezes, mas, como disse John Lennon: "Tudo ficará bem no fim das contas. E se não ficar bem, é porque não chegou ao fim" — respondeu ele, citando outra frase do suprimento aparentemente ilimitado em seu cérebro.

O artista se acalmou imediatamente, sorrindo de um jeito quase doce e expirando com força. Ele gostara do que tinha acabado de ouvir.

O errante então continuou:

— Essa escalada até o ar rarefeito do domínio pessoal e profissional em que nós três obviamente nos inscrevemos não é para os fracos. Subir de nível na vida a fim de conhecer a verdadeira alegria e otimizar as habilidades para dominar sua área muitas vezes pode ser desconfortável. Preciso ser sincero em relação a isso, mas tem um ponto principal que aprendi: as dores do crescimento são melhores do que os custos devastadores do arrependimento.

— Onde você aprendeu isso? — questionou o artista, anotando as palavras em seu caderno.

— Não posso dizer ainda — respondeu o sem-teto, aumentando o mistério em torno da aquisição de seus conhecimentos.

A empreendedora se afastou do artista e anotou rapidamente alguns de seus pensamentos no smartphone. O sem-teto colocou a mão no bolso da camisa xadrez cheia de buracos e tirou um conjunto de fichas de papel bastante gastas e as segurou como um aluno fazendo uma apresentação na escola de ensino fundamental.

— Uma pessoa ilustre me deu isso quando eu era muito mais jovem e estava abrindo a primeira empresa. Eu era muito parecido com vocês, caras: cheio de sonhos, disposto a deixar minha marca no mundo, doido para provar do que era capaz e empolgado para dominar o jogo. Os primeiros 50 anos de vida dizem respeito basicamente a buscar legitimidade, sabe? Nós buscamos aprovação social, queremos o respeito dos colegas, a simpatia dos vizinhos, além de comprar todo tipo de objeto desnecessário e ficar obcecados por ganhar dinheiro de que nem gostamos.

— Tem toda a razão — murmurou o artista, assentindo com entusiasmo e mudando visivelmente a postura enquanto as tranças rastafári caíam sobre seus ombros.

O local do evento agora estava vazio.

— Se tivermos a coragem de olhar para dentro de nós, descobriremos que fazemos isso porque temos uma série de buracos e acreditamos falsamente que bens materiais externos vão preencher o vazio interno. Porém, isso não vai acontecer. Nunca. Então, quando muitos de nós chegamos ao meio da vida, damos uma guinada, pois começamos a perceber que não vamos viver para sempre e os dias estão contados. E assim nos conectamos com a própria mortalidade. É um momento crucial. Percebemos que vamos morrer, e o que realmente importa ganha um foco muito maior. Nós ficamos mais contemplativos e também começamos a questionar se fomos verdadeiros em relação a nossos talentos, leais a nossos valores e bem-sucedidos nos termos certos para nós. Além disso, pensamos no que os entes queridos vão dizer sobre nós quando não estivermos mais aqui. Nesse momento, muitos farão uma grande mudança, deixando de buscar legitimidade na sociedade para construir um legado significativo. Os últimos 50 anos deixam de ser centrados no *eu* e se concentram no *nós*. Sai o egoísmo e entra a capacidade de servir. Nós paramos de acrescentar à vida, passando a subtrair e simplificar. Aprendemos a saborear a beleza simples, vivenciar a gratidão pelos pequenos milagres, apreciar o valor inestimável da paz de espírito, passar mais tempo cultivando as conexões humanas e entender que quem oferece mais é vitorioso. E o restante da sua vida passa a ser uma dedicação fenomenal a se amar, além de ser um ministério de bondade para muitos. Este é o caminho para a imortalidade.

— Ele é realmente especial. Não me sentia tão esperançosa, empolgada e centrada há meses. Meu pai costumava me ajudar nos tempos difíceis — sussurrou a empreendedora ao artista. — Desde que ele morreu, não tenho mais em quem me apoiar.

— O que aconteceu com ele? — perguntou o artista.

— Estou um pouco fragilizada agora, mesmo me sentindo mais forte do que hoje de manhã, sem dúvida. Então vou dizer apenas que ele tirou a própria vida. Meu pai era um homem incrível, um pioneiro nos negócios tremendamente bem-sucedido. Ele pilotava aviões, carros esportivos e adorava vinho de ótima qualidade. Era tão *vivo*. Aí o sócio tirou tudo o que ele tinha, em uma situação semelhante ao cenário horrível que estou vivendo. De qualquer modo, o estresse e o choque de ver o próprio mundo desabando levou meu pai a fazer o que nunca poderíamos ter imaginado. Ele não conseguia ver saída alguma, eu acho — revelou a ela até a voz embargar.

— Pode confiar em mim — disse o artista carinhosamente.

Ele colocou uma das mãos no coração ao dizer essas palavras, parecendo tanto cavalheiro quanto boêmio. A empreendedora viu o anel hippie no dedo mindinho do artista.

O sem-teto interrompeu o momento íntimo dos dois.

— Olha, leiam isso — orientou ele entregando uma das fichas. — Vai ser útil quando vocês forem para o próximo nível de desempenho e viverem essa aventura rumo à liderança humana, ao domínio pessoal e à criação de uma carreira de produtividade incomum.

O papel, amarelado pelo tempo, dizia em letras vermelhas: "*Toda mudança é difícil no começo, confusa no meio e linda no final.*"

— Isso é muito bom. Uma informação valiosa para mim. Muito obrigada — observou a empreendedora.

O artista voltou a tocar a cópia ilegal da apresentação do Orador Fascinante:

"Cada um de vocês tem uma genialidade tranquila e um herói triunfante no coração. Vocês podem até considerar isso como palavras idealistas de um inspirador idoso e descartá-las, mas tenho orgulho de ser idealista. O mundo precisa de mais gente como nós. Mas eu também sou realista, e esta é verdade: a maioria das pessoas do planeta hoje não pensa muito em si, infelizmente. Elas criam a própria identidade pelo que são externamente, avaliam as conquistas pelos bens que acumularam em vez do caráter que cultivaram, e se comparam às imagens orquestradas (e falsas) publicadas pelas pessoas que seguem. Elas medem o valor próprio pelo patrimônio líquido e são reféns do seguinte pensamento falso: como algo nunca foi feito, não poderá ser feito jamais, esgotando assim as possibilidades grandiosas e eletrizantes que estavam destinadas a acontecer na vida delas. Isso explica por que a maioria está afundando na areia movediça da incerteza, do tédio, da distração e da complexidade."

— Cheios de drama — interrompeu novamente o sem-teto. — É assim que chamo os homens e mulheres que pegaram o vírus da "vitimite aguda". Eles só reclamam que tudo está ruim em vez de aplicar o poder primal para melhorar a situação. Eles tomam em vez de oferecer, criticam em vez de criar e se preocupam em vez de trabalhar. É preciso criar anticorpos para impedir que toda forma de mediocridade chegue perto de sua vida profissional e particular. Nunca seja cheio de drama.

A empreendedora e o artista se olharam e riram, tanto dos termos usados pelo desconhecido excêntrico quanto por ele ter levantado um dos braços e feito o sinal de paz enquanto falava. Se você estivesse lá com eles, também o acharia estranho.

O Orador Fascinante disse as seguintes palavras no gravador em um tom dramático:

"Para ser bem claro, você terá a oportunidade de mostrar liderança onde quer que esteja em tudo o que faz, todos os dias, pelo restante da vida. A liderança não é apenas para ícones globais e titãs do mercado. É uma arena onde todos podem jogar, pois liderança diz menos respeito a ter um título formal, grande escritório e dinheiro no banco, sendo mais uma questão de se comprometer com a maestria em tudo o que faz e com quem você é. É uma questão de resistir à tirania do comum, não deixar a negatividade levar sua noção de espanto e impedir que toda forma de escravidão à mediocridade infeste sua vida. Liderança é uma questão de fazer diferença exatamente onde você está. A verdadeira liderança é uma questão de fazer um trabalho corajoso que exemplifique a genialidade, transforme seu campo de trabalho com seu escopo, inovação e execução e seja tão espantosamente sublime que passe no teste do tempo.

"E nunca trabalhe apenas pela renda. Trabalhe pelo impacto. Busque a liberação sincera de valor que representa uma magia incomum, quase poética. Demonstre a expressão completa do que é possível um ser humano criar. Desenvolva a paciência para se dedicar a um resultado de excelência, mesmo se ao longo da vida você gerar apenas uma obra-prima. Conquistar apenas esta proeza terá feito a jornada de sua vida valer a pena.

"Seja um virtuoso. Uma pessoa excepcional. Destaque-se. Os 5% melhores não se preocupam tanto com fama, dinheiro e aprovação, estando muito mais preocupados em ir além das próprias habilidades dentro do seu ofício, trabalhar intensamente o próprio talento e criar o tipo de produtividade que inspira e serve milhões. Frequentemente é por isso que eles ganham milhões. Então nunca se poupe. *Sempre vá com tudo.*"

O sem-teto agora estava de olhos fechados. E fazendo uma série de flexões usando apenas um braço. Tudo isso enquanto dizia: "Controle suas manhãs. Mude de vida."

A empreendedora e o artista sacudiram a cabeça.

— Um dos meus livros favoritos é *O Profeta* — comentou o artista — É uma das obras mais vendidas de poesia que existem. Eu li que Khalil Gibran carregou o manuscrito por quatro longos anos e o refinou constantemente, antes de entregá-lo ao editor, porque era arte pura. Eu ainda lembro exatamente o que ele disse quando foi entrevistado por um jornalista sobre seu processo criativo porque suas palavras me guiam quando estou no estúdio e me fazem alcançar um poder maior como artista, mesmo lutando com a procrastinação. Como já disse, eu sou muito bom, mas sei que posso ser excelente. Só preciso derrotar a autossabotagem e meus demônios.

— O que ele disse? — perguntou o sem-teto, agora de pé e mexendo no imenso relógio. Gotas de suor desciam por seu rosto anguloso.

— Ele disse o seguinte: "Eu queria ter plena certeza de que cada palavra do livro era o melhor que eu tinha a oferecer" — citou o artista.

— Irado. Esse é o padrão que os melhores sempre adotam— respondeu o sem-teto.

O Orador Fascinante tossiu no áudio e comentários que vieram a seguir pareciam ter saído com dificuldade, como uma criança recém-nascida relutando ferozmente a deixar a segurança e o quentinho do útero da mãe.

"Qualquer pessoa pode virar um líder cotidiano ao seguir minhas recomendações quando for fácil, e especialmente quando for difícil. Começando hoje. Se você fizer isso, garantirá a vitória em seu futuro. E preciso acrescentar que não há uma pessoa hoje que não possa elevar imensamente o pensamento, desempenho, vitalidade, prosperidade e felicidade por toda a vida ao se engajar em uma série de rituais diários profundos e praticá-lo até serem naturais para você. Isso me leva ao principio mais importante dessa palestra: o maior ponto de partida para vencer no trabalho, construir uma vida esplêndida e se juntar ao que chamo de Clube das 5 da Manhã. Como você conseguirá chegar ao primeiro nível se não dedicar algum tempo todas as manhãs a se transformar em uma pessoa de primeiro nível?"

O CLUBE DAS 5 DA MANHÃ

A empreendedora fazia anotações com uma intensidade feroz e inédita. O rosto do artista tinha um sorriso que dizia "isso me dá força". O sem-teto arrotou, deitou no chão e sustentou o corpo em uma prancha, o tipo de exercício que os profissionais da ginástica adoram fazer nas academias para fortalecer os músculos do abdômen.

O Orador Fascinante tossia com ferocidade ainda maior na gravação, seguido por uma pausa brutal que se manteve por algum tempo.

Depois, ele pronunciou essas palavras de modo hesitante e ofegante. A voz do Orador Fascinante começou a tremer como a de um operador de telemarketing novato em sua primeira ligação de vendas.

"Levantar às cinco da manhã é a mãe de todas as rotinas. Entrar para o Clube das 5 da Manhã eleva todos os outros comportamentos humanos. Este é o acelerador fundamental para transformá-lo em um modelo imbatível de possibilidades. O jeito de começar o dia realmente determina a quantidade de foco, energia, empolgação e excelência que você traz para ele. Cada manhã em que você acorda cedo representa uma página da história que será o seu legado. Cada amanhecer é uma nova chance de liberar a genialidade, soltar a potência, jogar entre os grandes e obter resultados marcantes. Você tem este poder dentro de si e ele se revela nos primeiros raios de sol. Por favor, não permita que dores passadas e frustrações presentes diminuam sua glória, reprimam sua invencibilidade e sufoquem a possibilidade ilimitada que se esconde em sua parte suprema. Neste mundo que parece colocar você para baixo, fortaleça-se. Nesta época que prefere ver você na escuridão, caminhe para a luz. Neste tempo que hipnotiza você para esquecer seus dons, resgate sua genialidade. O mundo exige que cada um de nós defenda o próprio ofício, batalhe pelo próprio crescimento e seja um guardião do amor incondicional para toda a humanidade.

"Mostre respeito e compaixão por todas as outras pessoas que ocupam este planetinha, independentemente de credo, cor ou posição social. Eleve-as nesta civilização em que muitos se energizam jogando os outros para baixo. Ajude-as a perceber as maravilhas que existem dentro delas. Mostre as virtudes que todos desejamos ver praticadas por mais gente. Tudo o que estou dizendo vai falar para sua parte que está preservada, o lado que estava ferozmente vivo antes de você ser ensinado a temer, esconder-se, fechar-se e desconfiar. Como herói da sua vida, conquistador criativo e cidadão da Terra seu trabalho consiste em mudar essa cultura e encontrar essa dimensão dentro de si. E uma vez feito isso, passe o restante dos seus dias reconectado com ela.

"Aceite essa oportunidade para a maestria e eu prometo que uma sincronicidade de sucesso, além de um tipo de magia orquestrada bem além das fronteiras da lógica, vai impregnar o restante de seus dias. E os anjos do seu maior potencial vão começar a visitá-lo regularmente. Na verdade, uma série ordenada de milagres aparentemente impossíveis recairá no mais genuíno dos seus sonhos, fazendo com que o melhor deles se realize. E você vai evoluir para ser um dos espíritos raros e grandiosos que melhoraram o mundo pelo simples ato de andar entre nós."

A sala de conferências estava escura. A empreendedora soltou um suspiro do tamanho da Cidade do México. O artista ficou imóvel. O sem-teto começou a chorar.

Depois, ele ficou em pé em uma cadeira, levantou os braços como um pregador religioso e disse em voz alta estas palavras do dramaturgo irlandês George Bernard Shaw:

"Esta é a verdadeira alegria na vida: ser usado para um propósito reconhecido como poderoso, ser uma força da natureza em vez de um montinho febril de doenças e desgostos reclamando que o mundo não se dedica a fazê-lo feliz.

"Sou da opinião que minha vida pertence à comunidade e, enquanto viver, tenho o privilégio de fazer por ela tudo o que puder.

"Quero estar profundamente esgotado quando morrer, pois quanto mais arduamente trabalho, mais eu vivo. Eu me regozijo com a vida em si. Ela não é uma 'vela breve' para mim. É uma espécie de tocha esplêndida que estou segurando e quero fazê-la queimar do modo mais brilhante possível antes de entregá-la às futuras gerações."

O sem-teto caiu de joelhos, beijou as contas sagradas e continuou a chorar.

CAPÍTULO 5

Uma aventura bizarra rumo à maestria matinal

"Todos têm a fortuna nas próprias mãos, como um escultor tem a matéria-prima que vai transformar em uma obra [...] A habilidade para moldar o material no que desejamos deve ser aprendida e cultivada atentamente." — **Johannn Wolfgang von Goethe**

— Se vocês estiverem interessados, eu ficarei feliz em passar algumas manhãs lhe ensinando em minha sede à beira-mar. Mostrarei minha rotina matinal particular e explicarei por que sintonizar a forma de viver sua primeira hora no grau mais alto é essencial para conquistar a maestria pessoal e um desempenho excepcional nos negócios. Deixe-me fazer isso por vocês, caras. A vida vai começar a parecer gloriosa em pouco tempo e a viagem comigo será divertida. Nem sempre fácil, como ouvimos do velho no palco, mas valiosa, prolífica e linda. Talvez até tão maravilhosa quanto o teto da Capela Sistina — empolgou-se o sem-teto.

— A primeira vez que a vi eu chorei — comentou o artista, acariciando o cavanhaque.

— Michelangelo era um cara sinistro. E eu digo isso no bom sentido — contou o sem-teto enquanto também brincava com a barba imunda. Em seguida, ele levantou a camisa, exibindo músculos abdominais de um deus grego. Os longos dedos da mão suja moveram-se pelos contornos do abdômen como uma gota de água ziguezagueia pelo caule de uma rosa após uma chuva de maio.

— Caramba! — gritou o artista com a empolgação de um gato em uma loja de pássaros. — Como raios você conseguiu ficar assim?

— Não foi com um aparelho de abdominais de plástico que comprei em um programa de TV de madrugada, isso eu garanto. Trabalho duro para ficar sarado e definido assim. Muitas flexões, barras, pranchas, agachamentos e sessões bem suadas de exercícios aeróbicos, geralmente em minha praia especial. — O sem-teto puxou uma carteira de couro obviamente cara, tirando dela cuidadosamente um desenho protegido por plástico. Nele se via uma ilha coberta por coqueiros, decorada com enormes golfinhos saltando.

Sem dar tempo para que os dois ouvintes respondessem, o vagabundo desmazelado continuou falando:

— Compromisso, disciplina, paciência e trabalho. Valores em que poucos acreditam hoje em dia, quando tantos têm a mentalidade do merecimento e esperam que uma vida rica, produtiva e realizada simplesmente suja um dia, como um pardal no início da primavera. E também esperam que todos ao redor invistam no esforço que eles são responsáveis por fazer. Onde está a liderança nesse jeito de agir? Às vezes eu vejo o mundo como sociedade de adultos que se comportam como crianças mimadas. Não estou julgando, só estou dizendo. Não estou reclamando, apenas relatando. Olha, caras, o que estou tentando dizer ao deixar vocês olharem a minha barriga definida é o seguinte: *Nada funciona para quem não trabalha*. Falem menos e ajam mais, é o que eu digo. Ah, e olhem só isso:

O mendigo virou as costas aos interlocutores e desabotoou a camisa esburacada. Nas costas firmes e definidas havia uma tatuagem com as palavras: "Vítimas amam o entretenimento. Vitoriosos adoram a educação."

— Venham passar algum tempo comigo em minha ilhazinha mágica no meio de um oceano fantástico, a cinco horas do litoral de Cidade do Cabo — convidou ele, dando à empreendedora o cartão plástico com o desenho do cenário à beira-mar — Esses são os meus golfinhos — disse ele, apontando feliz para a imagem feita à mão. A viagem vai valer muito a pena — continuou. — A aventura de uma vida, sem dúvida. Alguns dos seus momentos mais valiosos e sensacionais acontecerão lá. Vocês precisam acreditar em mim e me acompanhar, caras. Vou ensinar tudo o que sei sobre um ritual matinal de altíssimo nível e ajudá-los a virarem integrantes do Clube das 5 da Manhã. Vocês vão aprender a levantar cedo regularmente para conseguir fazer mais ao meio-dia do que a maioria das pessoas faz em uma semana, e desse modo vão otimizar a saúde, a felicidade e a tranquilidade. Há um motivo pelo qual todos os grandes conquistadores do mundo levantam antes de o sol nascer: *é a parte mais especial do dia.* Vou explicar como usei esse método revolucionário para construir meu império. E pra deixar claro: impérios chegam de várias formas, e a econômica é apenas uma delas. Vocês também podem criar impérios de arte, produtividade, humanidade, filantropia, liberdade pessoal e até espiritualidade. Contarei basicamente tudo que tive a bênção de ter aprendido com o mentor que transformou minha vida. Vocês vão aprender muito, ficarão emocionados em um nível mais profundo e verão o mundo por lentes totalmente novas. Também vão comer do bom e do melhor e ver os pores do sol mais espetaculares. Vocês vão poder nadar no mar, mergulhar com os golfinhos e sobrevoar os canaviais que dançam com o vento no meu helicóptero. E se vocês aceitarem este convite sincero para me visitar, insisto que fiquem hospedados em minha casa.

— Meu Deus, você está brincando, não é? — perguntou o artista em voz alta. Era cada vez mais evidente que, como muitos em sua área, ele estava profundamente emocionado, vigilante ao extremo, e tinha uma sensibilidade que vem de uma dor latente. Quem sente mais que a maioria das pessoas algumas vezes se considera amaldiçoado. Na verdade, eles ganharam um presente que lhes permite sentir o que outros não conseguem, vivenciar os prazeres que a maioria despreza e observar a majestade em momentos comuns. Sim, essas pessoas se magoam com mais facilidade, mas são as que criam grandes sinfonias, projetam prédios estonteantes e encontram a cura para doenças. Tolstói disse que "apenas as pessoas capazes de amar fortemente podem sofrer grandes tristezas", enquanto o poeta sufi Rumi escreveu: "Você precisa partir seu coração até que ele se abra." — o artista parecia personificar essas ideias.

— Não, estou falando totalmente sério, gente — confirmou o sem-teto, empolgado — Tenho uma casa perto de um vilarejo chamado Solitude. E acredite, eles batizaram o lugar muito adequadamente. Quando você escapa do ruído e das perturbações e fica na paz e tranquilidade, se lembra de quem e de tudo que está destinado a ser. Basta dizer sim à vida. E vamos fazer isso! Como disse o guru no palco, a mágica vai aparecer à medida que vocês começarem a explorar as tremendas oportunidades que aparecerem pelo caminho, aparentemente por acaso. Não se pode vencer um jogo sem jogá-lo, certo? A realidade é que a vida cuida de vocês, mesmo quando não parece estar fazendo isso. Mas é preciso fazer sua parte e ir com tudo quando as oportunidades aparecerem. Ah, e se vocês vierem à minha casa na ilha, peço apenas que fiquem tempo suficiente para aprender a filosofia e a metodologia que meu conselheiro secreto dividiu comigo. Entrar no Clube das 5 da Manhã exige um pouco de tempo. — O sem-teto fez uma pausa antes de acrescentar: — Também vou cuidar de todas as suas despesas. Cobrir tudo. Até mando meu jato particular buscar vocês, se quiserem.

A empreendedora e o artista se entreolharam, divertidos, confusos e totalmente inseguros.

— Você se importa se eu e minha amiga ficarmos a sós por um momento, irmão? — pediu o artista, com o caderno ainda nas mãos.

— Claro! Tranquilo. Fiquem à vontade. Vou voltar para minha cadeira e telefonar para minha equipe executiva — disse o sem-teto, afastando-se rapidamente.

— Isso é absurdo. Totalmente idiota — disse o artista à empreendedora — Com certeza, eu concordo que há algo de especial nele, talvez até mágico. Sei que isso parece loucura. E *estou* fascinado por esse mentor de quem ele fala tanto, esse professor que parece um mestre moderno. Admito que este morador de rua tem ótimas ideias, sem dúvida. E realmente parece ter muita experiência, mas olhe para ele! Cara, o sujeito parece completamente duro, totalmente doido. Acho que ele não toma banho há semanas, as roupas estão rasgadas. Ele é totalmente bizarro. E às vezes tem umas conversas muito doidas. Não fazemos ideia de quem ele é. Isso pode ser perigoso. Ele pode ser perigoso.

— Sim. Definitivamente superestranho. *Tudo* o que aconteceu aqui hoje é superestranho — confirmou a empreendedora, suavizando as feições do rosto logo em seguida. Os olhos dela, contudo, pareciam melancólicos. — Estou em um momento na vida em que preciso fazer grandes mudanças — confidenciou. — Não posso mais continuar assim. Entendo o que você está dizendo. Eu venho desconfiando de praticamente tudo e todos desde que perdi meu pai aos 11 anos. Uma filha crescendo sem pai é incrivelmente assustador. Para ser sincera, ainda carrego muitos traumas emocionais. E, como eu disse, penso nele todos os dias. Tive alguns relacionamentos íntimos ruins. Lutei muito com falta de autoestima e tomei decisões horríveis nos relacionamentos que tive. Há cerca de um ano eu comecei a ver um terapeuta que me fez perceber o motivo do meu comportamento — abriu-se ela. — Os psicólogos chamam de "síndrome do pai ausente". Lá no fundo eu tenho um medo imenso do abandono e todas as grandes inseguranças que vêm com essa ferida. Sim, isso faz com que eu seja extraordinariamente forte por fora e implacável em alguns aspectos. A mágoa de ter perdido meu pai me deu motivação e ambição, mas a perda também me deixou vazia. Aprendi que estou tentando preencher esse vazio deixado por ele trabalhando até a exaustão e acreditando que receberei o amor que perdi quando for mais bem-sucedida. Venho tentando preencher meus vazios emocionais buscando mais dinheiro, como um viciado em heroína precisa de outra dose. Tenho fome de status social e aprovação em minha área profissional, fugindo para a internet para obter entretenimento rápido e prazeroso quando poderia estar fazendo algo relevante. Como disse, estou percebendo que boa parte do meu comportamento vem do medo criado pelos desafios iniciais que enfrentei quando jovem. Fiquei inspirada quando o Orador Fascinante falou sobre nunca fazer algo pelo dinheiro e sempre buscar a excelência como líder e pessoa pelo significado disso, pela oportunidade de crescer e por uma chance de mudar o mundo. Essas palavras me deram muita esperança. Quero viver como ele falou, mas estou longe disso agora. E o que aconteceu na minha empresa recentemente me levou ao limite. Não estou indo bem na vida agora. Eu só vim para este evento porque ganhei o ingresso da minha mãe e estou desesperada por uma mudança.

A empreendedora respirou fundo.

— Perdão. Eu mal conheço você, nem sei por que estou revelando tudo isso. Acho que me senti segura ao seu lado. Não sei o motivo. Sinto muito se estou falando demais — desculpou-se ela, parecendo envergonhada,

— Sem problemas — tranquilizou o artista, cuja linguagem corporal revela envolvimento: ele não brincava mais ansiosamente com o cavanhaque e os dreadlocks.

— Somos tão honestos quando conversamos com taxistas e outras pessoas que não conhecemos de verdade, não é? — continuou a empreendedora. — Só estou tentando dizer que estou pronta para uma transformação. E minha intuição diz que esse homem destituído que deseja ensinar como uma excelente rotina matinal gera impérios criativos, produtivos, financeiros e de felicidade pode mesmo me ajudar. E *nos* ajudar. E lembre-se do relógio dele — acrescentou ela por fim.

— Gosto dele — admitiu o artista. — É um personagem. Adoro quando ele se expressa de modo bem poético em alguns momentos e tão passional em outros. Ele pensa de modo tão claro e cita George Bernard Shaw como se a vida dependesse disso. Muito bacana, mas eu ainda não confio totalmente nele — expressou o artista enquanto dava um soquinho na palma da mão aberta de novo. — Provavelmente roubou o relógio de algum idiota rico.

— Olha, eu entendo como você se sente — respondeu a empreendedora. — Boa parte de mim tem a mesma sensação. E acabamos de nos conhecer. Não sei como seria fazer essa viagem ao seu lado. Espero que você não se incomode por eu dizer isso. Você parece uma ótima pessoa. Com algumas pequenas imperfeições, talvez. Acho que entendo de onde elas vêm, mas lá no fundo você é bom, eu sei.

Levemente satisfeito, o artista olhou para o sem-teto, que estava comendo fatias de abacate retiradas de uma sacola plástica.

— Preciso ver se consigo mudar a agenda e me afastar do escritório para que possamos conviver um tempo com *ele* — disse a empreendedora apontando para o sem-teto. Enquanto mastigava seu lanche, ele também falava em um celular antiquíssimo e olhava para o teto — Estou começando a gostar da ideia de passar um tempo perto de um vilarejo chamado Solitude, em alguma ilhota, comendo bem e nadando com golfinhos. Estou sentindo que essa pode ser uma aventura fenomenal. E como se eu pudesse me sentir viva de novo.

— Bom, agora que você falou dessa forma, também estou gostando da ideia — reconheceu o artista. — Estou começando a pensar que há uma insanidade deliciosa em tudo isso. Uma oportunidade especial de acessar todo um universo novo e original. Esta pode ser a solução para minha arte, e me faz pensar no que o escritor Charles Bukowski disse: "Algumas pessoas nunca enlouquecem. Que vida horrível elas devem ter." E o Orador Fascinante realmente nos estimulou a deixar as fronteiras da vida normal para nutrir nossos dons, talentos e pontos fortes. Algum instinto também está me dizendo para fazer isso. Então, se você for, eu vou.

— Olha, quer saber? Vou arriscar. É isso. Vou com tudo. Vamos lá! — exclamou a empreendedora.

— Vamos com tudo — concordou o artista.

Os dois se levantaram e foram até o sem-teto, agora sentado de olhos fechados.

— O que você está fazendo agora? — perguntou o artista.

— Visualização intensa de tudo o que desejo ser e da vida de alto nível que desejo criar. Um piloto de caça turco me disse uma vez que antes de cada missão ele "voava antes de voar". O piloto sugeriu que ensaiar meticulosamente a forma pela qual ele e sua equipe desejavam que a missão se desenrolasse no teatro de sua imaginação os preparava para executar essa visão com maestria na realidade, sem falhas. Sua mente é uma ferramenta incrivelmente poderosa para obter a grandeza particular, a produtividade prodigiosa e a vitória criativa, junto com o coração, a saúde e a alma. Vou ensinar tudo sobre esses conceitos incríveis se vocês aceitarem meu convite. De qualquer modo, voltando ao motivo de ter fechado os olhos. Quase toda manhã eu imagino meu desempenho ideal para aquele dia e procuro o fundo das minhas emoções para sentir o que precisarei sentir quando conquistar as vitórias que planejo. Eu me tranco em um estado de extrema confiança onde qualquer forma de fracasso não está no reino da possibilidade. Depois faço o melhor para viver aquele dia perfeito.

— Interessante! — A empreendedora estava fascinada.

— Este é apenas um dos POPs que faço diariamente para me manter no topo. As boas pesquisas científicas afirmam que essa prática ajuda a regulação do genoma ativando genes adormecidos. DNA não é destino, sabe? Não se preocupem, gente. Vocês vão aprender sobre o campo revolucionário da epigenética quando estiverem na ilha. E também vão conhecer as maravilhas da neurociência para multiplicar o sucesso nessa era de atenção difusa, de modo que as armas da distração em massa não acabem com as suas espantosas capacidades. Revelarei tudo o que descobri sobre a criação de projetos com maestria suficiente para durar gerações. Vocês vão ouvir sobre as incríveis formas de blindar o foco mental e deixar a energia física à prova de fogo. Também vão descobrir como os melhores empresários do mundo criam empresas dominantes e aprender um sistema calibrado que os seres humanos mais felizes do planeta aplicam toda manhã para criar uma vida que beira o mágico. Ah, e caso vocês estejam se perguntando, POP significa "procedimento operacional padrão". É um termo usado pelo meu conselheiro especial quando ele falava das estruturas diárias necessárias para obter triunfo no jogo da vida. Presumo que vocês vão aceitar o convite?

— Sim, aceitamos — confirmou a empreendedora alegremente — Obrigada pela oferta.

— É, obrigado, cara — acrescentou o artista, parecendo agora mais composto.

— Por favor — pediu a empreendedora com sinceridade —, ensine *tudo* o que você sabe sobre a criação dessa rotina matinal que pode me ajudar a ser uma líder de alto impacto, e uma empresária bem-sucedida. Quero desesperadamente melhorar meu desempenho e minha produtividade diária. Também vou precisar de sua ajuda para reestruturar minha vida. Para ser sincera, estou me sentindo inspirada hoje como não ficava há muito tempo. Embora não esteja em meus melhores dias.

— É, irmão — acrescentou o artista, sacudindo o caderno no ar enquanto falava, — Conte os segredos dessa rotina matinal épica para me ajudar a virar o melhor pintor e homem que eu posso ser — Pode mandar seu avião e nos levar ao seu vilarejo. Mate nossa fome com alguns cocos, deixe que brinquemos com seus golfinhos e melhore nossa vida. Vamos com tudo.

— Nada do que vocês estão prestes a descobrir envolverá motivação — observou a alma desgrenhada com um grau de seriedade inédito. — Tudo isso definitivamente será uma questão de *transformação*, com base em dados fortes, nas últimas pesquisas e táticas testadas nas fronteiras mais difíceis do mercado. Preparem-se para a maior aventura de sua vida!

— Excelente — declarou a empreendedora, estendendo o braço para apertar a mão áspera do desconhecido. — Preciso admitir que todo este cenário é absurdamente estranho para nós dois, mas agora confiamos em você, sei lá por que motivo. E sim, estamos totalmente abertos para esta nova experiência.

— É muita gentileza sua fazer isso por nós. Obrigado — agradeceu o artista, parecendo um tanto surpreso com a extensão da generosidade daquele homem.

— Beleza! Tomaram a decisão inteligente, caras — foi a resposta carinhosa. — Por favor, estejam em frente a este centro de convenções amanhã de manhã e tragam roupas para alguns dias. É isso. Como falei, estou empolgado e vou cuidar do resto. Todas as despesas são por minha conta. Eu agradeço a vocês.

— Por que está nos agradecendo? — perguntou a empreendedora.

O sem-teto deu um sorriso terno e coçou a barba, pensativo.

— Em seu último sermão antes de ser assassinado, Martin Luther King Jr. disse: "Todos podem ser grandes porque todos podem servir. Não é preciso ter diploma universitário para servir. Não é preciso fazer o sujeito concordar com o verbo para servir. Não é preciso conhecer Platão e Aristóteles para servir. Não é preciso conhecer a Teoria da Relatividade de Einstein para servir. Não é preciso conhecer a Segunda Lei da Termodinâmica e Física para servir. Você só precisa de um coração cheio de graça. Uma alma gerada pelo amor".

Ele limpou um pedaço de abacate do canto da boca e continuou seu discurso:

— Vou dizer uma das grandes lições que aprendi ao longo dos anos: dar a outras pessoas é um presente que você dá a si mesmo. Eleve a alegria nos outros e você conseguirá ainda mais alegria. Eleve o estado dos seus colegas humanos e o seu estado ascenderá naturalmente. Sucesso é bacana, mas significado é irado. A generosidade — e não a avareza — é a característica de todos os grandes homens e mulheres que melhoraram o mundo. E mais do que nunca precisamos de líderes puros e não de narcisistas obcecados pelos próprios interesses. — O sem-teto olhou para o grande relógio uma última vez. — Não dá para levar seu cargo, patrimônio e brinquedos chiques com você quando morrer, sabe? Nunca vi um caminhão de mudanças seguindo um rabecão para um enterro — ele riu.

Os dois ouvintes sorriram.

— Ele é um tesouro — sussurrou a empreendedora.

— Com certeza.

— Pare de falar "com certeza"! Está ficando irritante — repreendeu a empreendedora.

O artista ficou um pouco chocado, mas aquiesceu:

— Tudo bem.

— Tudo o que importa em seu último dia na Terra é o potencial realizado, o heroísmo demonstrado e as vidas humanas honradas — enunciou o sem--teto de modo eloquente. Depois ficou quieto e suspirou profundamente. — Enfim. É incrível que vocês tenha aceitado. Vamos ter momentos bacanas.

— Posso levar meus pincéis? — perguntou educadamente o artista.

— Só se você quiser pintar no paraíso — respondeu o sem-teto com uma piscadela.

— E a que horas devemos encontrar você aqui amanhã de manhã? — perguntou a empreendedora, colocando a bolsa no ombro ossudo.

— Às 5h da manhã — instruiu o sem-teto. — Controle suas manhãs. Mude de vida.

E depois ele desapareceu.

Capítulo 6

Como obter o auge da produtividade, virtuosidade e invencibilidade

"Seu tempo é limitado, portanto não o desperdice vivendo a vida de outra pessoa. Não caia na armadilha do dogma, baseando-se no resultado do pensamento alheio. Não deixe o ruído da opinião dos outros afogar sua voz interior. E o mais importante: tenha a coragem de seguir seu coração e sua intuição. De alguma forma eles já sabem no que você realmente quer se transformar." — **Steve Jobs**

— Estou tão cansada — murmurou a empreendedora com a energia de uma tartaruga idosa, enquanto segurava uma xícara monstruosa de café. — Esta jornada pode ser mais difícil do que pensei. Sinto que estou entrando em um mundo totalmente novo. Como falei com você depois da palestra, estou pronta para mudar e disposta a ter um novo começo. Por outro lado, estou me sentindo insegura em relação a tudo isso. Eu não dormi muito essa noite, tive sonhos muito estranhos, alguns até violentos. E sim, a experiência com a qual concordamos pode ser perigosa.

— Eu estou só o pó, cara. Odeio acordar tão cedo. Essa foi uma ideia terrível — definiu o artista.

As duas almas corajosas estavam em pé na calçada em frente ao centro de convenções onde o Orador Fascinante usou suas habilidades lendárias e partiu vários corações ao sofrer um colapso no dia anterior.

Eram 4h49 da manhã.

— Ele não vai aparecer — afirmou o artista, meio ríspido. Ele vestia roupas pretas, usava uma bandana vermelha de bolinhas brancas no pulso esquerdo e as mesmas botas do dia anterior. Aquelas australianas. Ele deu uma cusparada na rua deserta, olhou para o céu e depois cruzou os braços tatuados.

A empreendedora estava com uma mochila de nylon nos ombros. Ela vestia blusa de seda com mangas chiques, jeans de grife e sandálias de salto alto, do tipo que supermodelos usam quando estão de folga. Os lábios dela estavam ressecados, as rugas do rosto formavam várias interseções intrigantes.

— Aposto que o sem-teto não vai dar as caras — zombou ela. — Nem ligo para o relógio dele. Não importa que seja tão articulado. Não significa nada para mim o fato de lembrar o meu pai. Deus, eu estou exausta. Ele provavelmente estava na palestra porque precisava de um lugar para descansar por algumas horas e conhecia o Clube das 5 da Manhã porque havia roubado essa parte da apresentação do Orador Fascinante. E o tal avião particular provavelmente era só parte da sua alucinação favorita.

A empreendedora voltou ao ceticismo familiar, escondendo-se em sua fortaleza de proteção. A esperança do dia anterior tinha claramente desaparecido.

Até que um par de faróis halógenos absurdamente fortes cortaram a parede de escuridão.

Os dois companheiros se entreolharam. A empreendedora deu um sorriso.

— Ok, talvez o instinto seja realmente muito mais esperto que a razão — murmurou para si mesma.

Um Rolls-Royce brilhante da cor do carvão parou no meio-fio. Com eficiência ágil, um homem de uniforme impecavelmente branco saiu do carro e cumprimentou os dois com uma postura antiquada.

— Bom dia para a senhora, madame. E para o senhor também — disse ele com sotaque britânico, colocando as bolsas dentro do veículo com movimentos habilidosos.

— Onde está o mendigo? — perguntou o artista com o tato de um caipira que acabou de sair da roça.

O motorista não conseguiu evitar rir, mas logo recuperou a compostura.

— Mil desculpas senhor. Sim, o sr. Riley se veste de modo deveras modesto, digamos assim. Faz isso quando sente a necessidade de "voltar ao básico" como classifica a prática. Ele leva uma vida incrivelmente exclusiva boa parte do tempo e é um homem acostumado a ter o que deseja. Tudo o que ele quer, para ser mais preciso. De vez em quando ele faz algo para garantir que sua modéstia e humildade continuem intactas. Isso faz parte do encanto peculiar dele, devo acrescentar. O sr. Riley pediu para entregar isto a vocês.

O motorista pegou dois envelopes, feitos de papel da mais alta qualidade. Ao abri-los, a empreendedora e o artista leram:

"Oi, pessoal! Espero que estejam num clima maneiro. Não quis assustar vocês dois ontem. Eu só precisava manter os pés no chão. Epiteto, um dos meus filósofos favoritos, escreveu: 'Nem um touro, nem um homem de espírito nobre consegue ser o que é de uma só vez. Ele precisa enfrentar o treinamento para a dureza do inverno e se preparar, além de não se jogar impulsivamente no que é inadequado.'

"O desconforto voluntário, seja me vestindo como estava, jejuando uma vez por semana ou dormindo no chão uma vez ao mês me mantém forte, disciplinado e concentrado nas poucas prioridades centrais da minha vida. Enfim, tenham um voo incrível. Vejo vocês no Paraíso em breve. Abração."

— Lembrem-se: as aparências enganam e o hábito não faz o monge. Ontem vocês conheceram um grande homem. A aparência realmente não revela o caráter de uma pessoa. — continuou o motorista.

— Acho que fazer a barba também não — proclamou o artista, chutando com sua bota preta o escudo brilhante da Rolls-Royce no centro de uma das rodas do carro.

— O sr. Riley jamais falaria o que estou prestes a dizer, pois é educado e decente demais para isto, mas o cavalheiro que o senhor chamou de "mendigo" é um dos homens mais ricos do mundo.

— Está falando sério? — perguntou a empreendedora, arregalando os olhos.

— Sem sombra de dúvida. — O motorista sorriu educadamente enquanto abria a porta, acenando com a mão enluvada parao os passageiros entrarem no veículo.

Os bancos tinham o cheiro maravilhosamente almiscarado de couro novo. O revestimento de madeira parecia ter sido feito à mão por uma pequena família de artesãos meticulosos que construiu sua reputação em torno dessa obsessão específica.

— O sr. Riley fez fortuna há muitos anos, em várias empreitadas comerciais. Ele também foi um investidor precoce em uma empresa internacionalmente admirada. A discrição me impede de citar nomes, e se o sr. Riley descobrir que mencionei assuntos financeiros com os senhores, ele ficará imensamente decepcionado. Suas instruções foram para tratá-los com o máximo cuidado, garantir que ele é um homem sincero e confiável e levá-los em segurança ao Hangar 21.

— Hangar 21? — perguntou o artista enquanto se acomodava languidamente no veículo de luxo como se fosse um astro do rock acostumado a esse tipo de transporte ou um artista de hip-hop pronto para um fim de semana agitado.

— É onde o sr. Riley guarda a frota de jatinhos — explica o motorista sucintamente.

— Frota? — questionou a empreendedora, com um olhar imensamente curioso nos bonitos olhos castanhos.

— Sim — foi tudo o que o chofer disse.

Houve silêncio enquanto o motorista acelerava pelas ruas naquele início de manhã. O artista olhava pela janela, girando uma garrafa de água na mão distraidamente. Ele não via o sol nascer há muitos anos.

— É muito especial. Realmente lindo — admitiu. — Tudo é tão calmo nessa hora do dia. Não há barulho. Tanta paz. Mesmo me sentindo cansado agora, consigo realmente pensar. Tudo parece mais claro. Minha atenção está mais clara. Parece que o restante do mundo ainda dorme. Que tranquilidade.

O CLUBE DAS 5 DA MANHÃ

Uma marcha de frágeis raios solares cor de âmbar, a paleta etérea do nascer do dia e a quietude desse momento o deixaram empolgado e boquiaberto.

A empreendedora questionou o motorista:

— Conte mais sobre o seu chefe — questionou a empreendedora enquanto mexia no celular sem parar.

— Não posso dizer muito. Ele vale muitos bilhões de dólares, mas doou a maior parte do dinheiro para caridade. O sr. Riley é a pessoa mais fascinante, generosa e cheia de compaixão que conheço. Ele também tem uma força de vontade incrível e valores fortíssimos, como honestidade, empatia, integridade e lealdade. Além disso, é um verdadeiro excêntrico, se posso ter a ousadia de dizer isso. Como são muitos dos incrivelmente ricos.

— Nós notamos — observou a mulher. — Contudo, estou interessada. O que o faz dizer que ele é excêntrico?

— Os senhores vão ver — foi a resposta breve.

O Rolls-Royce chegou a um aeroporto particular. Nenhum sinal do sr. Riley. O motorista acelerou até se aproximar do jato cor de marfim que parecia muitíssimo bem-cuidado. O único sinal de cor aparecia na cauda, onde estavam três caracteres em laranja: "C5M."

— O que significa C5M? — perguntou a empreendedora, tensa e segurando o celular com força.

— Clube das 5 da Manhã. "Controle suas manhãs. Mude de vida." É uma das máximas através das quais o sr. Riley conduz seus vários interesses empresariais. Com tristeza, preciso me despedir. *Adieu. Au revoir* — disse ele antes de carregar as bagagens para o avião cintilante.

Dois membros bonitões da tripulação conversavam perto da escada de metal que levava à cabine. Uma comissária de bordo loura e refinada entregou à empreendedora e ao artista toalhas quentes e ofereceu café em uma bandeja de prata.

— *Dobroe utro* — cumprimentou ela em russo.

— Foi um imenso prazer conhecê-los — gritou o motorista para o jatinho enquanto voltava para o carro. — Transmitam minhas lembranças ao sr. Riley quando o virem. E divirtam-se nas Ilhas Maurício.

— Ilhas Maurício? — exclamaram os companheiros, tão assustados quanto um vampiro diante de um dente de alho.

— Tudo isso é inacreditável — disse o artista ainda chocado embarcando no avião — Ilhas Maurício! Sempre quis conhecê-las e li um pouco sobre a região. É um lugar muito bem frequentado, de sabor francês e imensa beleza. Dizem que muitas das pessoas mais felizes e afáveis do planeta vivem lá.

— Também estou impressionada — respondeu a empreendedora, bebendo café e olhando para a cabine. Ela analisou os pilotos enquanto eles faziam os preparativos para o voo. — Também ouvi falar que as Ilhas Maurício são esplendidas e que as pessoas são superamigáveis, solícitas e espiritualmente avançadas.

Após uma decolagem perfeita, o avião de primeira classe flutuou pelas nuvens. Quando chegou à altitude de cruzeiro, foi servido champanhe de primeira linha. Caviar foi recomendado, bem como uma série de pratos sensacionais. A empreendedora se sentia muito contente e bem menos preocupada com a tentativa cruel dos investidores de tirar-lhe a empresa. É verdade que este talvez não fosse o momento ideal para tirar férias a fim de conhecer a filosofia do Clube das 5 da Manhã e a metodologia subjacente que ajudaram o sr. Riley a ascender como um foguete ao nível de titã corporativo e filantropo global. Ou talvez esse fosse o momento perfeito para fugir da realidade usual e descobrir como as pessoas mais bem-sucedidas, influentes e alegres do planeta começam o dia.

Depois de beber champanhe, a empreendedora viu um filme e caiu em sono profundo. O artista levou um livro chamado *Michelangelo Fiorentino e Rafael da Urbino: Masters of Art in the Vatican*, que leu por várias horas. Você só pode imaginar o quanto ele estava feliz.

O jato sobrevoou vastos continentes e terrenos diversos. O voo foi conduzido meticulosamente e a aterrissagem foi tão fluida e perfeita como toda a experiência até ali.

— *Bienvenue au Ile Maurice* — anunciou o capitão pelo alto-falante enquanto o avião taxiava pela pista recém-pavimentada. — *Merci beaucup.* Bem-vindos às Ilhas Maurício e ao Aeroporto Internacional Sir Seewoosagur

Ramgoolam — continuou ele, falando com a confiança de alguém que passou a maior parte da vida no céu. — Foi um privilégio ter vocês dois como VIPs, nos veremos de novo em alguns dias, pelo que o assistente pessoal do sr. Riley informou sobre o seu planejamento. Obrigado mais uma vez por voar conosco e esperamos que a jornada tenha sido elegante, excelente e, acima de tudo, segura.

Um veículo utilitário esportivo preto e brilhante entrou na pista de pouso enquanto a comissária acompanhava seus passageiros especiais até o veículo.

— A bagagem de vocês virá logo a seguir. Não se preocupem, ela será entregue nos seus quartos de hóspedes na propriedade do sr. Riley à beira-mar. *Spasiba* — acrescentou ela em tom gracioso e com um aceno sincero.

— Essa é definitivamente a vida dos ricos e famosos — observou a empreendedora, feliz da vida, tirando algumas selfies e atipicamente fazendo biquinho como uma blogueira de moda.

— Com certeza! — respondeu o artista, invadindo a selfie da nova amiga, mostrando a língua como Albert Einstein fez na famosa foto que desfez a seriedade dele como cientista e revelou a ideia de espanto infantil em toda sua plenitude.

Enquanto o Range Rover percorria a estrada, pés altos de cana-de-açúcar balançavam com a brisa perfumada do oceano Índico. O motorista calado usava um quepe branco, do tipo que se vê em mensageiros de hotéis cinco estrelas e um uniforme cinza-escuro bem passado que dava a ideia de um profissionalismo discreto, porém refinado. Ele sempre diminuía a velocidade de acordo com o limite permitido, e ligava a seta sempre que fazia uma curva. Embora ele fosse evidentemente um homem mais velho, ele guiava o veículo com a precisão de um jovem aprendiz interessado em ser o melhor de todos. Mantinha o foco no asfalto à frente, em uma espécie de transe feito para deixar os passageiros seguros e entregá-los no destino com uma eficiência suave.

Eles passaram por alguns pequenos vilarejos com um ar atemporal. As ruas estavam repletas de buganvílias, cães selvagens enfrentavam o utilitário de frente como quem manda na estrada e crianças brincavam em pequenos gramados com uma despreocupação impensada. Galos cantavam de tempos em tempos e idosos de chapéus de lã exibiam bocas sem dentes e a pele escura sentados em cadeiras de madeira gastas pelo tempo. Com muitas horas livres no dia, eles pareciam ao mesmo tempo cansados das durezas da vida e sábios por terem vivido dias completos. Pássaros animados cantavam melodicamente em coro enquanto borboletas coloridas pareciam voar por toda parte.

Em uma pequena comunidade onde o utilitário cruzava uma estrada sinuosa, um menino magrelo com pernas longas demais para o corpo pedalava uma bicicleta com um banco alto demais em uma estrutura decrépita de metal. Em outro vilarejo, um grupo de meninas adolescentes vestindo tops, bermudas de surfista e chinelos andavam pela estrada estreita e bem-cuidada seguindo um homem que usava bermuda cargo camuflada e uma camiseta com "O Frango Grelhado Número 1" escrito nas costas.

Tudo parecia se mover no tempo da ilha. As pessoas tinham um jeito alegre, transmitindo uma vitalidade radiante e difícil de encontrar nas vidas cheias de compromissos, dominadas por máquinas e às vezes sem alma que tantos de nós vivíamos. As praias eram de uma beleza impossível de descrever e os jardins, completamente gloriosos. Todo o cenário parecia ter saído de uma obra de Gauguin, decorado por uma série de montanhas que poderiam ter sido feitas por um escultor florentino do século XVI.

— Estão vendo aquela estrutura ali? — perguntou o motorista quebrando o silêncio e apontando para uma formação rochosa no alto de um dos picos que lembravam uma figura humana. — Ela se chama Pieter Both. É a segunda montanha mais alta das Ilhas Maurício. Estão vendo o topo? Parece uma cabeça humana, não é? — observou ele.

— Parece mesmo — confirmou o artista.

— No ensino fundamental todas as crianças daqui aprendem a história do homem que dormiu no pé da montanha — continuou o motorista. — Ouvindo sons estranhos, ele acordou e viu fadas e anjos dançando ao seu redor. As criaturas instruíram o homem a jamais contar a alguém o que havia acabado de ver ou ele se transformaria em pedra. Ele concordou a princípio, mas, empolgado com a experiência mística que tinha acabado de

O CLUBE DAS 5 DA MANHÃ

testemunhar, quebrou a promessa e contou a muitos sobre a boa sorte que havia tido. Enfurecidas, as fadas e os anjos o transformaram em pedra. E a cabeça dele inchou tanto que formou o pico desta montanha majestosa que vocês estão vendo agora, lembrando a todos que a veem de cumprir suas promessas. E honrar sua palavra.

O utilitário então cruzou uma estrada sinuosa em outra comunidade. Um pequeno alto-falante tocava música na varanda de uma casa enquanto um grupo de adolescentes formado por dois meninos e três meninas com flores brancas e cor de rosa no cabelo dançavam alegremente. Um cachorro latia ao fundo.

— Ótima história — observou a empreendedora, cujos cabelos castanhos ondulados balançavam ao vento, a janela estava aberta. O rosto usualmente marcado agora parecia suave. Ela pronunciava as palavras mais devagar e uma paz sem precedentes surgia de sua voz. Uma das mãos estava apoiada no banco, não muito longe da mão do artista, que exibia tatuagens cuidadosamente desenhadas nos dedos médio e indicador.

— Mark Twain escreveu: "As ilhas Maurício foram feitas antes do Paraíso, e o Paraíso copiou as Ilhas Maurício" — contou o motorista, mais amigável depois de ser um tanto seco. Ele soava orgulhoso como um presidente no dia da posse após dizer essas palavras.

— Nunca vi nada assim — comentou o artista, trocando a antiga hostilidade taciturna por uma atitude mais tranquila e despreocupada. — E a vibe daqui está inspirando algo profundamente criativo em mim.

A empreendedora fixou o olhar no artista por mais tempo do que seria educadamente aceitável. Depois desviou os olhos para o mar. Embora relutante, ela não podia evitar um leve sorriso.

Foi possível ouvir o motorista sussurrando no alto falante do utilitário:

— Faltam cinco minutos.

Em seguida ele deu a cada um dos passageiros uma placa feita à mão que parecia de ouro, fazendo uma recomendação:

— Por favor, leiam isso.

Cuidadosamente gravadas no metal aparentemente precioso estavam as cinco declarações a seguir:

67

REGRA NÚMERO 1

O vício em distrações é o fim da sua produção criativa. Quem cria impérios e faz história tira uma hora para si antes do amanhecer, aproveitando a serenidade que existe entre as garras da complexidade de modo a se preparar para um dia de nível mundial.

REGRA NÚMERO 2

Um gênio não se faz com desculpas. Só porque você não instalou o hábito de acordar cedo antes não significa que não possa fazê-lo agora. Liberte-se das racionalizações e lembre-se de que pequenos avanços diários levam a resultados impressionantes, quando feitos de modo consistente ao longo do tempo.

REGRA NÚMERO 3

Toda mudança é difícil no começo, confusa no meio e linda no final. Tudo o que você agora acha fácil um dia já foi difícil. Com a prática, levantar junto com o sol passará a ser normal. E automático.

REGRA NÚMERO 4

Para ter os mesmos resultados que os 5% melhores é preciso fazer o que 95% das pessoas não estão dispostas a fazer. Ao começar a viver assim, a maioria vai chamá-lo de louco. Lembre-se de que ser chamado de maluco é o preço da grandeza.

REGRA NÚMERO 5

Quando sentir vontade de desistir, continue. O triunfo ama os implacáveis.

O veículo diminuiu a velocidade, avançando lentamente por uma rua repleta de casas de praia de pintura branca desbotada. Havia uma caminhonete compacta estacionada na entrada da garagem empoeirada de uma delas e equipamento de mergulho espalhado pelo quintal de outra. Na frente da última casa, crianças brincavam no quintal, rindo histericamente, aproveitando a diversão.

O oceano surgiu em tons de azul-esverdeado com ondas cobertas de espuma fazendo barulho antes de quebrar na areia. O ar agora cheirava à maresia, ainda que fosse um perfume doce com notas inesperadas de canela. Em uma doca ampla de madeira, um homem com barba de Papai Noel e calça cáqui dobrada pescava descalço o jantar de sua família usando um capacete de motociclista.

O sol começava a nascer, uma esfera glamorosa de brilho ofuscante que lança rios amarelos líquidos sobre as águas que os recebem bem. Pássaros ainda cantavam, borboletas ainda voavam. Tudo era bem mágico.

— Chegamos — anunciou o motorista no interfone colocado em uma cerca de metal que parecia ter sido criada mais para evitar a entrada da vida selvagem do que de invasores.

O portão se abriu. Lentamente.

O utilitário pegou um caminho ladeado por buganvílias, hibiscos, jasmins-mangas e *Boucle d'Oreille*, a flor nacional das Ilhas Maurício. O motorista abriu a janela, deixando entrar uma brisa do mar cujo perfume também incluía jasmim fresco misturado a rosas. Funcionários em trajes chiques de jardinagem davam acenos sinceros. Um gritou *"Bonjour"* enquanto o veículo passava, outro disse *"Bonzour"* enquanto duas pombas grandes como o punho de um caminhoneiro vagueavam pelo caminho de pedra.

A residência do bilionário era sóbria. O projeto era no estilo "casa de praia chique", misturando cabana em Martha's Vineyard e casa de campo sueca. Era ao mesmo tempo incrivelmente linda e totalmente reservada.

Uma varanda imensa nos fundos da casa dava para o oceano. Havia uma *mountain bike* cheia de lama encostada na parede e uma prancha de surfe perto do fim da entrada da garagem. Janelas imensas que iam do chão ao teto eram as únicas extravagâncias arquitetônicas. Flores ainda mais preciosas estavam dispostas meticulosamente ao longo de um deque onde um carrinho com aperitivos, queijos diversos e chá de limão fresco com fatias de gengibre precisamente cortadas estava à espera. Degraus cinza banhados pelo sol levavam a uma praia de tirar o fôlego, do tipo que se vê nas revistas de viagens lidas pela elite.

Em meio a toda essa perfeição, uma figura isolada estava em pé na areia branca. Ela não fazia um movimento sequer. Estava perfeitamente imóvel.

O homem era da altura da Torre Eiffel, estava sem camisa e bronzeado, vestia bermuda larga com estampa de camuflagem. Sandálias amarelo--canário e óculos de sol estilosos, do tipo que se compra na *Via dei Condotti* em Roma, completavam a aparência de surfista zen com a arrogância do Soho. Ele olhou para o mar, permanecendo imóvel como uma estrela no grande céu africano.

— Ali. Finalmente vamos conseguir ver nosso anfitrião. O ilustre sr. Riley — observou a empreendedora, animada e descendo rapidamente a escada de madeira que levava à praia. — Olhe para ele! Está simplesmente parado na água, absorvendo o sol e curtindo a vida. Eu falei que o homem era especial. Estou tão feliz por ter confiado no meu instinto e aceitado esta escapada maravilhosa. Ele manteve a palavra em um mundo em que tantas pessoas não cumprem promessas. Ele foi consistente e nos tratou muito bem. O homem nem nos conhece e está tentando nos ajudar. Tenho certeza absoluta que ele nos apoia. Vamos logo — acenou empolgada, estimulando o companheiro que se movia lentamente. — Estou com vontade de dar um grande abraço no sr. Riley!

O artista riu quando um lagarto atravessou na frente deles e depois tirou a camisa preta, expondo ao sol uma barriga digna de Buda.

— Eu também. Ele realmente faz o que diz. Cara, eu preciso pegar um sol — murmurou o pintor, ofegante e acelerando para acompanhar o ritmo da empreendedora.

Enquanto os dois convidados andavam na direção do homem que estava à beira daquele Nirvana à beira do oceano, eles observavam que não havia outras casas por perto. Nem uma sequer. Apenas alguns barcos de pescaria de madeira com tinta descascando pela passagem dos anos ancorados nas águas rasas perto do litoral. E além do construtor de impérios e adorador do sol usando óculos italianos, não havia outro ser humano à vista. Em lugar algum.

— Sr. Riley! — gritou o artista, já na areia, sugando o ar em seus pulmões extraordinariamente fora de forma.

A figura esbelta continuava parada como um guarda de palácio esperando a chegada do comboio real.

— Sr. Riley! — insistiu a empreendedora, com mais vontade.

Sem resposta. O homem continuou olhando para o sol e para os navios cargueiros do tamanho de estádios de futebol que se espalhavam pelo horizonte.

O artista logo estava em pé atrás dos ombros bronzeadas da figura e deu três tapinhas no esquerdo. A figura se virou imediatamente. Os dois visitantes levaram um susto. A empreendedora colocou a mão magra sobre a boca. O artista deu um pulo para trás e caiu na areia.

Os dois estavam impressionados com o que viram.

Era o Orador Fascinante.

CAPÍTULO 7

A preparação para a mudança começa no paraíso

"Uma criança não tem problemas para acreditar no inacreditável, nem o gênio, e muito menos o louco. Só você e eu, com nossos cérebros grandes e corações minúsculos, duvidamos, pensamos demais e hesitamos." — **Steven Pressfield**

— Uau! — exclamou a empreendedora com um sorriso torto igualmente surpreso e alegre.

— Estávamos na sua palestra. Você foi brilhante naquele palco — ela finalmente conseguiu articular, alternando de modo impressionante do choque suave para o estilo chefona ao qual estava habituada. — Eu lidero uma empresa de tecnologia. Somos chamados pelos especialistas de "foguete" devido ao crescimento exponencial que estamos vivenciando. Tudo ia maravilhosamente bem até há pouco tempo... — A voz da empreendedora embargou.

Ela desviou o olhar do Orador Fascinante e direcionou para o artista. Por um momento, a empreendedora mexeu nervosamente nas pulseiras. As rugas no rosto ficaram mais visíveis e o semblante revelou um olhar pesado, cansado e magoado naquele momento e naquela praia espetacular.

— O que aconteceu com sua empresa? — perguntou o Orador Fascinante.

— Algumas das pessoas que investiram nela acham que eu tenho muita participação acionária e querem mais. Como são extremamente gananciosos, manipularam minha equipe executiva, convenceram funcionários cruciais a se rebelarem contra mim e agora estão tentando me tirar da empresa. Aquilo ali é minha vida. — a empreendedora estava quase chorando.

Um cardume de peixes tropicais esplendorosamente coloridos nadava pelas águas rasas perto da praia.

— Eu estava pronta para tirar minha vida — continuou ela. — Até ir à sua palestra. Muitos dos seus conhecimentos me deram esperança. Muitas de suas palavras me fortaleceram. Não sei exatamente o que foi, mas você me levou a acreditar em mim e no meu futuro. Eu só quero agradecer. Graças a você comecei a jornada para otimizar minha vida — revelou, abraçando o Orador Fascinante.

— Muito obrigado pelas suas palavras generosas — respondeu o Orador Fascinante, com aparência radicalmente diferente da última vez que a empreendedora e o artista o viram. Não só ele tinha o brilho saudável das pessoas que passaram algum tempo ao sol, como agora estava em pé com firmeza e até havia ganhado um pouco de peso.

— Sou grato pelo que você disse — continuou o Orador Fascinante. — Mas a verdade é que eu não fiz você começar a jornada para melhorar sua vida. *Você* está mudando sua vida ao começar o processo de aplicar minhas ideias e métodos, ao *implementar* meus ensinamentos. Muita gente fala demais, listando todas as ambições e aspirações que possuem. Não estou julgando, estou apenas relatando. Não estou reclamando, estou só dizendo: *a maioria das pessoas continua a mesma por toda a vida*. Assustadas demais para abandonar o jeito como viviam ontem. Casadas com a complacência do ordinário e os grilhões da conformidade enquanto resistem a todas as oportunidades de crescimento, evolução e elevação pessoal. Tantas boas almas entre nós estão tão assustadas que simplesmente recusam o chamado da vida para entrar no oceano azul das possibilidades no qual a maestria, a dignidade da bravura e a autenticidade da audácia os aguardam. Você teve a sabedoria de agir com base nas informações que divulguei em meu evento. Uma pequena minoria de pessoas vivas hoje se dispõe a fazer o necessário para virar um ser humano, líder e produtor melhor. Bom para você. E eu sei que a transformação não é fácil, mas a vida de lagarta precisa acabar para que a glória da borboleta brilhe. Sua versão antiga precisa morrer para que nasça uma versão melhor. Você é inteligente ao não esperar as condições ideais para começar uma vida profissional e particular de excelência impecável. Um grande poder é liberado com um simples começo. Quando você começa a fechar o laço aberto pelas suas aspirações extremas ao transformá-las em realidade, a força heroica secreta que há em você se revela. A natureza percebe seus esforços e responde ao compromisso fiel com uma série de vitórias inesperadas. A força de vontade aumenta, a confiança melhora e o brilhantismo surge. Daqui a um ano você vai ficar muito feliz por ter começado hoje.

— Obrigada — disse a empreendedora.

— Ouvi um homem dizer que precisava perder peso antes de começar a correr. Imagine só. Perder peso para poder iniciar o hábito da corrida. É como se um escritor esperasse a inspiração para começar o livro, o gerente que espera uma promoção para liderar sua área ou uma startup que espera financiamento total antes de lançar um produto que abale o *status quo*. O fluxo da vida recompensa a ação positiva e pune a hesitação. De qualquer modo, estou empolgado em poder contribuir para sua elevação de alguma forma. Você parece estar em um momento difícil, porém empolgante, de sua aventura pessoal. Pense que um dia ruim para o ego é um ótimo dia para a alma. E o que a voz do medo alega ser uma temporada ruim, a luz do conhecimento reconhece como um presente esplêndido.

— Pensamos que você tinha morrido — anunciou a empreendedora, sem rodeios. — Graças a Deus você está bem. E eu valorizo o quanto você é humilde.

— Acredito que os mais humildes são os melhores. Os líderes puros são tão seguros de si que a principal missão deles consiste em elevar os outros. Eles têm tanto respeito, alegria e paz dentro de si que não precisam divulgar o sucesso para a sociedade em uma tentativa débil de se sentir um pouco melhor. Se me permite, também devo dizer que existe uma grande diferença entre poder real e falso — explicou o Orador Fascinante, entrando ainda mais no modo guru que lhe deu fama mundial. — Nossa cultura diz para buscar títulos e bugigangas, aplausos e aclamações, dinheiro e mansões. Não há problema algum em agir dessa forma, desde que você não caia na lavagem cerebral de definir seu valor como ser humano por tudo isso. Aprecie, mas não se apegue. Tenha tudo isso, mas não baseie sua identidade nisso. Aproveite, mas não *precise* disso. Essas são as formas de poder falso que a civilização nos programa para acreditar que devemos buscar para ter sucesso e serenidade. O fato é que, se você perder qualquer uma, o poder substituto que deriva delas evapora. Simplesmente desaparece em um instante, revelando-se como a ilusão que era.

— Conte mais, por favor. — A empreendedora absorvia cada palavra.

— O poder real nunca vem de algo externo — continuou o Orador Fascinante — Muita gente tem dinheiro aos montes e não é rica. Pode acreditar nisso — ensinou o Orador Fascinante tirando os chinelos amarelo berrantes e arrumando-os na areia branca — O poder genuíno, o que faz as lendas, não vem de quem você é por fora e do que você possui externamente. O mundo está perdido agora. O poder verdadeiro e duradouro se expressa quando você entra em contato com seus dons originais e percebe seus talentos mais pródigos como ser humano. Também devo dizer que a verdadeira riqueza vem de seguir a vida pelas virtudes nobres da produtividade, autodisciplina, coragem, honestidade, empatia e integridade, além de ser capaz de viver os dias do seu jeito em vez de seguir cegamente as ovelhas que tantos em nossa sociedade doente foram treinados a ser. Ovelhas, discípulos é o que muitas pessoas são hoje. A excelente notícia é que esse tipo de poder do qual eu falo está disponível para *qualquer* pessoa do planeta hoje. Podemos ter esquecido e desonrado essa forma de potencial que temos ao longo das mágoas, decepções e problemas da vida, mas ela ainda está lá, esperando por nós para construir um relacionamento com ela e desenvolvê-la. Todos os grandes professores da história tinham poucos objetos materiais, sabe? Quando Mahatma Gandhi morreu ele tinha cerca de dez posses, incluindo as sandálias, um relógio, os óculos e uma tigela simples para comer. Madre Teresa, tão próspera de coração e no poder

O CLUBE DAS 5 DA MANHÃ

autêntico de influenciar milhões, morreu em um cubículo praticamente sem bens materiais. Quando ela viajava, carregava tudo o que tinha em uma bolsa branca de pano.

— Por que tantos heróis da humanidade tinham tão pouco? — perguntou o artista, relaxando na areia.

— Porque eles chegaram a um nível de maturidade individual que lhes permitiu ver a futilidade de gastar os dias caçando objetos que não contam para nada no fim das contas. E cultivaram o caráter a tal ponto que não tinham mais a necessidade comum a tantos de preencher os buracos interiores com distrações, atrações, fugas e luxos. Quanto mais o apetite pelas posses superficiais sumia, mais famintos eles se tornavam por objetivos substanciais como honrar a própria visão criativa, expressar a genialidade inerente e viver seguindo um padrão moral mais alto. Eles entenderam, visceralmente, que ser inspirador, magistral e destemido vem de dentro. E uma vez que o *verdadeiro* poder é acessado, os substitutos externos nem de longe se comparam ao sentimento de realização alcançado. Ah, e à medida que descobriram sua natureza suprema, esses grandes da história também perceberam que um dos principais objetivos de uma vida maravilhosamente construída é a contribuição, o impacto, ser útil e ajudar. O que os construtores de negócios chamam de "abrir o valor para os acionistas". Como sugeri em minhas palestras antes do colapso, "liderar é servir". O filósofo Rumi expressou isso de modo muito mais brilhante do que eu quando disse: "Esqueça a gota, transforme-se no oceano."

— Obrigada por dividir seus conhecimentos — disse a empreendedora com sinceridade, sentando-se ao lado do artista na areia e colocando uma das mãos a uma pequena distância da mão dele.

— É bom ver que você está melhor — comentou o artista, já sem as botas. E também sem meias. Enquanto se banhava nos fortes raios de sol como um gato, ele perguntou: — O que raios aconteceu com você, afinal?

— Exaustão — confidenciou o Orador Fascinante. — Cidades demais, aviões demais, aparições demais nos meios de comunicação, apresentações demais. Eu me baseio na missão de ajudar as pessoas a acelerar sua liderança, ativar seus dons e virar heróis da própria vida. Sou experiente, sei o que deveria ter feito para evitar a exaustão.

O Orador Fascinante tirou os óculos de sol chiques e estendeu a mão para seus dois alunos:

— É um grande prazer conhecê-los.

— Você também, irmão. Seu trabalho me ajudou a superar alguns momentos difíceis — elogiou o artista.

Ao dizer essas palavras, o artista viu ao longe um catamarã cruzando as águas com turistas em roupas de festa. Um cardume de bodião-de-pluma nadava nas águas claras. O Orador Fascinante os viu, deu um sorriso largo e continuou:

— Vocês devem estar se perguntando por que estou aqui — comentou ele.

— É verdade — completou a empreendedora, tirando os sapatos e colocando os pés na areia como seu companheiro.

— Bom, eu venho aconselhando o sr. Riley desde que ele tinha 30 anos de idade. Todos os atletas profissionais têm treinadores de alto desempenho, e o mesmo vale para todas as pessoas de negócios extraordinárias. Ninguém se transforma em ícone sozinho. Ele estava começando quando nos conhecemos, mas logo entendeu que quanto mais uma pessoa aprende, mais ela pode conquistar. O crescimento é o verdadeiro esporte praticado diariamente pelos melhores. A educação é a inoculação contra a interrupção. E à medida que você melhora, terá mais, em todas as áreas da sua vida. Eu chamo isso de *mentalidade 2 x 3 x*. Para dobrar sua renda e impacto, triplique seu investimento em duas áreas principais: maestria pessoal e capacidade profissional.

— Adorei isso — empolgou-se o artista, coçando a barriga flácida e mexendo na unha decrépita do dedão do pé.

— O sr. Riley entendeu logo no início que para chegar ao primeiro nível é preciso ajuda de primeiro nível. Viramos amigos fantásticos ao longo dos anos. Compartilhamos alegrias imensas, como almoços de cinco horas com salada de palmito, lagostins grelhados e excelente vinho francês aqui nesta praia particular.

O Orador Fascinante abriu os braços para o ar, olhou para as montanhas poderosas e ficou mudo por alguns instantes.

— E também vivenciamos grandes tristezas, como o diagnóstico de câncer recebido pelo meu amigo logo após o 50º aniversário. Ele parecia ter tudo que um homem podia desejar, mas, sem a boa saúde, percebeu que não tinha nada. Isso o transformou. A saúde é a coroa na cabeça da pessoa sã que apenas o doente pode ver, sabe? Ou, como diz uma tradição: quando somos jovens sacrificamos a saúde pela riqueza, e quando envelhecemos e ganhamos sabedoria percebemos o que é mais importante e ficamos dispostos a sacrificar toda a riqueza por um dia de boa saúde. Você não quer ser a pessoa mais rica do cemitério, certo? Mas ele o derrotou — acrescentou o Orador Fascinante, olhando para os turistas barulhentos festejando no catamarã — Assim como ele se defende de tudo o que tenta derrotar seus sonhos. Stone é um cara incrível. Eu o amo como um irmão.

O homem fez uma pausa.

— Olha, foi realmente muito bom encontrar vocês dois — continuou o Orador Fascinante. — Eu sabia que vocês viriam. O sr. Riley está tremendamente empolgado para dividir o que prometeu com vocês em relação a alcançar o máximo de produtividade, manter um desempenho excepcional e criar uma vida que você ama ao codificar uma rotina matinal superior. Estou feliz por ele estar passando adiante o que ensinei como seu mentor. Vocês vão amar todas as ideias e modelos de aprendizado que aprenderão em breve. O Clube das 5 da Manhã será *revolucionário* para vocês dois. Sei que parece estranho e inacreditável, mas estar exposto à metodologia que Stone está prestes a lhes ensinar vai causar mudanças marcantes e profundas. O simples fato de estar perto da informação despertará algo especial em vocês.

O Orador Fascinante colocou os óculos de sol chiques.

— Bom, o sr. Riley pediu para lhes dizer o seguinte; sintam-se em casa nos próximos dias por aqui. Vocês não vão me ver muito, porque estarei mergulhando, navegando e pescando a maior parte do tempo. Pescar é uma das atividades que mais gosto na vida. Eu venho para as Ilhas Maurício não só para ensinar a grande e gentil alma que vocês reencontrarão em breve.

Também venho para me recuperar e fugir deste nosso mundo complicado demais, cheio de dificuldades, economias danificadas, indústrias saturadas e problemas ambientais, só para citar alguns dos fatores que ameaçam exterminar nossa criatividade, energia, desempenho e felicidade. Venho aqui para me renovar e reabastecer. A produção de alto nível sem férias tranquilas causa exaustão duradoura. O descanso e a recuperação não são luxos para quem está comprometido com a maestria, e sim uma necessidade. Eu ensino este principio há muitos anos, mas esqueci de aplicá-lo em mim e paguei o preço naquele evento. Também aprendi que a inspiração é alimentada pelo isolamento das distrações digitais sem fim e do excesso de comunicação desatenta que domina as horas da maioria hoje em dia. E saiba também que a genialidade natural se apresenta quando você está mais alegre. Temos as ideias que mudam o mundo quando estamos descansados, relaxados e cheios de júbilo. Este lugar minúsculo do oceano Índico me ajuda a reencontrar o que há de melhor em mim. Também é um santuário genuíno de segurança, beleza descomunal e gastronomia incrível, com pessoas afetuosas que ainda são sinceras. Eu simplesmente adoro as pessoas das Ilhas Maurício. A maioria ainda tem um apreço pelos prazeres simples da vida, como fazer refeições em família ou nadar com amigos, além de saborear um frango assado comprado no Super U com uma lata de Phoenix geladíssima.

— Phoenix? — perguntou o artista.

— É a cerveja das Ilhas Maurício — respondeu o Orador Fascinante. — E devo dizer que sempre saio da ilha cem vezes mais forte, rápido, centrado e energizado. Eu realmente trabalho muito no dia a dia. Espero que isso não pareça vaidoso, mas me importo muito em melhorar a sociedade e estou bastante comprometido em fazer minha parte para reduzir a ganância, o ódio e os conflitos. Vir aqui me refaz e me reconecta com o que é importante. Depois disso, eu posso voltar e trabalhar pelo mundo. Todos nós trabalhamos para o mundo, sabe? Então, divirtam-se, certo? E mais uma vez obrigado por terem ido à minha palestra e pelas palavras positivas. Elas significam mais para mim do que vocês podem imaginar. Qualquer um pode criticar, mas é preciso ter coragem para estimular as outras pessoas. Ser um líder de alto impacto não significa ser desrespeitoso. Gostaria que mais líderes entendessem este princípio. E ah, só mais uma informação — acrescentou o Orador Fascinante enquanto tirava um pouco de areia de sua bermuda camuflada de surfista.

— O quê? — perguntou a empreendedora em tom respeitoso.

— Estejam aqui na praia amanhã de manhã. O treinamento vai começar.

— Claro — concordou a empreendedora. — A que horas?

— Cinco da manhã. Controle suas manhãs. Mude sua vida — foi a resposta.

CAPÍTULO 8

O método das 5 da manhã: a rotina matinal de quem constrói o mundo

"É bom acordar antes do nascer do sol, pois tal hábito contribui para a saúde, riqueza e sabedoria." — **Aristóteles**

— Sejam bem-vindos ao Clube das 5 da Manhã! — gritou o bilionário, descendo os degraus de sua casa à beira-mar. — *Bonzour*! Isso é "bom dia" na língua criola da ilha. Vocês estão bem na hora! Adoro isso! Pontualidade é a característica da realeza. Pelo menos é assim no meu manual. Eu me chamo Stone Riley — declarou, estendendo graciosamente a mão para cumprimentar seus dois hóspedes.

As roupas velhas e esfarrapadas tinham sido trocadas por uma bermuda de corrida bem-cortada na cor preta e uma camiseta branca imaculada com a frase "Nenhuma ideia trabalha por você se você não trabalhar por ela". Ele estava descalço e barbeado, parecendo extremamente em forma, com um bronzeado maravilhoso. Tudo isso o fazia parecer muitos anos mais jovem do que na palestra. Usava um boné de beisebol preto com a aba virada para trás.

Os olhos verdes continuavam anormalmente claros. E o sorriso impressionava com seu brilho. Sim, havia algo muito especial em relação a esse homem, como a empreendedora havia sentido.

Uma pomba branca pairava ao redor do magnata, flutuando no ar por uns dez segundos como se estivesse suspensa por mágica. Depois, ela foi embora. Você pode imaginar isso? Foi algo miraculoso de ver.

— Deixe-me dar um abraço em vocês dois, se me permitem — empolgou-se o bilionário, estendendo os braços em volta da empreendedora e do artista ao mesmo tempo, sem esperar resposta. — Meu Deus, vocês têm coragem. E muita. Confiaram em um velho desgrenhado, um completo desconhecido. — comentou ele. — Sei que eu parecia um vagabundo no outro dia. Embora não pareça, eu me importo com minha aparência. Só não importo tanto assim — justificou ele, rindo da própria falta de inibição — Gosto de deixar tudo verdadeiro, simples, prático e totalmente autêntico. O que me faz pensar naquela velha frase: ter muito dinheiro não transforma você em outra pessoa. Apenas faz com que você seja ainda mais a pessoa que era antes de enriquecer.

O bilionário olhou para o oceano e deixou-se banhar pelos raios de um novo amanhecer. Ele fechou os olhos e inspirou profundamente. O contorno dos músculos abdominais definidos era visível por baixo da camiseta. Depois, ele tirou uma flor do bolso de trás da bermuda preta. Nem a empreendedora nem o artista tinham visto uma flor como aquela. E não estava nem um pouco amassada por estar no bolso do bilionário. Estranho.

— Flores são muito importantes para qualquer pessoa realmente investida em criar mágica no trabalho e na vida particular — orientou o magnata, cheirando as pétalas — Enfim, eu queria dizer que meu pai era um homem do campo. Cresci em uma fazenda até nos mudarmos para o sul da Califórnia. Falávamos, pensávamos, comíamos e vivíamos de modo simples. Você pode tirar o garoto do campo, mas não tira o campo do garoto — acrescentou ele, expressando um entusiasmo contagioso. Enquanto isso, ele se mostrava fascinado pela magnificência do mar.

A empreendedora e o artista agradeceram imensamente ao bilionário. Explicaram que a aventura até aquele momento tinha sido fenomenal e mencionaram sinceramente que a ilha e a praia exclusiva eram mais lindas do que tudo o que eles já tinham visto.

— Utopia, não é? — comentou o bilionário, colocando os óculos de sol — Sou abençoado, não tenho dúvidas. Estou muito feliz por vocês estarem aqui, caras.

— Então foi seu pai que ensinou esse hábito de acordar com o sol? — perguntou o artista enquanto eles andavam à beira d'água.

Um pequeno caranguejo corria perto deles enquanto três borboletas voavam por cima do trio.

De maneira impressionante, o bilionário começou a girar como um pião. Enquanto rodava, ele começou a gritar essas palavras: "Eu teria escrito nas cortinas do seu quarto: 'Se você não acordar cedo, não vai progredir em nada!'"

—O que você está fazendo? — perguntou a empreendedora, intrigada.

— É uma citação excelente de William Pitt, conde de Chatham. Por algum motivo eu senti a necessidade de dizê-la agora. Enfim, deixe-me responder à pergunta sobre meu pai — disse o bilionário meio sem jeito.

— Sim e não. Eu o via acordar cedo ao longo de toda a minha infância. Como acontece com qualquer boa rotina, ele fez isso tantas vezes que ficou impossível *não* fazê-lo. Porém, como a maioria das crianças, eu resistia quando meu pai me mandava acordar cedo. Sempre fui um pouco rebelde, sou uma espécie de pirata. Em vez de lutar uma pequena guerra comigo todos os dias, por qualquer motivo, ele me deixava fazer o que quisesse. Então eu dormia. Até tarde.

— Pai bacana — elogiou a empreendedora, vestiada com roupas de yoga e com o celular na mão para fazer anotações cuidadosas.

— Era mesmo — afirmou o bilionário, carinhosamente colocando os braços ao redor dos alunos enquanto eles continuavam a caminhar pela praia imaculada. — Na verdade foi o Orador Fascinante que me ensinou o Método das 5 da Manhã. Eu era jovem quando o conheci. Tinha acabado de abrir minha primeira empresa e precisava de alguém para me guiar, desafiar e desenvolver como empreendedor, um conquistador e líder máximo. Todos diziam que ele era o melhor *coach* de executivos do mercado, mas havia uma lista de espera de três anos. Então eu liguei para ele diariamente, até o homem aceitar ser meu mentor. Ele também era bem jovem na época, mas seus ensinamentos tinham uma profundidade, sabedoria, pureza e um impacto inventivo incrivelmente avançados para a idade dele.

— E a disciplina de acordar cedo ajudou? — quis saber o artista.

O bilionário sorriu e parou de andar.

— *Foi a prática que mudou e elevou todas as outras.* Os pesquisadores agora chamam esse tipo de comportamento crucial que multiplica todos os outros padrões regulares de desempenho de "hábito fundamental". Programá-lo em um caminho neural profundo exigiu algum esforço, um pouco de sofrimento e o compromisso mais forte que tinha em mim. Vou ser sincero com vocês, houve dias no processo de automatizar essa rotina em que fiquei mal-humorado, dias em que minha cabeça latejava como uma britadeira e manhãs em que eu só queria continuar dormindo. Contudo, quando me acostumei a acordar às cinco da manhã, meus dias ficaram vastamente melhores que tudo o que já vivenciei.

— Como? — Os dois ouvintes perguntaram em voz alta, em uníssono.

A empreendedora tocou no braço do artista, sugerindo carinhosamente que eles estavam juntos na experiência, pois agora eram uma equipe, e ela queria o melhor para ele. O artista olhou para ela e um sorriso gentil surgiu em seus lábios.

— Nessa época de mudanças exponenciais, distrações imensas e agendas sobrecarregadas, acordar às cinco da manhã e fazer a rotina matinal que o Orador Fascinante ensinou era meu antídoto contra a mediocridade. — continuou o bilionário — Chega de apressar as minhas manhãs! Imagine o que este simples ato faz pela qualidade do seu dia. Começar o dia aproveitando a quietude que só o início da manhã oferece, sentindo-se forte, centrado e livre. Descobri que minha mente ficava dramaticamente mais concentrada à medida que os dias se passavam. Todo indivíduo de grande desempenho, não importa se estamos falando de atletas campeões, executivos de alto nível, arquitetos celebrados ou violoncelistas admirados, desenvolveu a capacidade de se concentrar e otimizar sua habilidade específica por longos e ininterruptos períodos de tempo. Essa capacidade é um dos fatores especiais que lhes permitem gerar resultados de altíssima qualidade em um mundo onde muitas pessoas diluem sua largura de banda cognitiva e fragmentam a atenção, aceitando o mau desempenho e conquistas medianas enquanto levam vidas medíocres e decepcionantes.

— Definitivamente concordo — comentou o artista. — É raro ver alguém se concentrar na própria arte por muitas horas seguidas hoje em dia. O Orador Fascinante estava certo na palestra quando chamou os viciados em dispositivos eletrônicos de "zumbis cibernéticos". Eu os vejo todos os dias. É como se não fossem mais seres humanos, mais parecem robôs grudados às telas. Não estão presentes, ficam meio vivos o tempo todo.

— Entendo — disse o bilionário. — Proteger-se da distração é exatamente o que você precisa fazer se quiser mesmo dominar seu campo e vencer em seu ofício. Neurocientistas chamam esse estado mental avançado do qual estamos falando de "fluxo", no qual a percepção aumenta, a disponibilidade para ideias originais melhora e acessamos um outro nível de poder de processamento. E acordar às 5 da manhã promove o "estado de fluxo" maravilhosamente. Ah, e acordando antes de o sol nascer, enquanto quase todos estão dormindo, minha criatividade também foi às alturas, a disposição definitivamente dobrou, a produtividade triplicou, meu...

— Você está falando sério? — interrompeu a empreendedora, incapaz de conter o fascínio com a ideia que uma simples mudança para uma rotina matinal personalizada pudesse reorganizar a vida humana de modo tão completo.

— Sem dúvida. A sinceridade é uma das minhas principais convicções em todos esses anos de negócios. Nada supera o ato de dormir cedo toda noite, de consciência limpa e coração tranquilo. Faz parte da minha natureza de garoto da roça, eu acho — observou o bilionário.

De repente, o telefone da empreendedora indicou a chegada de uma mensagem importante:

— Sinto muito. Falei para minha equipe não me ligar aqui. Fui clara com eles. Não consigo imaginar por que estão me incomodando agora — reclamou ela, olhando para a tela.

Em letras maiúsculas, as seguintes palavras duras apareceram:

SAIA DA EMPRESA OU VOCÊ VAI MORRER

A empreendedora atrapalhou-se com o telefone até deixá-lo cair acidentalmente na areia. Em pouco tempo ela estava ofegante.

— O que houve? — perguntou o artista logo em seguida. Vendo o sangue sumir do rosto da amiga e as mãos dela tremerem, ele repetiu, com mais intensidade e empatia ainda maior: — O que houve?

O bilionário também parecia preocupado.

— Você está bem? Precisa de água ou de alguma ajuda?

— Acabei de receber uma ameaça de morte... Dos meus investidores. Eles querem minha firma... Estão tentando me expulsar, pois acham que tenho uma participação acionária muito grande. Acabaram de me dizer que se eu não cair fora, eles vão me matar.

Na mesma hora o bilionário arrancou do rosto os óculos que usava e ergueu-os no ar, fazendo um movimento circular. Segundos depois, dois homens fortes com microfones de ouvido e fuzis saíram de trás de algumas palmeiras e correram pela praia mais rápido do que um ciclista anabolizado.

— Chefe, o senhor está bem? — o mais alto deles perguntou, tenso.

— Sim — foi a resposta calma e confiante à equipe de segurança — Mas preciso que vocês verifiquem isso imediatamente. E se me permitir, eu posso ajudar você a se livrar disso — ofereceu ele, olhando para a empreendedora.

Em seguida, o bilionário murmurou algo para si mesmo e uma revoada de pombos cruzou os céus.

— Sim, claro. Eu agradeceria um pouco de ajuda — respondeu a empresária, com a voz ainda trêmula e gotas de suor brotando nas rugas da testa.

— Deixe isso conosco — declarou o bilionário. Em seguida, ele falou com a equipe de segurança de modo educado, mas com um ar inegável de autoridade: — Parece que minha hóspede aqui está sendo gravemente ameaçada por alguns capangas que desejam tomar a empresa dela. Por favor, descubram exatamente o que eles querem e me apresentem a solução. Não se preocupe — tranquilizou ele — Meus homens são os melhores do mercado. *Isso não será um problema* — O sr. Riley articulou essa última frase de modo a enfatizar cada palavra, com um efeito poderoso.

— Muito obrigada — respondeu a empreendedora, imensamente aliviada.

O artista segurou a mão dela com carinho.

— Está tudo bem? Posso continuar? — solicitou o bilionário enquanto o sol brilhava alto no céu tropical glamoroso.

Os hóspedes aquiesceram.

Uma funcionária impecavelmente vestida surgiu de uma cabana pintada de verde com detalhes brancos, situada em um ponto mais alto da praia. Logo a assistente estava servindo o café mais delicioso que a empreendedora e o artista já haviam tomado.

— Melhora incrivelmente a cognição quando consumido moderadamente a cada manhã — explicou o bilionário, bebendo um gole — E está cheio de antioxidantes, então também retarda o envelhecimento. Enfim, onde estávamos? Ah, sim, eu estava falando para vocês sobre os benefícios impressionantes que vivi após ter entrado para o Clube das 5 da Manhã e praticado a metodologia matinal que o Orador Fascinante me revelou. Ela se chama *fórmula 20/20/20,* e podem acreditar: quando vocês aprenderem esse conceito e o aplicarem com persistência, sua produtividade, prosperidade, desempenho e impacto vão aumentar exponencialmente. Eu não consigo pensar em outro ritual que tenha contribuído tanto para o meu sucesso e bem-estar. Sou excessivamente discreto em relação ao que realizei em minha carreira de empresário. Sempre vi o ato de se gabar como um grande defeito de caráter. Quanto mais poderosa uma pessoa realmente é, menos ela precisa se promover. E quanto mais forte um líder, menos ele precisa anunciar isso.

— O Orador Fascinante falou um pouco sobre as suas conquistas — comentou a empreendedora, parecendo mais tranquila.

— E o jeito inusitado como você se vestiu na palestra confirmou! — brincou o artista, mostrando um belo sorriso com alguns dentes quebrados.

— Levantar às cinco da manhã todos os dias foi a principal prática que fez a maior parte disso acontecer, permitindo que eu me transformasse em um pensador visionário. E também abriu um espaço de reflexão para desenvolver uma vida interior formidável. A disciplina me ajudou a ficar absurdamente em forma, e com isso vieram todos os belos avanços de renda e a melhora no estilo de vida que acompanham uma saúde excepcional. Acordar cedo também fez de mim um líder impressionante e me ajudou a me tornar uma pessoa muito melhor. Mesmo quando o câncer de próstata tentou me arrasar, a rotina matinal me protegeu. Foi mesmo. Vou falar da *fórmula 20/20/20* em uma lição a seguir, então vocês vão saber exatamente o que fazer para obter resultados impressionantes desde a hora em que levantarem da cama. Cara, vocês não vão acreditar no poder e no valor das informações que estão por vir. Estou muito empolgado por vocês dois. Sejam bem-vindos ao Paraíso. E bem-vindos ao primeiro dia de uma vida muito melhor.

———

A empreendedora dormiu pesado como não dormia há anos naquela noite nas Ilhas Maurício. Apesar da ameaça recebida, a combinação das breves instruções do bilionário, a grandeza do cenário natural, a pureza do ar do oceano e o carinho cada vez maior do artista a fizeram esquecer muitas de suas preocupações e redescobrir uma calma há muito esquecida.

Até que, precisamente às 3h33 da manhã, ela acordou com uma batida forte na porta.

A empreendedora sabia o horário, pois tinha olhado para o despertador na mesa de cabeceira de madeira. Ela estava na casa de hóspedes chique oferecida pelo anfitrião e supôs que era o artista, talvez lidando com *jet lag* ou sem sono após o excelente porém vasto jantar que apreciaram juntos. Sem perguntar quem era, ela abriu a porta.

Não havia ninguém.

— Oi? — perguntou ela para o céu repleto de estrelas.

As ondas batiam suavemente na areia perto da cabana e era possível sentir o aroma de rosas, incenso e sândalo na brisa.

— Tem alguém aqui?

Silêncio.

A empreendedora fechou a porta cuidadosamente e dessa vez trancou-a. Quando voltou para a cama coberta por lençóis de algodão egípcio e linho inglês, ouviu três batidas fortes na porta.

— Sim? — gritou ela, agora assustada. — Sim?

— Temos o café da manhã que a senhora pediu — respondeu uma voz rouca.

O rosto da empreendedora voltou a ficar cheio de rugas. O coração começou a bater com força. Ela ficou profundamente angustiada e com o estômago embrulhado feito um presente de Natal.

— Estão me trazendo café a essa hora absurda? Inacreditável.

Ela destrancou e abriu a porta da frente da casa de hóspedes, hesitante.

Um homem atarracado, com um olho que parecia fora do lugar e uma careca desagradável, estava em pé, sorrindo. Ele usava um casaco quebra--vento vermelho e uma bermuda jeans que ia até abaixo do joelho. Em volta do pescoço havia um cordão azul. Pendurado nele estava a foto laminada em plástico do rosto de uma pessoa.

A empreendedora se esforçou para ver o rosto com mais clareza na escuridão. E quando conseguiu, ela identificou a imagem de um homem mais velho. Uma pessoa que ela conhecia muito bem, amava muito e de quem sentia muita saudade.

A foto no crachá era do falecido pai da empreendedora.

— Quem é você? — gritou ela, assustada — Como você conseguiu essa foto?

— Seus sócios me enviaram aqui. Sabemos tudo sobre você. Tudo. Analisamos seus dados pessoais, invadimos os seus arquivos e investigamos toda a sua história. — O careca de casaco levou a mão na direção do cinto e puxou uma faca, que colocou a poucos centímetros da garganta da empreendedora.

— Ninguém poderá protegê-la agora. Temos uma equipe inteira concentrada em você. Não vou machucá-la... Não agora. Desta vez é só para dar um aviso. Mandar um recado cara a cara: saia da empresa, abra mão das suas ações e diga adeus. Ou então essa faca vai entrar em sua garganta. Quando você menos esperar, quando pensar que está segura. Talvez com aquele seu amigo gordo e pintor.

O homem afastou a faca, recolocando-a no cinto.

— Tenha uma boa noite, senhora. Foi um prazer conhecê-la. Sei que nos veremos em breve. — E fechou a porta, batendo-a com força.

Fortemente abalada, a empreendedora caiu de joelhos.

— Por favor, Deus, me ajude. Não aguento mais isso! Não quero morrer. Ela ouviu três batidas na porta. Desta vez, mais calmas.

— Oi, sou eu. Abra a porta, por favor.

A batida assustou a empreendedora, que acordou. A batida continuou. Ela abriu os olhos, reconheceu o quarto escuro, e percebeu que fora um pesadelo.

Levantou-se da cama, cambaleou pelo chão coberto com tábuas largas de carvalho e abriu a porta da frente, sabendo que era o artista após ouvir sua voz familiar.

— Tive um sonho completamente louco — contou a empreendedora — Um homem brutal tinha aparecido aqui, com um crachá pendurado no pescoço com a foto do meu pai, e ameaçou me esfaquear se eu não abrisse mão da empresa para os investidores.

— Você está bem agora? — o artista perguntou carinhosamente.

— Vou ficar bem.

— Também tive um sonho incomum— explicou o artista. — Não consegui dormir depois. Fiquei pensando na qualidade da minha arte, na profundidade do meu sistema de crenças, na tolice das minhas desculpas, na minha atitude cínica, agressividade, autossabotagem e procrastinação sem-fim. Estou analisando minha rotina diária e decidindo como vou passar o resto da minha vida. Mas olha, tem certeza que você está bem? — questionou o artista, depois de perceber que estava falando muito de si e não demonstrava empatia com sua companheira assustada.

— Estou bem. Melhor agora que você está aqui.

— Tem certeza?

— Tenho.

— Senti sua falta. Você se importa se eu falar mais sobre o meu sonho? — pediu o artista.

— Vá em frente — estimulou a empreendedora.

O CLUBE DAS 5 DA MANHÃ

— Bom, eu era um garotinho na escola. E todos os dias eu fingia que era um gigante e um pirata. O dia inteiro eu acreditava que tinha a força de um gigante e a arrogância transgressora de um pirata. Eu dizia aos meus professores que era esses dois personagens, e repetia o mesmo discurso para os meus pais em casa. Os professores riam de mim e me criticavam, diziam para me comportar mais como as outras crianças, ser mais realista e parar com aquelas fantasias ridículas.

— O que seus pais diziam? Eles eram gentis com você? — perguntou a empreendedora, agora sentada no sofá com as pernas cruzadas em posição de lótus.

— Eles falavam o mesmo que os professores, que eu não era um gigante e muito menos um pirata. Ficavam lembrando que eu era um garotinho e diziam que se eu não limitasse minha imaginação, reprimisse a criatividade e acabasse com aquelas fantasias, seria castigado.

— E o que houve?

— Fiz o que mandaram. Eu cedi, reproduzi as atitudes dos adultos e me diminuí em vez de engrandecer para ser um bom menino. Sufoquei minhas esperanças, dons e poderes para me conformar, como a maioria das pessoas faz todos os dias. Estou começando a perceber o quanto fomos hipnotizados para longe de nossa inteligência brilhante e sofremos lavagem cerebral a fim de perder nossa genialidade. O Orador Fascinante e o bilionário estão certos.

— Conte mais sobre o seu sonho — quis saber a empreendedora.

— Comecei a me adaptar ao sistema e virar um seguidor. Eu não acreditava mais que era tão poderoso quanto um gigante e fanfarrão como um pirata. Apenas andava com as outras ovelhas, sendo igual a todos os outros. Acabei virando um homem que gastava dinheiro que não tinha comprando objetos de que não precisava para impressionar pessoas de quem eu não gostava. Que jeito pobre de viver.

— Tenho alguns desses comportamentos também — admitiu a empreendedora. — Estou aprendendo muito sobre mim mesma, graças a essa viagem estranha e imensamente útil. Estou começando a perceber como

93

fui superficial, como sou egoísta e quantas vitórias estão para acontecer em minha vida. Muitas pessoas no mundo nem poderiam sonhar com todas as bênçãos que tenho.

— Eu entendo — respondeu o artista. — No meu sonho eu virei contador, casei e formei uma família. Eu morava em um condomínio, tinha um belo carro e uma vida até bacana, com alguns amigos verdadeiros, um trabalho que pagava a hipoteca e um salário que pagava minhas contas. Porém, todo dia era igual: cinza em vez de colorido, entediante em vez de encantador. À medida que o tempo passou, as crianças foram saindo de casa para viver a própria vida, o meu corpo envelheceu, minha disposição diminuiu e, infelizmente, minha esposa no sonho faleceu. Fui ficando cada vez mais velho, a visão passou a falhar, a audição começou a diminuir e minhas lembranças ficaram extremamente fracas.

— Isso está me deixando triste — disse a empreendedora, um tanto vulnerável.

— E quando fiquei realmente velho, esqueci onde morava, não conseguia lembrar meu nome e perdi toda a noção de quem eu era na comunidade. Mas, olha isso, comecei a me lembrar de quem eu *realmente* era.

— Um gigante e um pirata?

— Exatamente! — respondeu o artista. — O sonho me fez entender que não posso mais adiar o trabalho incrível que tenho para fazer. Não posso mais adiar essa melhora na saúde, felicidade, confiança e até na vida amorosa.

— Sério? — perguntou a empreendedora, ansiosa.

— Sério — respondeu o artista.

Em seguida ele se aproximou e a beijou na testa.

Capítulo 9

O modelo para expressar a grandeza

"Os grandes homens vivem com o substancial. Eles não ficam com o superficial, pois lidam com a realidade e não permanecem com o que é espalhafatoso. Eles descartam um e mantêm o outro." — **Lao Tzu**

— Ei, caras — berrou o bilionário. — Vocês estão bem na hora, como sempre. Bom trabalho!

Eram cinco da manhã. Enquanto o contorno da lua continuava no céu, os raios de um novo amanhecer cumprimentavam os três seres humanos naquela praia perfeita.

A brisa perfumada do oceano tinha notas de hibisco vermelho, cravo-da-índia e tuberosa. Um falcão-de-maurício, o mais raro do mundo, sobrevoava o local e uma pomba rosa, a mais rara de sua espécie, cuidava da vida perto de um conjunto exuberante de palmeiras. Uma família de lagartos a caminho de algum lugar importante e uma tartaruga-gigante-de-seychelles subia o litoral pela margem verde. Todo esse esplendor natural elevou a alegria e eletrificou o ânimo dos três integrantes do Clube das 5 da Manhã que estavam na areia.

O bilionário apontou para uma garrafa flutuando no oceano. Enquanto ele acenava o dedo de um lado para o outro, a garrafa se movia na mesma direção. Quando ele girou um dedo, a garrafa na água girou junto. E quando ele levantou a mão lentamente, a garrafa pareceu se erguer acima da superfície do oceano.

Logo o recipiente chegou até a areia molhada e ficou claro que havia um pedaço de seda enrolado no interior dele. Imagine o quanto isso tudo parecia misterioso.

— Uma mensagem em uma garrafa — declarou o bilionário, feliz da vida, batendo palmas como uma criança. Ele certamente era uma pessoa anormal e totalmente maravilhosa. — Isso convenientemente dará o tom para a minha sessão de mentoria com vocês esta manhã. — acrescentou ele.

O industrial ergueu o recipiente, desatarraxou a tampa e puxou o tecido, que tinha a seguinte estrutura abaixo nele:

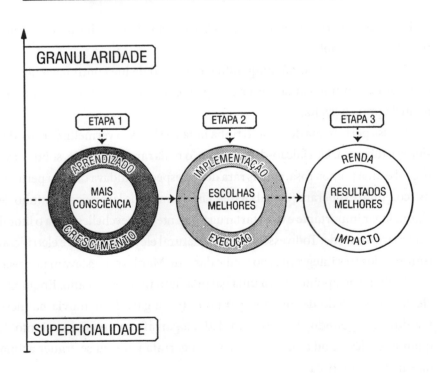

O CLUBE DAS 5 DA MANHÃ

— Esse é um dos modelos de aprendizado mais simples e ao mesmo tempo mais complicados que o Orador Fascinante ensinou quando começou a fazer *coaching* comigo quando era mais jovem — explicou o bilionário, sem usar suas gírias de surfista. — Ele dará o contexto para todos os ensinamentos que virão a seguir. Por isso, eu realmente quero que vocês o entendam com profundidade. À primeira vista, parece um modelo bem básico, mas à medida que você o integrar ao longo do tempo, verá o quanto é profundo.

O sr. Riley em seguida fechou os olhos, cobriu os ouvidos com as mãos e recitou essas palavras:

"O começo da transformação é o aumento da percepção. À medida que você vê mais, poderá materializar mais. E quando você tiver mais experiência, poderá conquistar mais. As grandes mulheres e homens do mundo, responsáveis pelas sinfonias mágicas, belos movimentos, avanços da ciência e progressos tecnológicos, começaram a fazer uma reengenharia em seus pensamentos e reinventar a consciência. Ao fazê-lo, eles entraram em um universo secreto que a maioria não conseguia perceber. Isso por sua vez lhes permitiu fazer as escolhas diárias que poucos fazem, automaticamente obtendo os resultados diários que poucos vivenciavam."

O magnata reabriu os olhos e levou o indicador aos lábios, como se estivesse imerso em uma ideia esplendidamente importante. Olhando com atenção para o modelo costurado na seda, ele continuou:

— Heróis, titãs e ícones têm uma característica que as pessoas medianas não têm, sabe?

— Qual? — perguntou o artista, vestido de um jeito engraçado, com camiseta regata e sunga *Speedo*.

— Rigor — repetiu o bilionário. — Os melhores do mundo têm profundidade. Os integrantes da maioria geralmente empacam na mentalidade superficial no trabalho. Toda a *abordagem* deles é leve, sem qualquer preparação real, pouquíssima contemplação e sem definir uma visão imponente para o resultado desejado, além de pensar pacientemente na sequência de execuções que levará a um resultado incrível. Na verdade, 95% das pessoas não prestam atenção *meticulosa* aos detalhes, nem refinam os menores acabamentos, como fazem os grandes mestres. A maioria sempre busca o caminho de menor resistência, faz o que precisa ser feito rapidamente e vai levando. *Fazer de qualquer jeito em vez de se dedicar.* A maioria dos conquistadores criativos excepcionais trabalha com uma filosofia completamente diferente.

— Conte mais — pediu o artista, intrigado.

— Eles aplicam uma mentalidade granular em vez de superficial, pois codificaram a profundidade como um valor para a vida, além de insistirem profundamente na grandeza em tudo o que fazem. Os excepcionais compreendem totalmente que o trabalho criativo, não importa se sejam pedreiros, padeiros, CEOs, criadores de gado leiteiro, astronautas ou caixas de banco, representa sua reputação. Os melhores em qualquer empreitada apreciam o fato de o seu bom nome estar associado a cada trabalho feito por eles. E entendem que receber elogios soberbos não tem preço.

O bilionário esfregou a garrafa, depois levantou-a e viu a última evidência da lua desparecer através do vidro antes de continuar o discurso.

— Contudo, é algo mais profundo que a aprovação social — explicou o industrial. — O nível de trabalho que você oferece ao mundo reflete a força do respeito que tem por si mesmo. Quem tem autoestima inquebrantável não ousaria fazer algo mediano, pois o diminuiria demais. Se você quiser liderar seu campo de trabalho, vire um ser humano profundo — reforçou o sr. Riley. Comprometa-se a ser uma pessoa altamente incomum em vez de uma dessas almas tímidas que se comportam como todas as outras, vivendo uma vida preguiçosa em vez de magnífica, uma vida derivativa em vez de original.

— Isso é profundo mesmo — disse o artista, mostrando grande exuberância ao tirar a camiseta para pegar um pouco de sol.

— No trabalho, aqueles que dominam a maestria são extraordinariamente cuidadosos. Eles pensam com precisão no que estão fazendo, trabalham com os padrões mais altos e transpiram como o escultor mestre

Gian Lorenzo fez ao criar a *Fontana dei Quattro Fiumi*, obra-prima que ocupa gloriosamente o centro da Piazza Navona em Roma. Esses produtores são meticulosos e habilidosos a um nível praticamente sem falhas. E, por mais óbvio que pareça, eles realmente se importam muito, muito, muito com o que fazem.

— Contudo, as pessoas têm muito a fazer hoje em dia — retrucou a empreendedora. — Não estamos no século XVII. Minha caixa postal está tão lotada quanto minha agenda. Tenho reuniões o dia inteiro quase todos os dias. Preciso vender ideias. Sinto que nunca consigo acompanhar tudo o que vem na minha direção. Buscar a maestria não é fácil.

— Eu entendo — respondeu o bilionário em um tom bondoso. — Menos é mais, sabe? Você está tentando demais. Os gênios entendem que é mais inteligente criar uma obra-prima do que mil peças comuns. Um dos motivos pelos quais eu amo estar ao redor das mais belas obras de arte é que os sistemas de crença, inspirações emocionais e modos de trabalhar essas grandes virtudes acabam passando para mim. E posso dizer com absoluta certeza que esses indivíduos épicos habitam um universo totalmente diferente da maioria das pessoas nos negócios e na sociedade hoje.

Nesse momento, uma borboleta de cores brilhantes pousou na ponta da orelha esquerda de Stone Riley, que sorriu e disse:

— Oi, bonitinha. Bom ver você de novo. — E então ele continuou: — Quando vocês desconstroem a forma pela qual os superastros, virtuosos e gênios fizeram suas conquistas, vão perceber que a *consciência* aumentada das oportunidades para a grandeza diária foi que os inspirou a fazer escolhas diárias melhores que geraram resultados diários melhores. — O sr. Riley apontou para o modelo de aprendizado. — Este é o poder da educação autodidata. À medida que você ganha consciência de novas ideias, vai crescer como produtor e pessoa. Enquanto aumenta seu desenvolvimento pessoal e profissional, o nível em que você implementa e executa suas belas ambições vai aumentar. E, claro, à medida que a capacidade de fazer seus sonhos e visões virarem realidade aumentar, você será recompensado com aumento na renda e maior impacto — O magnata bateu o dedo na terceira etapa do diagrama enquanto falava. — É por isso que concordar com esse treinamento comigo foi tão inteligente. Estes são os ensinamentos que vocês precisam aprender com este modelo.

O bilionário coçou o abdômen sarado e inspirou profundamente a brisa que vinha do oceano.

— E preciso dizer: devido ao jeito como os notáveis veem o mundo, o comportamento deles em relação ao ofício que praticam e a forma como se destacam na vida de modo muito diferente da grande massa, eles foram chamados de tolos, desajustados, esquisitos, mas eles não eram nada disso! — exclamou o bilionário, de modo exuberante. — Eles só estavam em um nível muito mais alto, no ar rarefeito. Eles acrescentaram *rigor* ao que fizeram, passando semanas, meses, às vezes anos aperfeiçoando os toques finais. Eles se obrigaram a ficar com o trabalho quando se sentiram solitários, apavorados ou entediados. Eles persistiram na tradução de suas visões heroicas para a realidade diária quando eram incompreendidos, ridicularizados e até atacados. Meu Deus, como eu admiro os grandes gênios do mundo. Admiro mesmo.

— "Quanto mais a sociedade se afasta da verdade, mais ela odeia os que a revelam" — resumiu o artista.

A empreendedora olhou para ele, mexendo em sua pulseira.

— George Orwell disse isso — explicou ele. — E "Sempre que criar beleza ao seu redor, você restaura sua alma". — continuou o artista. — Alice Walker disse isso.

— Os mestres produzem de um jeito que trabalhadores comuns rotulam de "obsessivo", explicou o industrial. — Mas a realidade da proeminência é uma só: o que 95% das pessoas chamam de "comportamento meticuloso" em torno de um projeto importante, os 5% melhores criadores sabem que é apenas o preço a ser pago pela excelência. Vejam o modelo novamente para que possamos compreendê-lo de modo ainda mais preciso — orientou o bilionário, tocando o diagrama no pedaço de seda. — A maioria das pessoas hoje está presa na superficialidade Elas têm compreensão superficial

O CLUBE DAS 5 DA MANHÃ

do poder de ir além, intimidade superficial com as próprias possibilidades, além de conhecimento superficial sobre a neurobiologia da maestria, a rotina diária das pessoas que constroem o mundo e as ambições que desejam priorizar no restante da vida. A maioria está empacada em um pensamento vago e impreciso. E o pensamento vago e impreciso gera resultados vagos e imprecisos. Um exemplo rápido: peça informações a uma pessoa mediana para chegar a algum lugar e você vai descobrir que, na maioria das vezes, as instruções não são claras.

O bilionário pegou um galho da praia e apontou para a palavra "granularidade" no modelo.

— Os conquistadores lendários são imensamente diferentes. Eles entendem que o nível amador de consciência nunca vai levar ao grau mais alto de resultados profissionais. Outro exemplo a fim de consolidar essa informação importante para vocês dois: sou grande fã de corridas de Fórmula 1. Fui convidado para ver minha equipe favorita nos boxes recentemente. A atenção deles aos menores detalhes, a dedicação a demonstrar excelência extrema e a disposição de fazer o necessário para obter a grandeza não só validava minhas ideias como era inspiradora. Repito: para a pessoa comum, sugerir que é preciso ter atenção obsessiva aos mínimos detalhes e falar da importância de uma abordagem rigorosa na vida profissional e particular parece estranho. Mas aquela equipe de F1! A calibração perfeita do carro de corridas, a velocidade sobre-humana para executar as trocas de pneus e até o jeito de limpar os boxes com um aspirador de pó industrial após a saída do carro para que não houvesse nem sinal de poeira, tudo era fantástico. É disso que estou falando. Os 5% melhores apostam na granularidade em vez de aplicar a mentalidade superficial às atitudes, comportamento e atividades do dia a dia.

— Eles realmente se esforçam tanto nos mínimos detalhes que removem a poeira dos boxes assim que o carro sai? — perguntou o artista, fascinado.

— Sim — comentou o bilionário. — Eles varreram e passaram o aspirador em toda a área dos boxes. E quando perguntei o motivo, disseram que se uma molécula sequer de sedimento entrasse no motor da máquina de corrida, poderia lhes custar uma vitória. Ou pior ainda, levar à perda de uma vida. Na verdade, qualquer pequena imprecisão de um integrante da equipe poderia provocar uma tragédia. Um parafuso solto deixado por um técnico desatento poderia levar a uma calamidade. Um item da lista de verificação que uma pessoa distraída não conferiu pode causar uma catástrofe. Ou uma medida errada que não foi vista por um colega de equipe cuja atenção preciosa estava no telefone com o qual brincava antes da parada nos boxes poderia custar uma vitória.

— Estou começando a concordar que a abordagem da qual você está falando é importante — admitiu a empreendedora. — Pouquíssimas pessoas de negócios e de outras áreas como arte, ciências e esportes pensam e se comportam dessa forma hoje em dia. Costumava ser normal, eu acho. Desenvolver alta percepção sobre o que fazemos e ter uma abordagem meticulosa a fim de aperfeiçoar nosso trabalho, além de refinar os detalhes, preocupar-se com os mínimos pontos, produzir com precisão em vez de ser pouco profissional e descuidado. Prometer pouco e entregar muito, ter imenso orgulho do próprio ofício, aprofundar-se e adotar a granularidade em vez da superficialidade, para usar as suas palavras.

— É preciso dar o crédito a quem é de direito — interrompeu o bilionário humildemente. — Aprendi essa linguagem e esse modelo com o Orador Fascinante, mas, sim, os detalhes importam quando se trata da maestria. Li em algum lugar que o trágico desastre do ônibus especial Challenger foi causado pela falha de um único anel de junta tórica que alguns especialistas avaliaram em setenta centavos de dólar (cerca de R$ 3). Uma perda terrível de vidas foi causada por uma falha no que parecia ser um detalhe insignificante.

— Tudo isso me faz pensar no gênio holandês Vermeer — contribuiu o artista. — Era um pintor que buscava obras da mais alta qualidade. Ele experimentou várias técnicas que deixavam a luz natural de um jeito que fazia a arte dele parecer tridimensional. Havia uma profundidade imensa naquelas criações, uma atração por todas as pinceladas e sofisticação em cada movimento. Então, eu também concordo: o artista mediano tem uma abordagem realmente leve, básica e impaciente em relação à própria pintura.

O foco está mais no dinheiro do que no ofício. A atenção dele está na fama, em vez do refinamento. Por isso ele não chega a criar a consciência e a sagacidade maiores para tomar decisões melhores e obter resultados melhores que podem transformá-los em lendas em suas áreas. Estou começando a entender como esse modelo simples é poderoso.

— Eu amo *Mulher de Azul Lendo uma Carta* e, claro, *Moça com o Brinco de Pérola*, disse o bilionário, confirmando que apreciava a grande arte.

— Adoro que você esteja compartilhando isso conosco — observou a empreendedora, espantada, segurando a mão do artista.

O sr. Riley piscou.

— Eu sabia que isso ia acontecer — murmurou com uma felicidade óbvia ao ver a conexão romântica ganhando cada vez mais força. Ele fechou os olhos mais uma vez. A borboleta continuava pousada na orelha do excêntrico magnata. Enquanto o inseto batia suas asas de cores exóticas, o sr. Riley citou as palavras do grande poeta Rumi:

"Aposte tudo no amor, se você for um verdadeiro ser humano. Se não for, vá embora agora. A indiferença não alcança à majestade."

— Posso fazer uma pergunta? — pediu a empreendedora.

— Claro — respondeu o bilionário.

— Como essa filosofia do rigor e granularidade se aplica aos relacionamentos pessoais?

— Não muito bem — foi a resposta sincera do barão sem camisa. — O Orador Fascinante me ensinou um conceito que chamou de "lado sombrio da genialidade". É a ideia que todo dom humano tem um aspecto negativo, ou seja, a mesma qualidade que leva alguém a ser especial em uma área faz com que ele seja desajustado em outra. A realidade é que muitos dos grandes virtuosos do mundo tiveram vida particular complicada. O próprio dom de ter uma visão que poucos conseguem acompanhar, além de seguir os padrões absolutamente mais altos, contentar-se sozinho por grandes períodos de tempo enquanto trabalham obsessivamente nos menores detalhes

ROBIN SHARMA

de seus projetos e se comportam de modo implacável para realizar suas obras-primas, agindo com uma autodisciplina raramente vista e ouvindo o próprio coração ao ignorar as críticas dificulta os relacionamentos pessoais. Eles eram incompreendidos e vistos como "difíceis", "diferentes", "rígidos" e "desequilibrados."

O bilionário em seguida jogou-se na areia e começou a fazer flexões em um ritmo feroz. Depois, enquanto olhava para a pomba branca que voava por cima do teto de sua casa à beira-mar, ele fez vinte *burpees* e continuou o discurso:

— E muitas dessas pessoas lendárias em termos de criatividade, produtividade e desempenho de nível mundial *eram* desequilibradas — afirmou o magnata. — E também perfeccionistas, rebeldes e fanáticas. Esse é o lado sombrio da genialidade. A mesma característica que faz você ser incrível em seu ofício pode arrasar sua vida doméstica. Só estou dizendo a verdade, caras — observou o bilionário depois de beber água em uma garrafa com algo escrito. Se você olhasse de perto, leria a seguinte frase:

"Filipe da Macedônia, em mensagem para Esparta: 'Eu o aconselho a se render sem mais demora, pois se levar meu exército para suas terras, destruirei suas fazendas, matarei seu povo e arrasarei sua cidade.'

Resposta de Esparta: 'Se.'"

— Mas só por que seus dons têm um lado negativo não significa que vocês não devam expressá-los! — explicou o bilionário energicamente. — Basta desenvolver a consciência em relação às áreas em que isso pode gerar problemas na vida pessoal e gerenciar essas armadilhas. E isso me traz de volta ao modelo de aprendizado desta manhã, que realmente define o palco para tudo o que vocês vão aprender sobre o valor transformativo do Clube das 5 da Manhã, e como transformá-lo em hábito duradouro.

O industrial se abaixou, pegou um pauzinho gasto pelo mar e encostou o graveto no retalho de seda.

O CLUBE DAS 5 DA MANHÃ

— Lembrem-se sempre da máxima principal para o desempenho de elite em torno da qual este modelo para a grandeza pessoal foi construído: tendo uma consciência diária melhor você poderá fazer escolhas diárias melhores, e com escolhas diárias melhores você vai começar a ver resultados diários melhores. O Orador Fascinante chama isso de *fórmula do sucesso em três etapas*. Melhorar a consciência da própria capacidade natural de conquistar grandes objetivos, por exemplo, ou em como instalar o Método das Cinco da Manhã em sua rotina matinal vai aumentar sua produtividade, afastando vocês da superficialidade que domina atualmente a Terra para a granularidade. Esse nível aumentado de ideias e consciência vai otimizar suas decisões diárias e, logicamente, quando suas escolhas diárias forem feitas de modo correto, isso vai acelerar dramaticamente sua liderança, conquistas e impacto, pois suas decisões fazem seus resultados.Para uma de nossas sessões de *coaching* — continuou o bilionário, — O Orador Fascinante e eu nos encontramos em Lucerna, Suíça. Uma cidade linda, situada em um lago magnífico e cercada por montanhas de tirar o fôlego. Praticamente um conto de fadas. Enfim, um dia ele pediu um bule de água quente e com umas fatias de limão para fazer o chá de limão fresco que gosta de beber quase todas as manhãs. O negócio é o seguinte...

— Isso deve ser interessante — interrompeu o artista coçando o braço que tinha uma tatuagem feita ao redor de uma frase do Andy Warhol: "Eu nunca penso que as pessoas morrem. Elas simplesmente vão para lojas de departamento."

— A bandeja chegou — continuou o bilionário. — Prataria imaculada, porcelanas excelentes, tudo calibrado no mais alto nível. E olhem isso: quem cortou os limões na cozinha exerceu o rigor profundo do ofício essencial para a maestria continuada. A pessoa foi além e tirou as sementes dos limões. Incrível, não é?

Em seguida, o bilionário começou a fazer a mesma dança excêntrica do centro de convenções por alguns instantes e parou. A empreendedora e o artista sacudiram a cabeça.

105

— Um nível bastante incomum de cuidado e atenção aos detalhes em um mundo de tanta superficialidade e pessoas empacadas na apatia — ponderou a empreendedora, fingindo não ter percebido a dança do magnata.

— O Orador Fascinante chama esse fenômeno que toma conta do mercado de "desprofissionalização coletiva dos negócios", observou o bilionário. — As pessoas que deveriam estar trabalhando, satisfazendo clientes, mostrando habilidades extraordinárias e gerando valor sobrenatural para suas organizações de modo que elas e suas empresas alcancem sucesso estão assistindo a vídeos idiotas em seus celulares, comprando sapatos pela internet ou acessando as redes sociais. Nunca vi as pessoas tão pouco envolvidas no trabalho, ausentes e exaustas. E nunca vi pessoas cometendo tantos erros.

O bilionário apontou novamente o graveto torto para a *fórmula do sucesso em três etapas.*

— Tirar as sementes dos pedaços de limão é a metáfora ideal para desafiar vocês a sair da superficialidade para a granularidade de modo consistente. Ter uma abordagem verdadeiramente rigorosa, não só para o que se faz no trabalho, como na vida particular. A verdadeira profundidade se relaciona ao seu modo de pensar, agir e se comportar. O perfeccionismo saudável e uma busca implacável para ser o melhor possível é o que estou sugerindo a vocês aqui nessa praia maravilhosa. Isso vai lhes dar o que o Orador Fascinante chama de Vantagem Competitiva Gigantesca. Nunca foi tão fácil dominar os negócios hoje em dia porque poucos estão fazendo o necessário para dominar a indústria. A maestria é rara e as pessoas que atuam com brilhantismo são raras. Então o mercado é seu! Desde que vocês ajam do modo como estou estimulando. Aqui está uma ideia poderosa: existe um monte de competidores no ordinário, mas quase nenhum no extraordinário. Nunca houve tantas oportunidades glamorosas de ser inigualável porque poucos se dedicam ao nível de qualidade mundial nessa era de foco difuso, valores erodidos, além da falta de fé na própria capacidade e no poder primal inerente que temos. Quantas vezes você encontra alguém em uma loja ou restaurante que está totalmente presente, com educação impressionante, anormalmente bem-informado, cheio de entusiasmo e que trabalha de modo incrivelmente árduo, com intensa imaginação, inventividade notória e uma excelência de tirar o fôlego em tudo o que faz? Quase nunca, certo?

— Sim — reconheceu a empreendedora. — Preciso entrevistar milhares de pessoas para encontrar um tesouro como esse.

— Então, caras, vocês têm uma Vantagem Competitiva Gigantesca! Que ótimo! — gritou o bilionário. — Vocês podem perfeitamente dominar suas áreas de atuação, pois raríssimas pessoas são assim hoje em dia. Eleve seu compromisso, aumente seus padrões e ocupe-se em programar esse jeito de ser como o seu padrão. E isso é muito importante: é preciso otimizar *todos os dias*. A consistência é realmente o DNA da maestria. E avanços pequenos, diários e aparentemente insignificantes quando feitos de modo consistente ao longo do tempo geram resultados espantosos. Lembre-se de que grandes empresas e uma vida maravilhosa não acontecem por uma revolução súbita. Elas se materializam por meio da evolução incremental: pequenas vitórias e iterações diárias que se acumulam e geram resultados de excelência a longo prazo, mas poucos hoje em dia têm paciência para agir a longo prazo. Como consequência, poucos viram lendas.

— Todas essas informações são fantásticas e muito valiosas para minha arte — reconheceu o artista, vestindo a camiseta de novo.

— É maravilhoso ouvir isso — reconheceu o bilionário. — Olha, sei que vocês dois vivenciaram uma tonelada de aprendizado em pouquíssimo tempo. Entendo que levantar cedo é uma nova habilidade que vocês estão instalando e toda essa história sobre buscar a grandeza, deixar a multidão, abrir mão do mediano e renunciar ao ordinário provavelmente é avassaladora. Então simplesmente respirem e relaxem, por favor. Ser excepcional é uma jornada. Ser virtuoso é uma viagem. Roma não foi feita em um dia, certo?

— Certo — concordou o artista.

— Definitivamente não foi — acrescentou a empreendedora.

— E eu também entendo que chegar aos recônditos mais puros de suas forças superiores e dons humanos mais soberanos é um processo descon-fortável e assustador. Passei por ele e as recompensas que estão por vir à medida que vocês se dedicarem a aprender o Método das Cinco da Manhã valem mais do que dinheiro, fama e poder mundano. O que ensinei hoje é um componente necessário do sistema de acordar antes do nascer do sol a fim de prepará-los para serem conquistadores de elite e pessoas luminosas. Vamos aprofundar tudo isso nas futuras sessões. O que realmente quero dizer antes de liberar vocês esta manhã para se divertir é que, embora o crescimento como produtor e pessoa seja difícil, é realmente a melhor obra que um ser humano pode fazer. Lembrem-se: vocês estão mais vivos quando o coração bate mais rápido. E estão mais acordados quando os medos gritam mais alto.

— Então precisamos seguir em frente, certo? — confirmou a empreendedora enquanto uma ótima brisa do oceano passava pelos seus cabelos castanhos.

— Sem dúvida — disse o magnata. — Todas as sombras da insegurança vão se dissolver no brilho da persistência. Certo. Só mais um exemplo de assumir uma abordagem rigorosa na vida profissional e pessoal e obter uma Vantagem Competitiva Gigantesca sendo granular em projetos importantes, habilidades essenciais e atividades significativas. Depois disso, eu adoraria que vocês nadassem, mergulhassem e tomassem banho de sol. Precisam ver o almoço espetacular que minha equipe preparou para vocês! Tenho que ir até Port Louis para uma reunião, mas realmente espero que vocês fiquem à vontade. Então...

O sr. Riley parou, desceu e tocou os dedos dos pés quatro vezes, murmurando o seguinte mantra:

— Hoje é um dia glorioso e vou vivê-lo com excelência, entusiasmo sem limite e integridade, sendo verdadeiro em relação a minhas visões e com o coração cheio de amor. Eu me lembro de ler um artigo — continuou ele. — em que perguntaram ao CEO da empresa italiana de moda Moncler qual era seu prato favorito. Ele respondeu que era espaguete ao pomodoro. E explicou que, embora pareça algo incrivelmente simples de preparar, pois exige apenas macarrão, tomates frescos, azeite e manjericão, obter a "calibração" correta exige conhecimento extraordinário e proeza incomum. Esta é uma palavra importante para nós guardarmos na mente à medida que nos aperfeiçoamos, elevamos o desempenho e aceleramos nossa contribuição para o mundo: *calibração*. Ter as melhores atitudes e refinar os mínimos detalhes diz respeito à granularidade, além da ascensão à órbita da sua genialidade inerente e uma vida magicamente vivida.

O magnata excêntrico colocou o pedaço de seda que estava na garrafa no bolso da bermuda. E desapareceu.

Capítulo 10

Os quatro focos de quem faz a história

"A vida que nos foi dada é curta por natureza, mas a lembrança de uma vida bem vivida é eterna." — **Cícero**.

O nascer do sol estava deslumbrante enquanto o artista e a empreendedora andavam de mãos dadas pelo litoral a fim de encontrar o bilionário no local marcado para a mentoria daquela manhã.

O sr. Riley já os esperava, sentado na areia, meditando profundamente, de olhos fechados.

Ele estava sem camisa, vestindo uma bermuda camuflada parecida com a que o Orador Fascinante usava quando apareceu na praia e um par de botas para mergulho decoradas com emojis de carinhas sorridentes. Você se divertiria muito se o visse usando esses calçados.

Um assistente saiu correndo da casa do bilionário assim que ele levantou a mão na direção do céu, fazendo o gesto universal de vitória. Três páginas de papel foram tiradas de uma bolsa de couro preta e entregues ao titã da indústria sem que uma palavra sequer fosse trocada. Stone Riley fez uma leve mesura de apreço. Em seguida, deu uma folha para cada um de seus alunos.

Eram exatamente cinco da manhã.

O bilionário pegou uma concha e a jogou na água. Parecia que ele tinha algo profundo na cabeça esta manhã. O jeito frívolo, festivo e um tanto esquisito de praxe estavam ausentes.

— Você está bem? — perguntou a empreendedora, tocando uma pulseira onde se lia "Ambição direta. Levante-se e trabalhe. Descansarei quando morrer".

O magnata leu as palavras no bracelete e colocou um dos dedos nos lábios.

— Quem vai chorar quando vocês morrerem?

— O quê? — perguntou o artista.

— O que as pessoas que vocês conhecem vão cochichar sobre sua forma de viver quando vocês não estiverem mais aqui? — o bilionário articulou a pergunta no estilo de um ator habilidoso. — Vocês vivem como se estivessem destinados a viver para sempre, sem qualquer pensamento sobre a própria fragilidade na cabeça, nem se dão conta de quanto tempo já passou. Vocês desperdiçam tempo como se tivessem um suprimento pleno e abundante dele, embora o dia que você tenha dedicado a uma pessoa ou objeto talvez seja o seu último.

— Era nisso que você estava pensando? Brilhante — elogiou o artista.

O bilionário pareceu levemente envergonhado.

— Quem me dera! Não, essas ideias pertencem ao filósofo estoico Sêneca e vieram de seu tratado *Sobre a Brevidade da Vida*.

— Mas por que estamos falando de morte nesta manhã tão linda? — perguntou a empreendedora, um pouco desconfortável.

— Porque a maioria de nós que estamos vivos hoje deseja ter mais tempo e ainda assim desperdiçamos o tempo que temos. Pensar em morrer coloca o que é mais importante em um foco muito mais afiado. Você não permite mais que as distrações e perturbações digitais, cibernéticas e online roubem as horas insubstituíveis da bênção que se chama vida. Não dá para pegar esses dias de volta, sabe? — disse o bilionário em tom amigável, porém firme. — Reli *Chasing Daylight* ontem depois da minha reunião na cidade. É a história real do grande CEO Eugene O'Kelly, que recebeu a notícia de que tinha poucos meses de vida quando os médicos encontraram três tumores em seu cérebro.

— E o que ele fez? — perguntou o artista.

— Organizou os últimos dias com o mesmo compromisso com a ordem que usava para gerenciar a vida corporativa. O'Kelly tentou compensar as apresentações escolares que perdeu, as reuniões de família que deixou passar e as amizades que esqueceu. Em uma parte do livro ele diz ter chamado um amigo para dar um passeio na natureza e "em alguns casos, não só era a última vez que fazíamos uma caminhada tão prazerosa juntos, como também a primeira".

— Triste — foi o comentário da empreendedora, mexendo nervosamente na pulseira. As rugas de preocupação na testa reapareceram em toda a sua glória.

— Aí ontem à noite eu assisti *O escafandro e a borboleta*, um dos meus filmes favoritos — continuou o bilionário. — Também é uma história real, de um homem que estava no topo do mundo, Jean-Dominique Bauby. Editor--chefe da revista francesa *Elle*, o homem tinha tudo e sofreu um derrame que o deixou incapaz de mexer todos os músculos do corpo, exceto a pálpebra esquerda. A condição é chamada "síndrome do encarceramento". A mente dele funcionava perfeitamente, mas era como se o corpo estivesse preso em um escafandro, totalmente paralisado.

— Triste — comentou o artista, repetindo sua companheira.

— Vejam só — acrescentou o sr. Riley — Os fisioterapeutas ensinaram um método de comunicação chamado "alfabeto silencioso" que permitia formar letras e palavras piscando os olhos. E com a ajuda deles, Bauby escreveu um livro sobre sua experiência e o sentido essencial da vida. Ele piscou duzentas mil vezes, mas terminou a obra.

— Não tenho nada a reclamar — disse a empreendedora em voz baixa.

— Ele morreu pouco depois da publicação do livro — continuou o bilionário. — Mas a questão que estou tentando abordar com tudo isso é que a vida é muito, muito frágil. Existem pessoas que vão acordar hoje, tomar banho, vestir a roupa, tomar café, comer cereal e morrer em um acidente de carro a caminho do trabalho. É a vida. Então, meu conselho a vocês, seres humanos especiais, é não adiar qualquer atitude necessária para expressar sua genialidade natural. Viva do jeito que você considera verdadeiro e preste atenção aos pequenos milagres que acontecem todos os dias.

— Entendi — comentou o artista, puxando uma de suas tranças rastafári e mexendo no chapéu panamá que escolheu usar para a sessão de *coaching* daquela manhã.

— Eu também — concordou a empreendedora de um jeito melancólico.

— Apreciem cada sanduíche — completou o artista.

— Um pensamento muito sábio — disse o sr. Riley.

— Não é meu — respondeu o artista, tímido. — São as palavras do compositor Warren Zevon. Ele disse isso após descobrir que tinha uma doença terminal.

— Sejam gratos por todos os momentos. Não sejam tímidos quando se trata de suas ambições. Parem de perder tempo com o trivial e priorizem a reconquista da criatividade, do fogo e do potencial que estão dormentes em vocês. É muito importante fazer isso. Por que vocês acham que Platão dizia "conhece a ti mesmo"? Ele entendia intimamente que temos um vasto reservatório de capacidades que precisam ser acessadas e depois *aplicadas* para que tenhamos uma vida empolgante, alegre, tranquila e significativa. Deixar de lado esta força oculta em nós é criar um campo fértil para a dor do potencial não utilizado, a frustração do destemor não assumido e a letargia da maestria inexplorada.

Um praticante de kitesurf passou rapidamente e um cardume de peixes cruzou as águas limpas como a consciência de Abraham Lincoln.

— Isso nos leva maravilhosamente ao que eu gostaria de lhes falar esta manhã. Leiam sua folha de papel com atenção — orientou o bilionário.

Este foi o modelo de aprendizado visto pelos alunos:

OS QUATRO FOCOS DE QUEM FAZ HISTÓRIA

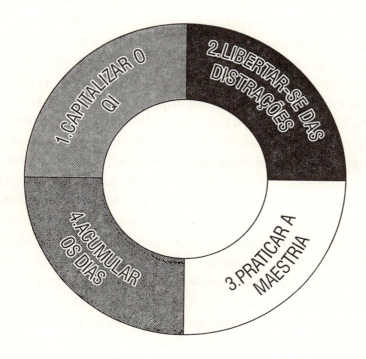

Foco de quem faz história número 1: Capitalizar o QI

O empresário explicou o conceito de capitalização desenvolvido pelo respeitado psicólogo James Flynn. Segundo o conhecimento valioso concebido por ele, o que faz uma pessoa com desempenho lendário ser tão boa não é a quantidade de talento com o qual ela nasceu, mas até onde aquele potencial foi realizado e capitalizado:

— Muitos dos melhores atletas do mundo — observou o sr. Riley — tinham menos habilidades inatas que os concorrentes, mas foram a dedicação, o compromisso e a motivação excepcional para maximizar os pontos fortes que os transformaram em ícones. É a velha história do "Não é o tamanho do cachorro na briga que importa, e sim o tamanho da briga no cachorro", —

declarou o bilionário esfregando distraidamente a barriga sarada e colocando um novo par de óculos escuros, do tipo que se vê em surfistas no sul da Califórnia.— O Orador Fascinante me ensinou logo no começo que, ao entrar para o Clube das 5 da Manhã, eu teria uma janela de oportunidade maravilhosa todos os dias para cultivar meus bens maiores, reservar um tempo para mim e fazer os preparativos necessários de modo a transformar cada dia em uma pequena joia. Ele me ajudou a entender que pessoas bem--sucedidas utilizam bem as manhãs e, ao levantar antes do por do sol, eu teria uma vitória importante que me prepararia para um dia de triunfos.

— Eu nunca tenho tempo para mim — interrompeu a empreendedora. — Minha agenda está sempre tão cheia. Eu adoraria ter um espaço na manhã para recarregar as baterias e fazer algo para ser uma pessoa melhor e mais feliz.

— Exatamente — comentou o bilionário. — Muitos de nós temos vidas sem tempo. Precisamos ter pelo menos uma hora logo de manhã para reabastecer, crescer e nos transformar em pessoas mais saudáveis e pacíficas. Levantar às cinco da manhã e fazer a *fórmula 20/20/20*, que explicarei em breve, darão uma vantagem extraordinária a seus dias. Vocês serão capazes de se concentrar em atividades de valor elevado em vez de serem controlados pelo seu dia. E terão uma energia que nunca imaginaram. A alegria que vocês vão reconquistar será impressionante, e a noção de liberdade pessoal vai parar nas alturas.

Em seguida o sr. Riley mostrou uma tatuagem temporária em suas costas musculosas, era uma citação do filósofo francês Albert Camus que dizia; "A única maneira de lidar com um mundo sem liberdade é tornar-se tão absolutamente livre que sua própria existência será um ato de rebeldia". Abaixo dessas palavras havia a imagem de uma fênix ressurgindo das chamas.

— Preciso tanto disso — disse a empreendedora. — Sei que minha produtividade, gratidão e calma aumentariam imensamente se eu tivesse um tempo para mim todas as manhãs antes de tudo ficar tão caótico.

— Eu também — emendou o artista. — Uma hora para mim todas as manhãs para refletir e me preparar mudaria tudo para minha arte. E na minha vida.

— O Orador Fascinante me ensinou logo no início que investir sessenta minutos para me desenvolver, me tornar uma pessoa melhor e aperfeiçoar

O CLUBE DAS 5 DA MANHÃ

minhas capacidades durante o que ele chamou de "Hora da Vitória" transformaria o desenrolar do restante da minha vida em termos mentais, emocionais, físicos e espirituais. Ele prometeu que isso me daria uma dessas
Vantagens Competitivas Gigantescas das quais falamos ontem. E levaria à
formação de *impérios* absolutos de criatividade, alegria, dinheiro e auxílio
à humanidade. Preciso dizer que ele estava completamente certo. Enfim, de
volta ao conceito da capitalização e à importância de explorar com inteligência os dons primais que vocês receberam. Muitos de nós entramos na hipnose
coletiva e acreditamos que as pessoas com habilidades extraordinárias são
diferentes e foram abençoadas pelos Deuses do Talento Excepcional, mas
não é o caso — observou o bilionário, mostrando um pouco de seus modos
de garoto que cresceu na fazenda. *Dedicação e disciplina sempre ganham da
genialidade e do talento.* E os jogadores do primeiro time não têm sorte, eles
fazem a sorte. Toda vez que vocês resistem à tentação e buscam a otimização,
revigoram seu heroísmo. A cada momento em que vocês fazem o certo em vez
do que fácil, facilitam a entrada no hall da fama dos conquistadores épicos.

O bilionário olhou para uma gaivota imensa pescando seu café da manhã
e depois deu um arroto bem alto.

— Oops, sinto muito — desculpou-se ele. — Conforme falei antes, muitas pesquisas recentes sobre pessoas bem sucedidas confirmam que nossa
história particular em relação ao próprio potencial é o principal indicador
para saber se realmente exploramos esse potencial.

— Como assim? — perguntou a empreendedora, parando de anotar no
telefone para olhar diretamente para o bilionário, que agora usava uma camiseta dizendo "Vítimas têm grandes TVs. Líderes têm grandes bibliotecas."

— Bom, se você estiver fazendo uma narrativa mental dizendo que não
tem o necessário para ser líder suprema nos negócios ou especialista aclamada
em seu ofício, então você nem vai começar a aventura de chegar lá, não é?
Ser de primeiro nível é um processo, não um evento. Executar um programa
psicologicamente limitador dizendo "pessoas comuns não podem ser grandiosas" ou "a genialidade é inata, não pode ser desenvolvida" vai levá-lo a
considerar uma total perda de tempo estudar, passar horas praticando seu
ofício e priorizar os dias em torno de seus desejos mais sinceros. Afinal, para

117

que investir trabalho, vigor, tempo e fazer todos esses sacrifícios quando os resultados virtuosos são impossíveis para alguém como você, de acordo com este sistema de crenças? E como o seu comportamento diário é sempre uma função de suas crenças mais profundas, a percepção da própria incapacidade de ter vitórias passa a ser real — observou o bilionário. — Os seres humanos são programados para agir de acordo com a própria identidade, sempre. Você nunca vai além de sua história pessoal. É um conselho importante, esse.

Ele olhou para o oceano e viu um barquinho pesqueiro com a rede lançada no mar. Um pescador de camisa vermelha fumava um cigarro enquanto navegava o barco para longe dos perigosos recifes de coral. O bilionário murmurou outro mantra para si:

— Eu sou grato e perdoo. Sou generoso, minha vida é linda, criativa, produtiva, próspera e mágica.

Depois, ele continuou a falar da capitalização:

— Os psicólogos positivos chamam o ato de adotar uma historia sobre quem somos e o que podemos conquistar e depois nos comportarmos de modo a realizar essa fantasia de "profecia autorrealizável." Nós adotamos inconscientemente o padrão de pensamento aprendido com as pessoas que mais nos influenciaram na infância, como pais, professores, amigos, e depois agimos de acordo com ele. Como tudo o que fazemos cria os resultados que vemos, essa história pessoal falha passa a ser a realidade que nós mesmos causamos. Incrível, não é? Mas é assim que a maioria de nós funciona nos melhores anos da vida. O mundo é um espelho e recebemos da vida não o que desejamos, mas o que somos.

— Acho que quanto mais aceitamos a crença na incapacidade de produzir resultados excelentes no que buscamos fazer, nós não só a reforçamos a ponto de virar uma convicção ferrenha como aprofundamos o comportamento associado a ela, transformando-a em hábito diário — recitou o artista, com um tom professoral em vez de boêmio no ar puro da manhã.

— Você expressou isso maravilhosamente bem! — respondeu o bilionário, empolgado. — Adorei a ideia de "convicção ferrenha". Isso é bom. Você deve repetir sobre essa expressão ao Orador Fascinante se o encontrar hoje. Acho que está pescando, mas como eu o conheço bem, ele deve pegar um pouco de sol na praia ainda nessa manhã.

O bilionário então continuou:

— Todo ser humano tem o instinto para a grandeza, a fome do heroísmo e uma necessidade psíquica de ir às alturas de sua capacidade, independente de se lembrar disso conscientemente ou não. Muitos de nós fomos tão minimizados e jogados para baixo pelas influências sombrias e tóxicas ao nosso redor que esquecemos totalmente quem somos de verdade. Viramos mestres em ceder, permitindo mais aspectos da mediocridade de modo lento e gradual até chegar a um ponto em que ela vire nosso sistema operacional padrão. Os verdadeiros líderes jamais negociam seus padrões. Eles sabem que sempre há espaço para melhorar e entendem que somos mais conectados à nossa natureza soberana quando buscamos nosso melhor. Nas palavras de Alexandre, o Grande: "Não temo um exército de leões liderado por uma ovelha, e sim um exército de ovelhas liderado por um leão."

O bilionário expirou audivelmente. Uma borboleta voou ao longe e um caranguejo correu perto dele, que continuou:

— Estou aqui para lembrar que todos nós temos uma profunda capacidade de liderança. E como vocês já sabem, eu não estou falando de liderança no sentido de ter um título, posição importante ou autoridade formal. Estou me referindo a algo muito mais importante e intenso. Ao *verdadeiro* poder dentro do coração humano, em vez do poder transitório fornecido por um escritório grande, um carro potente e uma conta bancária recheada. Estou falando da potência de realizar obras tão grandiosas que simplesmente não conseguimos tirar os olhos de vocês. A capacidade de criar um valor imenso em seu mercado, afetar e perturbar toda uma indústria e o poder de viver com honra, nobreza, audácia e integridade para concretizar sua oportunidade de fazer história de um jeito próprio e original. Não importa se você é um CEO, faxineiro, bilionário, cavador de trincheiras, astro de cinema ou estudante. Se você está vivo hoje, tem a capacidade de liderar sem título e deixar sua marca no mundo, mesmo se não acreditar que pode fazer isso agora devido aos limites de sua percepção atual. Isto não é a realidade. Não mesmo. É apenas sua percepção atual sobre a realidade, lembrem-se disso. É apenas a lente através da qual vocês estão olhando para a realidade neste momento de subida até o nível mundial. Isso me faz pensar nas palavras do filósofo alemão Arthur Schopenhauer: "A maioria das pessoas considera os limites da própria visão como limites do mundo. Poucas não fazem isso. Junte-se a elas."

— Então existe uma grande diferença entre a realidade e a percepção que temos dela, não é isso? — perguntou a empreendedora. — Pelo que você está dizendo, é quase como se víssemos o mundo através de um filtro composto por todos os nossos programas pessoais. E rodamos tanto esses programas que recebemos uma lavagem cerebral para acreditar que nosso jeito de ver o mundo é real, certo? Você me fez repensar o jeito que vejo tudo agora — admitiu, enrugando a pele da testa como uma rosa que se contrai no frio.

— Estou começando a questionar todos os aspectos da minha vida — continuou ela. — Por que abri minha empresa? Por que o status social é tão importante para mim? Por que desejo tanto comer nos restaurantes mais caros, morar nos melhores bairros e dirigir os carros mais estilosos? Penso que estou me sentindo tão esmagada pela tentativa de tomada da minha empresa porque criei minha identidade como ser humano em torno de ser a fundadora. Sinceramente, eu ando tão ocupada gerenciando minha carreira que não parei para me abastecer, pensar em tudo com profundidade e viver de modo intencional. É como a *fórmula do sucesso em três etapas* que você nos ensinou ontem. À medida que ganhar mais consciência em relação a mim mesma e aos motivos dos meus atos, farei escolhas diárias melhores que me darão resultados diários melhores.

Era impossível parar a empreendedora.

— Não faço ideia de quais são meus valores autênticos, do que desejo representar como líder, do motivo de estar construindo minha empresa, do que realmente me faz feliz e como eu quero ser lembrada quando não estiver mais aqui. As histórias daquele CEO e do editor que teve um derrame me ensinaram que a vida é superfrágil. E agora que estou falando tão abertamente, acho que passei muitos dias buscando objetivos errados. Empacada no ruído da complexidade em vez de ouvir o sinal para buscar o alto valor na minha carreira e vida particular que realmente fariam a diferença. Além disso, penso muito no passado, no que aconteceu na infância, e não tive tempo para amizades. Também não tenho paixões verdadeiras, nunca tinha visto o sol nascer até agora, nem achei o amor verdadeiro — confessou ela, esfregando ansiosamente a pulseira que usava.

A empreendedora olhou para o artista:

— Até agora.

Os olhos dele se encheram de lágrimas.

— Trilhões de planetas neste universo. Bilhões de pessoas em nosso planeta e eu tive a sorte de encontrar você — comentou ele, emocionado.

A empreendedora sorriu.

— Espero nunca perder você. — respondeu ela em tom carinhoso:

— Não seja tão dura consigo mesma — interrompeu o bilionário. — Estamos todos em nossos caminhos, entende o que estou falando? Estamos exatamente onde precisamos para receber as lições de crescimento que estamos destinados a ouvir. E um problema vai persistir até você obter o ensinamento que ele veio trazer. Concordo que os seres humanos têm o hábito trágico de lembrar o que seria inteligente esquecer e esquecer o que seria maravilhosamente sábio lembrar. Mas, enfim, eu entendo você. Acredite que neste momento você está sendo liderada por sua parte mais inteligente e elevada. Não existem acidentes no caminho para ser lendária e criar uma vida relevante. E se você me perguntar, não há *nada* errado com lares magníficos, carros potentes e muito dinheiro. Eu preciso muito que você me ouça nisso, por favor. Como diz a antiga frase: somos seres espirituais vivendo uma experiência humana. Ter muito dinheiro é o que a vida quer para você. A abundância é natural. Não há escassez de flores, limoeiros e estrelas no céu. O dinheiro permite feitos supremos para você e as pessoas de quem você mais gosta, além de oferecer a oportunidade de ajudar quem precisa.

Um turista fazendo esqui aquático atrás de um barco passou rapidamente. Dava para ouvi-lo rindo de alegria.

— Vou contar um segredinho — continuou o magnata. — Eu doei a maior parte da minha vasta fortuna líquida. Sim, ainda tenho os jatos, o apartamento em Zurique e este lugar na praia. Embora meus interesses corporativos ainda sejam valiosos a ponto de me deixar bilionário, eu não preciso disso. Não sou apegado a nada disso.

— Li uma história que você provavelmente vai gostar — contou o artista.

— O escritor Kurt Vonnegut e o autor de *Ardil 22*, Joseph Heller, estavam uma festa dada por um renomado financista em Long Island. Vonnegut perguntou como o colega se sentia ao saber que o anfitrião havia ganho mais dinheiro no dia anterior à festa de gala do que ele com os royalties de um livro campeão de vendas. Heller respondeu: "Eu tenho algo que ele nunca terá.", e então Vonnegut perguntou: "O que raios poderia ser, Joe?" A resposta de Heller não tem preço: "O conhecimento de que já tenho o suficiente."

— Brilhante! — elogiou o bilionário. — Adorei! — gritou, cumprimentando o artista em voz inadequadamente alta. Depois ele fez a tradicional dancinha que adorava fazer quando está feliz, seguida por uma série de polichinelos. Os olhos dele estavam fechados durante o exercício. Muito excêntrico.

O artista então continuou falando:

— Enfim, entendo o que você está nos ensinado sobre a capitalização e a profecia autorrealizável. Ninguém vai acreditar em nossa capacidade de grandes feitos até acreditarmos em nossa própria grandeza e nos esforçarmos de modo sincero e rigoroso para realizá-la. Você sabe o que Pablo Picasso disse uma vez?

— Conte-nos, por favor — implorou a empreendedora, cuja postura indicava que estava muito aberta naquele instante.

— Picasso anunciou: "Minha mãe disse: se você for um soldado, acaba virando general. Se você for monge, acaba virando papa. Mas eu era um pintor. E virei Picasso."

— Cara irado — comentou o bilionário. — Isso é a verdadeira fé e confiança no próprio potencial.

O bilionário passou a mão pelo queixo bronzeado, olhando para a areia branca por um momento.

— E não são apenas nossos pais os responsáveis pelos programas limitados que a maioria das pessoas roda na própria mente durante as melhores horas dos seus mais belos dias. Como sugeri anteriormente, muitos professores bem-intencionados, porém sem conhecimento, reforçam a ideia que os gênios heroicos das artes, ciências, esportes e humanidades são "especiais", e precisamos aceitar que somos "comuns" e incapazes de produzir obras imponentes que deixem as pessoas sem fôlego por sua excelência e gerar uma vida incomparável. E aí entram nossos amigos e mensagens incansáveis dos meios de comunicação divulgando os mesmos "fatos", virando uma hipnose consistente na qual, sem saber, o fogo de nossa genialidade vai se apagando e as vozes passionais vão se calando. Diminuímos a própria capacidade e começamos um processo duradouro de minimizar nossas forças e construir prisões ao redor de nossos pontos fortes. Não nos comportamos mais como líderes, produtores criativos e cheios de possibilidade, passando a agir como vítimas.

— É decepcionante o que acontece com tanta gente boa. E a maioria de nós não consegue ver essa lavagem cerebral. — refletiu a empreendedora.

— E fica pior ainda. Preciso enfatizar que o potencial inexplorado se transforma em dor — respondeu o bilionário.

— Como assim? — questionou o artista, desviando o olhar e mudando a postura, parecendo agitado. *Talvez eu esteja sabotando a criação de obras de arte originais e excepcionais, como fizeram os grandes mestres, porque não capitalizei meu potencial por muito tempo e estou ferido por dentro*, pensou o artista para si mesmo.

— Bom, nosso eu mais nobre sabe a verdade: cada um de nós foi feito para conquistar objetivos excelentes com nossos dons humanos e materializar proezas espantosas com nossos talentos produtivos. A palavra "excelente" deriva do latim *excellens*, cujo significado é "que sobressai, superior, distinto." Cada pessoa viva hoje tem a capacidade lá no fundo do coração e do espírito de fazer isso. Quanto mais diminuímos o volume dessa narrativa doente (criada pelo sistema límbico, segundo a neurobiologia), maior será o chamado sublime para nos elevar até a expressão flagrante de nossa genialidade maior. Isso é válido, independente de você ser programador em uma pequena baia, supervisor de uma grande empresa, professor ou chef de cozinha. Você tem a capacidade de elevar seu trabalho ao nível de talento artístico e ter impacto no aperfeiçoamento da humanidade. Ainda assim, resignamos nossa vida à apatia devido à percepção errônea de quem somos de verdade e do que realmente podemos realizar, ficando empacados em uma vida pela metade. Essa é a ideia realmente importante: à medida que traímos o verdadeiro poder interior, parte de nós começa a morrer — observou o bilionário.

— Uma informação dramática — reconheceu o artista. — Preciso seriamente fazer grandes mudanças. Estou cansado de me sentir cansado e de negligenciar minha capacidade criativa. Estou começando a entender que sou especial.

— E você é mesmo — afirmou a empreendedora, carinhosamente.

— Também estou começando a ver que eu importo demais com o que os outros pensam. Alguns amigos zombam das minhas pinturas e dizem que sou maluco pelas minhas costas. Estou percebendo que eles não me entendem. Nem a visão que tenho para a minha arte.

— Muitos dos grandes gênios do mundo só foram reconhecidos várias décadas após terem morrido, sabe? — comentou o bilionário, falando baixo. E quanto aos amigos, não creio que você esteja se cercando das pessoas certas. Talvez agora seja hora de se valorizar em vez de limitar seu talento e sua vida com base nas opiniões alheias. Kurt Cobain disse melhor do que jamais conseguirei expressar: "Cansei de fingir que era outra pessoa só para me dar bem com os outros, só para ter amizades."

— Hmmm — foi a única resposta do artista.

— O que estou falando é verdade. Diga-me com quem andas e te direi quem és. Você nunca terá uma influência positiva em sua área e uma vida linda se estiver cercado de pessoas negativas — continuou o bilionário. — Ah, sabe aquela dor que mencionei anteriormente? Se não for cuidada e liberada, ela forma um reservatório profundo de medo e raiva dentro de nós. A maioria não tem a percepção ou as ferramentas para lidar com esse poço de angústia reprimida. A maioria não tem consciência desse tormento silencioso criado pelo desrespeito a nossas promessas. Por isso, negamos a dor se alguém sugere a existência dela, evitamos qualquer oportunidade de manifestá-la e desenvolvemos inconscientemente várias rotas de fuga que destroem a alma para não sentir essa dor gerada pela negação do nosso talento.

— Poderia dar um exemplo? — perguntou a empreendedora.

— Vícios como verificar constantemente mensagens em busca de "curtidas" ou passar boa parte da vida diante da televisão. Os programas de TV ficaram tão fantásticos ultimamente que é fácil se prender a eles. Além, disso, quando um episódio acaba, o próximo começa automaticamente em

O CLUBE DAS 5 DA MANHÃ

algumas plataformas. Muitos fogem da grandeza batendo papo furado e fofocando, sem entender que *existe uma imensa diferença entre estar ocupado e ser produtivo*. Os produtores de alto impacto e verdadeiros construtores de mundos não estão muito disponíveis para quem procura a atenção e o tempo deles. Eles são difíceis de acessar, desperdiçam poucos momentos e estão muito mais concentrados em fazer trabalho real em vez de artificial, por isso fornecem os resultados de tirar o fôlego que fazem o mundo progredir. Outras táticas para fugir dessa dor do potencial inexplorado são passar várias horas à toa na internet, fazer compras online, trabalhar demais, beber demais, comer demais, reclamar demais e dormir demais.

O magnata bebeu água de sua garrafa. Outro barco de pesca passou e a mulher que o pilotava acenou para o sr. Riley, que respondeu com uma saudação vigorosa.

— O Orador Fascinante chama esse fenômeno de "vitimização aprendida", — continuou o bilionário de modo exuberante. — À medida que deixamos nossa juventude para trás, uma força nos puxa na direção da complacência. Podemos começar a nos desviar, acabar nos contentando com o que é familiar e perdemos o desejo de expandir as fronteiras, adotando o paradigma de vítima. Nós criamos desculpas e as repetimos tantas vezes que treinamos o subconsciente para considerá-las verdadeiras. Além disso, culpamos os outros e as condições externas pelas nossas dificuldades, e condenamos eventos passados pelas nossas guerras particulares. Ficamos cínicos e perdemos a curiosidade, o espanto, a compaixão e a inocência que tínhamos na infância. Ficamos também apáticos, críticos e calejados pela vida. Nesse ecossistema pessoal que a maioria criou para si, a mediocridade passa a ser aceitável. E como essa mentalidade está rodando dentro de nós todos os dias, o ponto de vista parece muito real. Nós acreditamos que essa história revela a verdade porque estamos muito próximos dela. Então, em vez de mostrar liderança em nosso campo, dominar nosso ofício ao produzir obras deslumbrantes e construir uma vida deliciosa, nós nos resignamos a ser medianos. Estão vendo como tudo isso acontece?

— Sim, tudo está ficando mais claro. Então a chave é reescrever nossa história pessoal, certo? — perguntou a empreendedora.

— Sem dúvida — confirmou o bilionário. — Sempre que você tiver a consciência de que está caindo na vitimização e fizer uma escolha mais corajosa, reescreverá a narrativa, melhorando a identidade pessoal, elevando a autoestima e enriquecendo a autoconfiança. Sempre que você escolher o eu superior, matará de fome seu lado mais fraco, alimentando seu poder inerente. E à medida que fizer isso, com a consistência exigida pela maestria, sua "capitalização de QI", que é a capacidade de materializar os dons com os quais você nasceu, só vai crescer.

O bilionário convidou os dois alunos para o terraço de sua casa a fim de continuar a lição da manhã sobre os Quatro focos de quem faz história.

Foco de quem faz história número 2: Libertar-se das distrações

O bilionário apontou para o modelo com o dedo mindinho.

— Vocês se lembram daquela importante tatuagem cerebral das pessoas de sucesso? *"O vício em distrações é o fim da sua produção criativa."* Ela vai nos guiar pela seção de mentoria de hoje. Decidi me aprofundar na importância de ganhar a guerra contra as distrações e perturbações cibernéticas por ser uma questão extremamente séria em nossa cultura. De certa forma, as novas tecnologias e redes sociais não apenas corroem o Everest do nosso glorioso potencial produtivo, como estão nos treinando para ser menos humanos. Nós temos menos conversas reais, conexões verdadeiras e interações significativas.

— Sim, estou percebendo isso cada vez mais à medida que passo as manhãs nessa praia — admitiu a empreendedora.

— Preencher horas valiosas com atos insignificantes é a droga favorita de muita gente — continuou o bilionário. — Intelectualmente sabemos que não devemos perder tempo em atividades sem valor, mas simplesmente não conseguimos resistir à tentação e lutar contra o vício. Esse comportamento está custando bilhões de dólares às empresas em produtividade perdida e qualidade deficiente de serviço. Como já falei, as pessoas estão cometendo mais erros no trabalho do que nunca porque não estão presentes no que fazem. A importante concentração foi sequestrada pelo mau uso da

O CLUBE DAS 5 DA MANHÃ

tecnologia, e o foco valioso se perdeu, custando a elas a oportunidade de aperfeiçoar o próprio e trabalho e calibrar a vida para melhor.

O silêncio e a calma que só as primeiras horas do dia fornecem ainda eram evidentes. O industrial fez uma pausa e contemplou todo o cenário, concentrando-se nas flores perfeitamente organizadas em volta da casa, depois nos navios de carga que pareciam imóveis no horizonte e, finalmente, no oceano.

— Vejam bem, caras — ele finalmente voltou a falar — Eu *amo* o mundo moderno. Amo mesmo. Sem toda a tecnologia disponível hoje a vida seria muito mais difícil. Minhas empresas não teriam tanto sucesso e eu não seria tão eficiente e talvez não estivesse aqui com vocês.

— Por quê? — perguntou o artista enquanto um golfinho nadava graciosamente ali perto. De forma impressionante, ele pulou e girou no ar quatro vezes antes de voltar para água com um mergulho barulhento.

O sr. Riley parecia encantado.

— Estou muito feliz por ter aprendido a virar um imã de milagres e mal posso esperar para ensinar essas boas pessoas aqui a fazer o mesmo — sussurrou para si mesmo. — As inovações na tecnologia médica me salvaram quando estava doente — continuou o bilionário — Enfim, a tecnologia bem-usada é fenomenal. É o uso inadequado feito hoje pelas pessoas que realmente me preocupa. Muita gente com potencial para se destacar sofre da "síndrome do foco partido" porque preencheu a vida profissional e pessoal com um excesso de dispositivos eletrônicos, interrupções e ruído cibernético. Se você estiver no esporte de vencer, é preciso imitar os grandes mestres da história e retirar todas as camadas de complexidade dos seus dias. Simplifique. Otimize tudo. *Vire um purista*. Menos realmente é mais. Concentre-se em poucos projetos no trabalho para conseguir fazê-los de modo incrível em vez de diluir a atenção em várias tarefas. Na vida social, tenha menos amizades, mas aprofunde-as para que o relacionamento seja rico. Aceite menos convites, envolva-se em menos atividades de lazer, estude e domine um pequeno número de livros em vez de ler vários superficialmente. Intensificar a concentração apenas no que realmente importa é o caminho dos profissionais para vencer. Simplifique, simplifique e simplifique. Pare de gerenciar seu tempo e comece a gerenciar seu foco — concluiu ele. — Existe um princípio para a grandeza nessa sociedade superestimulada em que vivemos.

— Graças aos seus ensinamentos até aqui — disse o artista —, eu agora entendo que estar ocupado não significa ser produtivo. Também percebi que ao trabalhar em uma nova pintura, quanto mais perto fico da grande arte, mais algum lado mais sombrio de mim quer me distrair a fim de evitar que eu faça algo impressionante. Agora que parei e pensei nisso, vi que acontece com frequência. Quando estou perto da obra fantástica, eu começo a destruir minha rotina de trabalho: vou para a internet ficar à toa, durmo tarde, assisto temporadas inteiras das minhas séries favoritas ou jogo videogames com meus amigos virtuais a noite toda. Às vezes bebo muito vinho tinto barato.

— Quanto mais perto você chegar da genialidade, maior será a sabotagem dos seus medos — concordou o bilionário. — Você vai ficar com medo de abandonar a manada e ter que lidar com os subprodutos da maestria, como o fato de ser diferente da maioria das pessoas, a inveja dos concorrentes e a pressão de fazer o próximo trabalho ainda melhor. À medida que você ascende rumo ao virtuosismo, vai se sentir ansioso em relação ao fracasso, ameaçado pela preocupação de não ser bom o bastante e inseguro em relação a criar novos caminhos. Nesse momento, sua amígdala, uma massa de matéria cinzenta em forma de amêndoa que fica no cérebro e detecta o medo, começa a trabalhar. E você passa a destruir a produtividade que construiu. Todos nós temos um sabotador inconsciente à espreita dentro do nosso eu mais fraco, sabe? A boa notícia é que depois de ganhar consciência dessa condição...

— Posso fazer escolhas diárias melhores que vão me dar resultados diários melhores — interrompeu o artista, com a empolgação de um cachorrinho que vê o dono após passar o dia inteiro sozinho.

— Exatamente — disse o bilionário. — Quando você ganha consciência de que o seu lado assustado vai surgir com tudo e tentar atrapalhar as obras-primas que estão por vir quando você estiver se aproximando de seus maiores talentos e dons mais luminosos, buscando todas as distrações e rotas de fuga possíveis para não terminá-la, você pode gerenciar esse comportamento autodestrutivo, sair dele e desautorizá-lo. Basta observar suas tentativas de censurar a maestria.

— Estas informações são realmente profundas. — constatou a empreendedora. — Isso explica muito por que estou limitando minha produtividade, desempenho e influência na empresa. Eu defino um objetivo importante, coloco a equipe para trabalhar nele, definimos os principais produtos e logo depois me distraio. Acabo aceitando outro desafio, que aumenta a complexidade da empresa, preencho os dias com reuniões inúteis com pessoas que amam ouvir a própria voz, verifico minhas notificações obsessivamente e assisto as "notícias urgentes" sem parar. Hoje ficou claríssimo que estou sabotando minha eficácia. Também está bem óbvio que sou viciada nessa bobagem digital da qual você falou. Vou ser sincera: não superei alguns dos meus ex-namorados porque é muito fácil acompanhar a vida alheia nas redes sociais. Agora entendo que troco muitas horas em que poderia ser supercriativa pela recreação na internet. Como você disse, sr. Riley, é uma forma de fuga. Parece que não consigo parar de comprar em meus dispositivos eletrônicos. É fácil demais e me deixa feliz por alguns minutos. Estou entendendo por que Steve Jobs não deu aos filhos os produtos que vendia para o mundo. Ele sabia o quanto eles podiam ser viciantes, se usados de modo inadequado e como eles podem nos deixar menos humanos e menos *vivos*.

O bilionário levantou a mão e outro assistente correu da cabana da praia até o terraço, agora tomado pelo sol. Ele usava uma camisa branca impecável, bermuda de iatismo e sandálias de couro preto muito bem cuidadas.

— Aqui, senhor — disse o jovem com sotaque francês, entregando ao magnata uma bandeja com marcações misteriosas. No centro estava a representação de cérebro humano, com a seguinte aparência:

— *Merci beaucoup*, Pierre. Agora vamos explorar a neurociência da autossabotagem para que vocês possam conhecê-la melhor e derrotá-la. Lembrem-se: cada um de nós tem o que o Orador Fascinante chama de "cérebro antigo". Ele é composto pelo sistema límbico, um conjunto de estruturas cerebrais localizadas nos dois lados do tálamo, logo abaixo do telencéfalo.

A amígdala que mencionei há alguns instantes faz parte disso. Esse cérebro mais básico serviu para cuidar da nossa segurança há milhares de anos em um mundo primitivo de ameaças implacáveis como fome, variações extremas de temperatura, tribos em guerra e tigres-de-dentes-de-sabre. A função principal do cérebro antigo é manter um estado constante que nos avisa dos perigos para que possamos sobreviver e propagar a espécie. Estão acompanhando? — perguntou o bilionário educadamente.

— Sim — responderam a empreendedora e o artista em uníssono enquanto uma empregada doméstica servia chá de limão fresco com pedaços de gengibre.

— Excelente. Uma das características fascinantes desse cérebro antigo é o viés de negatividade. Para nos manter em segurança ele se interessa muito menos pelo que é positivo em nosso ambiente e se preocupa muito mais em destacar o que é ruim. O comportamento padrão do cérebro é buscar o perigo — continuou o bilionário feliz. — Assim, nós poderíamos reagir imediatamente e continuar vivos no tempo em que a vida era bem mais brutal. Esse mecanismo serviu muitíssimo bem aos nossos ancestrais, mas no mundo de hoje a maioria não enfrenta a morte todos os dias. A realidade é que as pessoas comuns tem uma qualidade de vida melhor do que a maioria dos integrantes da realeza há algumas centenas de anos. Pensem nessa bênção, por favor.

O magnata bebeu um pouco de chá.

— Mesmo assim, devido ao viés de negatividade embutido no cérebro antigo, estamos constantemente buscando riscos a nossa segurança — continuou ele. —Ficamos em modo de vigilância excessiva, imensamente ansiosos e tensos, mesmo quando tudo está indo muito bem. Fascinante, não é?

— Isso explica muito nosso jeito de pensar — observou a empresária, também saboreando o chá — Agora vejo o motivo de sempre achar que não conquistei o bastante, mesmo quando consegui mais do que todos ao meu redor. Tenho uma empresa de muito sucesso, um patrimônio líquido robusto e, antes de os meus investidores ficarem gananciosos, uma vida maravilhosa. Apesar de tudo isso, meu cérebro sempre parece se concentrar no que estou perdendo, no que não tenho e no que ainda preciso conquistar. Isso me enlouquece. Eu quase não sinto paz.

O CLUBE DAS 5 DA MANHÃ

A empreendedora cruzou os braços. O artista jogou um beijo enquanto as tranças rastafári balançavam na brisa perfumada.

— Theodore Roosevelt disse algo que acredito ser importante para você — comentou o bilionário.

— O quê? — perguntou a empreendedora, apertando os braços com força.

— A comparação rouba nossa alegria — respondeu o bilionário. — Alguém sempre vai ter mais fortuna, fama e bens materiais que você. Pense no que eu falei sobre o desapego e saber quando você tem o suficiente.

— Sim, eu me lembro disso — respondeu a empreendedora educadamente.

— Essa fome que você tem em quantidade cada vez maior vem de uma profunda sensação de escassez, e boa parte disso tem origem no seu cérebro antigo, que está avaliando o ambiente e ativando o viés de negatividade, impedindo que você apreciar tudo de bom que já tem. Certo — disse o bilionário. — Vamos ser ainda mais granulares. Nosso cérebro evoluiu com o tempo, desenvolvendo o córtex pré-frontal, que é a parte responsável pelo pensamento superior. Ele é considerado pelos neurocientistas a joia da coroa do raciocínio avançado e chamado pelo Orador Fascinante de "cérebro da maestria", mas veja só: à medida que começamos a sonhar mais alto e aprender com mais rapidez, elevando o nível de criatividade, produtividade e desempenho, o cérebro antigo e o cérebro da maestria entram em conflito. Virou uma guerra. O cérebro primitivo percebe o crescimento, sabe que nós estamos saindo do porto seguro do conhecido e entra em ação porque estamos abandonando o modo tradicional de ser. Ele sente a ameaça, mesmo que ela seja essencial para a ascensão pessoal e progresso profissional. Precisamos nos aventurar pelo inexplorado para ficar mais íntimos da genialidade primal e nos transformar no que estamos destinados a ser. Saber que existem níveis mais altos de talento e coragem para explorar enche o coração humano de empolgação. Esse conhecimento é um dos tesouros que fazem a vida valer a pena. Segundo o famoso psicólogo Abraham Maslow, "Se você planeja ser menos do que é capaz de ser, provavelmente será infeliz todos os dias da sua vida". Porém, a amígdala funciona a todo vapor quando saímos do que é familiar e experimentamos algo novo, provocando o nervo vago e liberando o hormônio do medo chamado cortisol. Assim, nós começamos a destruir as intenções e implementações que o cérebro da maestria inteligentemente deseja que façamos.

— Esse é o motivo de pouquíssimas pessoas serem altamente criativas e produtivas — observou o artista. — À medida que deixamos a zona de conforto, o cérebro antigo é ativado. À medida que aumentamos o conhecimento e elevamos nossa influência, ele se assusta com a mudança.

— Exatamente — aplaudiu o sr. Riley. — Depois, ele libera o cortisol, estreitando nossa percepção, deixando a respiração ofegante, e entramos no modo de lutar ou fugir. Na verdade, as três opções do medo são lutar, fugir ou ficar paralisado.

— O pensamento superior deseja que a gente cresça, evolua, faça mais obras magistrais, tenha uma vida melhor e inspire o mundo, mas há uma batalha acontecendo em nosso cérebro. E o cérebro antigo, mais baixo e primitivo, quer interromper essa evolução. — acrescentou o artista.

— Exatamente — comentou o bilionário, dando ao pintor um gesto de aprovação.

— Então, falando do segundo foco de quem faz história no modelo que você está ensinando, libertar-se das distrações, esse medo é o motivo de ceder ao máximo de distrações possíveis para se sentir melhor, mesmo que só por um minuto? — questionou a empreendedora.

— É verdade — confirmou o bilionário. — E para fugir do desconforto que surge quando ficamos mais íntimos da nossa genialidade inerente.

— Isso é importantíssimo para mim! — O artista não conseguia conter o entusiasmo. — Você acabou de explicar por que nossa cultura é tão viciada em distrações e a maioria não conhece a própria grandeza. Por isso, as pessoas criativas e produtivas os verdadeiros guerreiros da sociedade. Não só temos que enfrentar os insultos dos detratores e as flechas dos críticos que não entendem nossa arte, como precisamos ter a coragem de não ouvir os alarmes do cérebro antigo implorando para fugir do nosso brilhantismo.

— Você disse isso de modo bastante poético, meu amigo! — exclamou o bilionário, empolgado a ponto de fazer a dancinha de novo.

O CLUBE DAS 5 DA MANHÃ

A empregada doméstica, que estava limpando a varanda, apenas sacudiu a cabeça. Sentir o terror do verdadeiro crescimento e seguir em frente, mesmo com a sensação de estar morrendo exige uma quantidade incrível de coragem, mas enfrentar o medo é o único jeito de virar uma lenda. Vocês dois, caras, são fazedores, construtores de grandes obras. E todos os construtores superam o medo todos os dias para chegar aos níveis mais altos de perícia, impacto e liberdade humana. Ah, e a recompensa fantástica que receberão ao expressar completamente seus dons e pontos fortes não será apenas o produto de seus esforços heroicos. Será *a pessoa em quem vocês vão se transformar* ao atravessar o fogo do medo e o calor das tribulações rumo à maestria. Vocês vão saber quem são de verdade, além de enxergar a própria capacidade com mais clareza, disparar o nível de confiança, precisar muito menos do afago da multidão e começar a viver uma vida autêntica em vez da vida plástica fabricada por um mundo que não deseja sua liberdade.

O bilionário bebeu água de sua garrafa antes de continuar explicando a importância de se libertar do domínio mortal da distração e desvios digitais causados pelos dispositivos eletrônicos.

— Por isso, entrar no Clube das 5 da Manhã pode dar certo para vocês — comentou ele para sua plateia de duas pessoas. — Uma das formas utilizadas pelos grandes homens e mulheres do mundo para evitar a complexidade foi incorporar a tranquilidade e a serenidade na parte frontal de seus dias. Essa bela disciplina lhes deu um tempo absolutamente fundamental longe do excesso de estímulos para saborear a vida, reabastecer o reservatório criativo, desenvolver o eu supremo, valorizar as conquistas e definir as virtudes a partir das quais viverão seus dias. Muitas pessoas que alimentaram o progresso da civilização tinham o hábito de levantar antes do nascer do sol.

— Você poderia citar os nomes de algumas dessas pessoas? — perguntou a empreendedora.

— O famoso escritor John Grisham, por exemplo — respondeu o bilionário. — Outros madrugadores de peso são Wolfgang Amadeus Mozart, Georgia O'Keeffe, Frank Lloyd Wright e Ernest Hemingway, que preferia as manhãs porque "não há ninguém para atrapalhar, o tempo está fresco ou frio, então você vai trabalhar e se aquece enquanto escreve".

— Beethoven acordava cedo — lembrou o artista.

— Os grandes também passam muito tempo sozinhos — completou o bilionário. — O tipo de solidão que você pode acessar antes de o sol nascer multiplica seu poder, conhecimento e conexão com a humanidade. *O aperfeiçoamento exige o isolamento.* Veja bem, você pode estar no mundo o dia inteiro falando sem parar no telefone sobre mil assuntos sem sentido ou pode mudar o mundo explorando seu talento, refinando suas habilidades e sendo a luz que ilumina a todos, mas não pode fazer ambos. O psicólogo de Princeton, Eldar Shafir, usou o termo "largura de banda cognitiva" para explicar que temos uma capacidade mental limitada quando levantamos todas as manhãs. E à medida que damos atenção a várias influências, desde as notícias, mensagens e plataformas online até nossa família, trabalho, boa forma física e vida espiritual, deixamos partes do foco nas atividades que fazemos. É uma ideia muitíssimo importante para se considerar. Não surpreende que a maioria de nós tenha problemas para se concentrar em tarefas importantes ao meio-dia, visto que gastamos a largura de banda cognitiva. A professora de empreendedorismo na Universidade de Minesota, Sophie Leroy, chama a concentração que depositamos nas distrações e outros estímulos de "atenção residual". Ela descobriu que as pessoas são muito menos produtivas quando estão constantemente interrompendo o fluxo de trabalho ao mudar de uma tarefa para outra ao longo do dia porque deixam partes valiosas da atenção em várias atividades. A solução é exatamente o que estou sugerindo: trabalhar em uma atividade importante por vez em vez de cuidar de várias tarefas ao mesmo tempo. E é preciso fazer isso em um ambiente tranquilo. Albert Einstein falou muito bem do assunto ao escrever: "Apenas quem se dedica a um objetivo com toda a força e alma pode ser um verdadeiro mestre. Por isso, a maestria exige tudo de uma pessoa." Este realmente é um dos segredos mais bem-guardados dos virtuosos e de quem faz história. Eles não espalham a banda larga cognitiva nem diluem os dons criativos buscando todas as diversões e oportunidades atraentes que surgem pelo caminho. Nada disso! Eles exercitam uma disciplina feroz para realizar poucas atividades em um nível absolutamente de excelência. É como eu disse: os mestres entendem que é muito mais inteligente criar uma legítima obra-prima que dure por várias gerações em vez de milhares de projetos que não expressam genialidade alguma. Também é preciso lembrar: *as horas desprezadas por 95% das pessoas são valorizadas pelos 5% melhores.* Às 5 da manhã você terá menos distrações, mais esplendor humano e paz. Então aproveite bem a Hora da Vitória. Você dará saltos imensos em termos de produtividade e domínio pessoal. Não quero entrar muito na neurociência que falei esta manhã e tenho uma surpresa incrível planejada para breve, mas tem outro conceito que eu adoraria compartilhar com vocês. Ele se chama "hipofrontalidade transiente".

— Como é que é? — perguntou o artista, rindo.

O bilionário andou até uma palmeira imponente, cujo tronco largo revelava sua antiguidade. Embaixo dela havia uma mesa circular de madeira manchada pelo sol, com um modelo esculpido cuidadosamente na madeira. Você ficaria muito impressionado e fascinado se visse a cena.

O magnata pigarreou e bebeu um pouco do chá de limão. Alguns segundos se passaram e ele começou a gargarejar. Sim, gargarejar. Depois, continuou o discurso:

— Quando você levanta cedo e está sozinho, longe do excesso de estímulos e ruídos, sua atenção não está sendo fragmentada pela tecnologia, reuniões e outras forças que podem limitar a produtividade máxima — explicou o bilionário. — Assim, o córtex pré-frontal, que é a parte do cérebro responsável pelo pensamento racional (e também pela preocupação constante), desliga por um breve período. Ótima informação, não é? Essa é a parte "transiente" da hipofrontalidade transiente. É apenas temporário. Você para de analisar, ruminar e se estressar o tempo todo, além de não tentar resolver tudo e se preocupar com o que provavelmente nunca vai acontecer. As ondas cerebrais mudam do estado usual beta para o alfa, e às vezes até para o estado teta. A solidão, o silêncio e a quietude do nascer do sol também ativam a produção de neurotransmissores como a dopamina, o combustível inspirador que é excelente para os superprodutores, e a serotonina, a bela droga do prazer do cérebro. De modo automático e natural, você entra no que descrevi como "estado de fluxo".

O sr. Riley passou a mão esquerda sobre o diagrama entalhado na mesa, que era o seguinte:

— O estado de fluxo é a mentalidade máxima que todas as pessoas excepcionais, como os melhores violinistas, atletas de alto desempenho, chefs de elite, cientistas brilhantes, empreendedores que constroem impérios e líderes lendários habitam quando produzem suas melhores obras — acrescentou o industrial, empolgado. — Quando você se dá o presente da paz matinal, longe da correria, ativa a capacidade existente em *todo* cérebro humano de acessar o reino da genialidade. A excelente notícia para vocês, caras, é que, com os movimentos certos, é possível habitar este estado de desempenho incrível para que ele aconteça com absoluta previsibilidade.

— Hipofrontalidade transiente. Um modelo muito útil — declarou a empreendedora, guardando o telefone dentro da bermuda.

— O mundo inteiro se transformaria se as pessoas soubessem dessa informação — concluiu o artista.

— Isso deveria ser ensinado às crianças nas escolas — sugeriu a empreendedora.

— É verdade — concordou o bilionário. — Mas novamente preciso dar todo o crédito ao Orador Fascinante por esta filosofia que estou explicando e pela metodologia transformadora que vou ensinar em breve para que vocês possam *aplicar* essas informações poderosas. Ele é meu maior professor e, sem dúvida alguma, o melhor ser humano que conheço. A criatividade sem integridade não me impressiona. Obter conquistas incomuns sem compaixão não faz sentido. E, sim, se todas as pessoas no planeta conhecessem este material e tivessem o compromisso de aplicá-lo, o mundo inteiro avançaria, porque cada um de nós dominaria e viveria o poder latente de obter resultados extraordinários. E isso nos elevaria e nos transformaria em pessoas completamente gloriosas.

Foco de quem faz história número 3: Praticar a maestria pessoal

O bilionário saiu do extenso terraço com vista maravilhosa para o mar e foi para a frente da casa junto com seus alunos. Um utilitário esportivo preto e reluzente apareceu na entrada, banhado pelos raios do sol da manhã.

— Para onde vamos? — perguntou a empreendedora.

ROBIN SHARMA

— Bom, eu prometi, naquele encontro dramático que tivemos na conferência que vocês nadariam com os golfinhos se viessem me visitar nas Ilhas Maurício. Então, estou cumprindo minha promessa. Vamos até a parte ocidental da ilha, em um pequeno vilarejo a beira-mar chamado Flic-en-Flac. Dois jovens encantadores nos esperam lá. Eles são ótimos em descobrir onde estão os golfinhos. Preparem-se para se impressionar com o que estão prestes a viver, meus amigos. Isso será inesquecível para vocês.

O utilitário logo estava atravessando as belas cidadezinhas que cercavam o complexo do industrial e entrando em uma via expressa muito bem-cuidada. O bilionário ocupou o banco ao lado do motorista, perguntando sobre os filhos dele, suas paixões e aspirações para o futuro. Ao longo da jornada, o sr. Riley fazia perguntas atenciosas, e ouvia cuidadosamente. Dava para ver que era um homem de profundidade imponente e um coração imenso.

Quando o veículo parou em um belo porto, decorado por uma praia arenosa, algumas cabanas brancas, um restaurante de frutos do mar e vários barcos envelhecidos ancorados, um galo orgulhosamente cantou seu hino matinal e a visão milagrosa de um arco-íris duplo se formou no magnífico céu azul.

Dois jovens pescadores cumprimentaram o bilionário com abraços. Em seguida, o grupo navegou pelo vasto oceano Índico em busca de um cardume de golfinhos com os quais pudesse nadar e brincar. A canção *Strength of a Woman* do cantor jamaicano Shaggy tocava em um alto-falante barato instalado precariamente na lateral do barco com fita para vedação. A água que saía do barco enquanto ele avançava pelas ondas molhou o rosto do bilionário, da empreendedora e do artista, fazendo com que eles gargalhassem como crianças dançando nas poças que se formam após a chuva.

Depois de algumas tentativas, o grupo viu os golfinhos nadando alegremente em uma pequena enseada cercada de altivos penhascos, do tipo que se vê na Pacific Coast Highway da Califórnia. O modo com que as criaturas se alegravam ao nadar pelo oceano dava a impressão de haver milhares delas na ilhota, mas eram apenas uns 11.

O bilionário colocou uma máscara de mergulho e pulou de uma plataforma na parte traseira do barco a motor.

— Vamos lá, caras. Vamos nessa! — gritou ele, empolgado ao cair na água.

A empreendedora foi em seguida, com os olhos vivos e o coração batendo com uma alegria que ela não demonstrava desde a juventude. A respiração parecia ofegante e rápida pela máscara de mergulho.

O artista foi a seguir, mergulhando de barriga da parte de trás do barco.

Guiados por um dos jovens pescadores, que vestia bermuda de surfista com uma estampa tropical e sapatos de borracha, os três aventureiros brincaram com os golfinhos, que nadavam logo abaixo da superfície da água. Quando os golfinhos desciam, os três companheiros eufóricos os acompanhavam. Quando eles giravam, os integrantes do Clube das 5 da Manhã faziam o mesmo. E quando os golfinhos flertavam entre si, a empreendedora e o artista faziam o mesmo.

A experiência durou apenas 15 minutos, mas foi milagrosa.

— Isso foi inacreditável — exclamou o artista, sem fôlego ao surgir da água e ter dificuldade para voltar ao barco a partir da plataforma perto do motor.

— Uma das experiências mais incríveis da minha vida — empolgou-se a empreendedora, beijando o artista com vontade.

O bilionário surgiu logo depois, gargalhando.

— Cara, isso foi demais!

De volta ao porto, a mentoria matinal recomeçou na praia, perto de um monte de pedras que os moradores locais usam para assar peixes. O arco-íris duplo ainda tomava conta do céu vasto.

O bilionário ergueu uma das mãos na direção do céu. Quatro pombas brancas apareceram de repente. Depois um grupo de borboletas amarelas e cor de rosa passaram voando.

— Bom — anunciou ele olhando para os dois alunos. Depois de tossir algumas vezes, algo que também pareceu vir do nada, ele apontou para a terceira área dos *Quatro focos de quem faz a história* no diagrama que explicava nesse dia específico. Estava escrito: "Praticar a maestria pessoal."

— Do que estamos falando exatamente? — questionou o artista, com as tranças rastafári pingando água e os braços grossos e tatuados ao redor da empreendedora para aquecê-la, pois ela tremia.

— Treinar a melhor parte de vocês — foi a resposta simples. — Lembram-se do lema dos guerreiros espartanos que o Orador Fascinante contou no seminário? "O que transpira mais no treinamento sangra menos na guerra"? Bom, a qualidade da prática matinal determina o calibre de seu desempenho diário. Batalhas são vencidas na luz matinal do treinamento intenso, quando ninguém está vendo. As vitórias ocorrem *antes* de os guerreiros entrarem no campo de batalha. O triunfo pertence a quem se prepara mais. É óbvio que se a pessoa quiser ser a melhor do mundo nos negócios, arte, xadrez, como designer, mecânica ou empresária, precisa investir uma quantidade imensa de tempo para melhorar suas habilidades. Mais especificamente, é preciso investir pelo menos duas horas e 44 minutos de aperfeiçoamento diário na habilidade escolhida por dez anos, como ensinou o respeitado psicólogo Anders Ericsson da Florida State University em sua pesquisa inovadora. Essa é a quantidade mínima viável de prática exigida para que os *primeiros* sinais de genialidade apareçam em qualquer área. Ainda assim, poucos de nós pensam na importância de colocar essas 10 mil horas de treinamento e *se transformar em seres humanos melhores*. Esse é o motivo de tão poucos de nós quebrarem o código que libera o eu soberano, e, consequentemente, toda a sabedoria, criatividade, bravura, amor e paz interior que vêm com essa manifestação. Nossa vida melhora apenas quando nós melhoramos, entendem o que estou dizendo? Estou sugerindo é que vocês precisam praticar para chegar à maestria todos os dias, assim como é preciso se dedicar a qualquer outra habilidade em que desejamos ter excelência de nível mundial. Ao fortalecer, blindar e nutrir as dimensões centrais de sua vida interior, vocês vão deixar a vida *cem vezes melhor*, podem acreditar. Tudo o que vocês fazem no mundo exterior é consequência absoluta do que acontece internamente. Por isso, é obrigatório fazer a verdadeira preparação matinal. Depois dela, vocês vão andar pelo mundo todos os dias pensando, sentindo e produzindo em níveis totalmente imbatíveis. Vocês devem esse presente a si mesmos.

— Jamais acreditei no aperfeiçoamento pessoal antes da palestra do Orador Fascinante — disse a empreendedora categoricamente. — Não parecia real para mim.

— Você já tentou? Quer dizer, praticou com seriedade durante um longo período de tempo? — perguntou o bilionário com firmeza.

Outra pomba sobrevoou o trio e, quando o magnata olhou para o sol, as nuvens pareceram se abrir.

— Na verdade, não — admitiu ela.— Até agora. Até entrar para o Clube das 5 da Manhã.

— Ótimo. Então vamos continuar — orientou o bilionário. — Este é o segredo Durante sua Hora da Vitória, das cinco às seis da manhã, concentrem-se todos os dias em aperfeiçoar o que o Orador Fascinante chama de *quatro impérios interiores*. Esse vai ser o trabalho mais inteligente e provavelmente mais difícil que vocês farão na vida: agir profundamente em vocês. Cultivar as quatro arenas interiores centrais que vou ensinar daqui a pouco é a chave dourada para a transformação. Não vai ser fácil, preciso reforçar isso, mas vai valer muito a pena.

— Por quê? — perguntou a empreendedora. O tremor causado pelas águas frias do oceano Índico tinha acabado, mas ela continuava nos braços do artista, cujas tranças rastafári ainda pingavam. E o galo renegado não parava de cantar.

— Porque os impérios internos precisam ser desenvolvidos ao nível de excelência antes de criar os externos. E sua fortuna sempre acompanha seu destemor. Essa é uma ideia poderosa, caras: *Sua influência no mundo se espelha na glória, nobreza, vitalidade e luminosidade que vocês acessaram em si.* Pouquíssimas pessoas nessa era superficial em que humanos agem como máquinas se lembram dessa verdade essencial para a vida. O externo expressa o interno, sem necessariamente refletir o interior. Sua criatividade, produtividade, prosperidade, desempenho e impacto no planeta sempre serão uma expressão sublime do que está acontecendo dentro de vocês. Por exemplo, se vocês não tiverem fé na própria capacidade de realizar suas ambições, nunca vão conquistá-las. Se não sentirem que merecem abundância, jamais vão fazer o necessário para obtê-la. E se o desejo de capitalizar sua genialidade for fraco, a motivação para treinar e a disposição para otimizar diminuem, está claro que você nunca voará até o ar rarefeito da maestria completa e conseguirá a dominância de sua área. O externo sempre expressa o interno e, para vivenciar impérios em sua vida externa, é preciso desenvolver os internos — reforçou o bilionário.

O bilionário começou a beber em uma garrafa de cor verde que um dos pescadores lhe deu assim que desceu do barco a motor. Se você olhasse de perto para o texto escrito no vidro, leria as palavras de Mahatma Gandhi: "Os únicos demônios no mundo são os que perambulam em seu coração, e é aí que a batalha deve ser travada."

— À medida que aumentarem o poder inerente em vocês — continuou o sr. Riley — começará a aparecer uma realidade *alternativa* repleta de oportunidades lindas e possibilidades imensas. Vocês vão atuar em um universo maravilhoso que os integrantes da maioria nem conseguem perceber, pois estão cegos pela dúvida, descrença e medo. A grandeza é um jogo interior — afirmou o bilionário, desenhando o seguinte modelo de aprendizado na areia:

— Certo, vamos ser granulares nesse modelo para que vocês possam ter uma *consciência* alta e ultraclara de quais aspectos da vida interior precisam ser melhorados na Hora da Vitória. Vou lhes fornecer a rotina matinal completa em breve, quando ensinar *a fórmula 20/20/20*. Por enquanto, saibam apenas que existem quatro impérios interiores a serem treinados, cultivados e iterados antes de o sol nascer: Mente, Coração, Alma e Saúde. Juntas, essas quatro arenas privadas formam a base do verdadeiro poder primal que existe em cada ser humano. A maioria de nós desonrou e desacreditou esta força descomunal enquanto passamos os dias buscando algo fora de nós. Mas *todos* temos essa capacidade profunda e ilustre, e o melhor momento para otimizar os quatro impérios interiores é das cinco às seis da manhã. Esta é a hora mais especial do dia. Controle suas manhãs e você controlará sua vida — estimulou o magnata.

— Ah, uma pergunta: E se eu quiser fazer isso apenas cinco vezes por semana e tirar folga nos sábados e domingos? O quanto esse método das cinco da manhã é rígido? — perguntou a empreendedora.

Um cachorro velho passou perto deles e a música *Occhi*, do lendário cantor italiano Zucchero, tocava no restaurante de frutos do mar. Você provavelmente teria achado essa parte da cena bem estranha, mas foi assim que aconteceu.

— É a sua vida. Faça o que for melhor e o que considerar certo para você. Estou revelando as informações transmitidas pelo Orador Fascinante, que me levaram a ganhar uma fortuna e me ajudaram a encontrar uma ideia contumaz de alegria diária e paz contínua. Sério, tudo isso me deu liberdade pessoal. Aplique esse método de modo que funcione com seus valores, aspirações e estilo de vida, mas saiba que *o comprometimento parcial gera resultados parciais* — declarou o bilionário, virando-se para pegar uma mosca.

— Você poderia se aprofundar mais nos *quatro impérios interiores*? — perguntou a empreendedora. — Essa parte que você está ensinando vai realmente me ajudar a ganhar força nessa briga com os investidores e recuperar ainda mais a esperança, a felicidade e a confiança. Não contei isso antes, mas nesses últimos dias, desde que os encontrei, venho aplicando muito do que você teve a generosidade de compartilhar conosco. Você deve ter notado que a princípio resisti a boa parte das filosofias do Orador Fascinante. Eu não queria ir à palestra dele, sabe? Mas pelo menos eu estava aberta aos ensinamentos dele e aos seus. Desesperadamente aberta. Eu amo a vida, sabe? E agora planejo viver bastante.

— Que bom — disse o artista, pegando uma concha em forma de coração e colocando-a na palma da mão da empreendedora. Ele fechou a mão da empreendedora ao redor do presente e colocou no peito dele.

— Já estou notando avanços significativos — continuou a empreendedora. — Ao levantar às cinco da manhã eu me sinto mais concentrada, menos estressada, mais segura e muito mais empolgada. Tenho uma noção maior de perspectiva em relação a todos os aspectos da vida. Sinto mais gratidão por toda a positividade em meu mundo, e estou menos preocupada com o ataque à minha empresa e mais empolgada com o futuro. Olha, esses investidores são bandidos. Ainda não estou pronta para lidar com eles, mas vou ficar. O medo que senti e a noção sombria de desesperança em relação a tudo isso diminuíram bastante.

— Brasa! — disse o bilionário usando gírias dos hippies de uma era que se foi e trocando de camiseta na praia. O utilitário tinha voltado e o motorista parou bem em frente ao restaurante de frutos do mar. — E você é sábia — acrescentou ele. — Todas essas informações não têm preço. Como você está descobrindo, é a prática incessante e aplicação diária que vai transformá-la em um ser humano heroico e líder inspiradora nos negócios, além de uma pessoa que vai elevar muitas outras pelo mundo. Eu a parabenizo por abrir mão do seu passado. Ninguém está sugerindo que você aja de modo irresponsável e não enfrente o problema em sua firma. *Mas o passado é um lugar para obter lições, não uma casa para morar.*

Os três amigos entraram no veículo que os aguardava e começaram a voltar para a propriedade do anfitrião.

— Vamos falar mais desse modelo de aprendizado crucial para o sucesso e a felicidade — comentou o bilionário enquanto o utilitário se movia — Muitos gurus falam sobre a mente e ensinam a importância de instalar a psicologia da possibilidade, para usar a frase da psicóloga de Harvard, Ellen Langer. Esses professores lhes ensinam a ter pensamentos otimistas todos os dias e dizem que o pensamento forma a realidade e, ao melhorar sua mente, você vai melhorar sua vida. Sem dúvida, calibrar a mente é um movimento importantíssimo para a maestria pessoal que vai levar a uma realidade externa lendária. Contudo — continuou o bilionário —, e é *incrivelmente* importante que vocês dois entendam isso porque a maioria das pessoas não consegue: O Orador Fascinante me ensinou que elevar sua mente, o primeiro dos quatro impérios interiores, representa apenas 25% da equação da maestria pessoal.

— Sério? — perguntou o artista. — Sempre imaginei que o pensamento determinasse tudo e não havia muito mais além dele. Toda a ideia de "mude seu pensamento para mudar sua vida" e "a atitude determina sua altitude."

— Olha — disse o bilionário —, é verdade que o comportamento diário é motivado por suas crenças mais profundas. Vocês sabem que acredito nisso e também concordo que a forma de viver é motivada pelo seu jeito de ver o mundo, mas desenvolver a mente sem purificar o coração é um triunfo vazio. Trabalhar apenas a mente nunca vai fornecer a soberania completa e expressar cem por cento de sua genialidade residente — explicou o industrial com grande clareza.

— Acho que estou entendendo — observou o artista com um sorriso do tamanho do monte Kilimanjaro. — Charles Bukowski disse: "Pare de insistir em limpar a cabeça... Limpe o seu coração."

— Ele estava certo — concordou o bilionário, relaxando no banco de couro de seu belo utilitário.

— Então me ajude a entender: o que exatamente é o coração nesse caso? — perguntou a empreendedora, que viu um grupo de estudantes correndo em um playground com alegria impiedosa e desviou os pensamentos para a própria infância.

— O coração é sua vida emocional. Mesmo com crenças inabaláveis e o pensamento notável da mente elevada, você não vencerá se tiver o coração cheio de raiva, tristeza, decepção, ressentimento e medo. Pense nisso: como produzir obras incríveis e obter resultados impressionantes se os sentimentos tóxicos o jogam para baixo? Parece que todos estão falando em deixar a mente saudável e imbatível hoje em dia. Você ouve isso em toda parte, mas ninguém está falando do coração, da saúde ou da alma. *Todos os quatro impérios interiores devem ser aperfeiçoados lentamente através da prática matinal* para conhecer o poder espantoso que está escondido dentro de você. E é só quando você cresce e aprofunda sua relação com essa autoridade natural que existe em seu cerne que será possível ascender à companhia dos virtuosos e deuses. À medida que você elevar os quatro impérios interiores, começará a conquistar sucesso no mundo externo em um nível que jamais acreditou ser possível, e de modo mais elegante do que já imaginou. É como se você tivesse desenvolvido capacidades mágicas, pois começa aumentar os poderes dos outros apenas com sua presença. Um fluxo improvável, porém consistentemente confiável de milagres vai impregnar suas horas comuns. E uma alegria prolífica nascida de conquistas brilhantes e de servir o mundo todo surgirá, como recompensa da vida pelo seu comportamento admirável.

O sr. Riley olhou para fora da janela do veículo e continuou:

— Muitos de nós sabemos o que é preciso fazer mentalmente, mas nada extraordinário acontece porque a vida emocional continua uma bagunça: ficamos empacados no passado, não perdoamos e reprimimos todas essas emoções não saudáveis de tudo o que nos magoou. Sigmund Freud escreveu que "emoções não expressas nunca morrem. Elas são enterradas vivas e reaparecem das piores formas mais tarde". E depois nós perguntamos por que as tentativas de pensamento positivo não funcionam! O que estou compartilhando com vocês explica por que tantos livros de aperfeiçoamento pessoal não geram evolução duradoura e por que tão poucas palestras fazem uma diferença a longo prazo. Nossas intenções intelectuais são boas, pois realmente desejamos virar produtores mais brilhantes e pessoas melhores. Contudo, apenas obtemos as informações ao nível do pensamento e depois sabotamos nossas aspirações grandiosas com o resíduo dos nossos corações partidos. Assim, nada muda, nada melhora, nada *se transforma*. Se você quiser um crescimento exponencial e desempenho sem igual, precisará canalizar a mente voltada para a maestria e também reparar, reconstruir e reforçar um coração vencedor para que todas as emoções sombrias e tóxicas das suas dores passados sejam removidas, liberadas, limpas e purificadas para sempre. Assim, seu coração endurecido pelas tribulações da vida vai se reabrir em toda sua nobre glória.

— Que ideias incríveis — reconheceu a empreendedora. — Mas como exatamente vou fazer isso durante a Hora da Vitória, das cinco às seis da manhã?

— Vou ensinar a colocar em prática o Método das 5 da manhã em breve — respondeu o bilionário. — Vocês, caras, estão ficando suficientemente abertos e fortes para receber a *fórmula 20/20/20*. E como falei desde que nos conhecemos, a vida nunca mais será a mesma depois que vocês a conhecerem e executarem. Essa fórmula muda totalmente o jogo. Por enquanto, apenas entendam que ter a mente grande e o coração pobre é um motivo imenso pelo qual muita gente boa acaba dissolvendo suas tentativas de alcançar a grandeza. Ah. — acrescentou ele — também preciso mencionar que trabalhar o coração não diz respeito apenas a remover emoções negativas criadas devido às frustrações, decepções e fardos da vida. Também significa amplificar as emoções saudáveis. É por isso que a rotina matinal precisa ter uma prática de gratidão, para alimentar seu espanto e dar combustível para suas reservas de exuberância.

— Adorei isso — disse o artista. — O que você está falando aí é profundo, irmão. Revolucionário, eu admito.

— Sim. Sem dúvida. Por isso, o Orador Fascinante me ensinou a fazer um trabalho profundo no coração a cada manhã durante a Hora da Vitória. Mas é o seguinte: melhorar o coração enquanto vocês expandem a mente antes dos primeiros raios de sol representa só 50% do trabalho de maestria pessoal exigido para materializar os impérios interiores que vão gerar os impérios exteriores dos seus maiores desejos. Após a mente e o coração, você também precisa fortalecer a saúde a cada manhã.

— Essa é nova para mim — observou a empreendedora.

— Isso diz respeito a sua dimensão física — explicou o bilionário enquanto o utilitário passava por uma das várias plantações de chá nas Ilhas Maurício. — Um dos principais elementos da ascensão ao status de lenda é a longevidade. Aqui está uma dica rápida se vocês quiserem liderar suas áreas de trabalho e vivenciar um aumento contínuo em sua eminência: *não morram*. Vocês nunca serão gigantes de suas indústrias e ícones que fazem história se estiverem mortos.

Tanto a empreendedora quanto o artista riram quando o bilionário começou a bater palmas vigorosamente ao ouvir as próprias palavras, tão feliz quanto uma família de esquilos brincando na floresta.

— Estou falando sério. Maravilhas acontecem quando uma pessoa se compromete seriamente a obter o auge da forma física e vai com tudo para enganar o envelhecimento. Imagine viver umas décadas a mais e ficar extremamente saudável no processo. É mais tempo para refinar seu ofício, crescer e virar um líder ainda mais influente, produzir obras de arte radicais, compor sua prosperidade e construir um legado luminoso para enriquecer toda a humanidade. Produtores épicos e grandes líderes entendem que simplesmente não é possível se elevar à maestria sem aproveitar e blindar a própria vitalidade. Todo dia fica dramaticamente melhor com um pouco de exercício físico. Preciso repetir porque isso é essencial para uma vida incrivelmente vivida: *todo dia fica dramaticamente melhor com um pouco de exercício físico*. E poucas realizações dão uma sensação tão boa quanto estar em excelente forma física. A saúde é uma questão de melhorar a dimensão física para que seu cérebro funcione em um nível mais alto de cognição a fim de acender sua energia, dissipar o estresse e expandir a alegria. Ficar realmente saudável e em forma fez maravilhas pela minha empresa, sabiam?

O bilionário fez uma pausa e juntou as mãos como as pessoas fazem na Índia ao falar "Namastê", que significa "Eu me curvo ao divino que há em você", em sânscrito.

— E isso me leva à alma, senhoras e senhores. Aprendi que cada um de nós tem um espírito imaculado e uma emoção perfeita em nosso cerne. A maioria das pessoas não está interessada nos sussurros dos requisitos da alma. Como raça, nós deixamos de lado a parte de nós mais sábia, maravilhosa e eterna. Programada pela sociedade, a maioria só pensa em comprar bens materiais que vão aumentar popularidade, a validação, fornecer moeda social com as selfies e obter resultados populares que lhes darão legitimidade. Contudo, alimentar o espírito todos os dias é o que faz a verdadeira realeza da liderança.

— Então diga, sr. Riley. Quando o senhor fala de alma, o que exatamente quer dizer? — perguntou a empreendedora, fazendo progressos visíveis como aluna dos ensinamentos do Orador Fascinante. Ela também estava mais presente, forte e livre do que nunca desde que conheceu o artista.

— Pois é, também não entendi muito bem, irmão — mencionou o artista com sinceridade, relaxando no banco enquanto o motorista guiava o veículo pela estrada sinuosa até a casa do magnata.

Mais borboletas passaram voando e o arco-íris duplo continuava ocupando o céu. O bilionário olhou para ele e continuou:

— Não há beleza intensa sem um pouco de estranheza nas proporções — observou o bilionário, acenando para os jardineiros e mostrando a língua para um sapo. — O poeta inglês Christopher Marlowe disse isso. E, caras, ele estava falando verdades. Enfim, para ajudar a entender o quarto império interior, permita-me reunir todo esse aprendizado da seguinte forma: assim como a mente diz respeito à psicologia, o coração se relaciona às emoções e a saúde está ligada à fisiologia, a alma se refere à espiritualidade. É isso. Não é nada religioso, místico ou esquisito.

— Aprofunde-se, por favor — pressionou a empreendedora. — Você está reordenando minha percepção com todas essas ideias.

— Lembrem-se: tudo isso é trabalho do Orador Fascinante, não meu. Enfim, o estímulo é virar um espiritualista devoto. E só para que o termo não os assuste e bloqueie para esse ensinamento, estou falando de passar algum tempo na quietude do início da manhã de modo a retornar à coragem, convicção e compaixão que existem em vocês. Subam com os anjos de sua natureza maior e dancem com os deuses de seus talentos mais preciosos por algum tempo antes de sol nascer como tributo ao que é mais sábio e verdadeiro em vocês. Só então vocês vão conhecer e entender os shangri-làs da grandeza e os nirvanas de luz que habitam o eu soberano. A alma é uma questão de lembrar quem vocês realmente são. Todos os sábios, profetas e santos da história acordavam de madrugada para criar laços ainda mais fortes com o herói que todos temos em nosso cerne. A insegurança, a escassez, o egoísmo e a tristeza são todos filhos do medo. Vocês aprenderam essas características, pois elas certamente não representam o seu estado natural. Depois de nascer, começamos a nos afastar do poder espiritual e a descer mais para atender às exigências deste mundo destruído. Nós nos dedicamos mais a adquirir, acumular e comparar em vez de criar, ajudar e se aventurar. Seres humanos despertos trabalham para elevar a alma nas horas serenas antes do nascer do sol, no santuário da solidão, do silêncio e da quietude, contemplando a melhor versão de si, cheios de esperança e sem qualquer erro de caráter. Através da meditação maravilhosa sobre a forma pela qual vocês desejam se comportar no dia que está por vir. Através da consideração ponderada sobre a rapidez da vida e a saída repentina dela. E também pela reflexão sobre os dons que vocês desejam materializar para deixar o mundo melhor do que encontraram ao nascer. Essas são algumas formas de elevar a alma.

Ele fez uma pausa, olhando pela janela longamente.

— Sim — continuou o bilionário, exibindo a vulnerabilidade de seu coração aberto com mais força na voz suave. — Vocês têm um herói bravo, amoroso e incrivelmente poderoso em seu cerne. Sei que para a maioria das pessoas essa ideia parece doida, mas é a pura verdade. Ao passar algum tempo trabalhando a alma durante a Hora da Vitória, vocês vão melhorar a percepção e o relacionamento com sua parte mais magnífica para servir a sociedade de modo consistente em vez de satisfazer a fome egocêntrica do eu menor.

— E melhorando a consciência diária da mente, coração, saúde e alma, faremos escolhas diárias melhores que vão garantir resultados diários melhores, certo? — completou a empreendedora, recitando a *fórmula do sucesso em três etapas* que aprendeu em uma sessão anterior de mentoria.

— Precisamente. É isso — respondeu o bilionário, assentindo com a cabeça.

— E sejam sempre honestos ao que é mais importante para uma vida vivida com grandeza — implorou o bilionário. — Não se deixem seduzir pelas superficialidades que sufocam o espírito humano e nos divorciam do que há de melhor em nós.

Ele tirou uma carteira fina do bolso da frente e leu as palavras de Tolstói em um pedaço de papel surrado que tinha sido dobrado várias vezes. Isso é o que você ouviria na voz rouca e majestosa do industrial se estivesse naquele utilitário com eles:

"Uma vida tranquila e isolada no campo, com a possibilidade de ser útil às pessoas a quem é fácil fazer o bem e não estão acostumadas a recebê-lo, depois trabalhar com algo em que possa ser útil, seguido pelo repouso, a natureza, os livros, a música e o amor ao próximo: esta é minha ideia de felicidade."

Os três companheiros estavam em pé em frente à casa do magnata. Uma coruja empoleirada em um limoeiro piou lindamente quando viu o bilionário, que respondeu com um aceno e uma pergunta:

— Bom ver você, carinha. Por que demorou tanto a voltar para casa?

Foco de quem faz história número 4: Acumular os dias

— Lembrem-se: cada um dos seus preciosos dias é uma representação em miniatura de sua estimada vida — comentou o bilionário. — A vida é construída um dia de cada vez. Todos nós estamos tão concentrados em buscar o futuro que ignoramos o valor excessivamente importante de um só dia. *E ainda assim, o que estamos fazendo hoje está criando nosso futuro.* É como aquele veleiro ali — exemplificou o sr. Riley, apontando para um navio ao longe. Algumas mudanças de rumo, aparentemente irrelevantes e infinitesimais, quando feitas de modo consistente ao longo de uma grande viagem, representam a diferença entre acabar no Brasil de tirar o fôlego ou no Japão fantástico. Tudo o que você precisa fazer para garantir uma vida altamente bem-sucedida e esplendidamente significativa é *dominar o dia*. Ao fazer avanços e mudanças de rumo de um por cento ao longo de vinte quatro horas, os dias vão virar semanas, as semanas vão virar meses, e os meses vão se transformar em anos. O Orador Fascinante chamou essas otimizações pessoais e profissionais diárias de "microvitórias". Avançar qualquer parte da vida, que pode ser a rotina matinal, um padrão de pensamento, uma habilidade corporativa ou um relacionamento em um por cento gera uma elevação de pelo menos trinta por cento (*sim, trinta por cento*) um mês depois de começar. Sigam esse ritmo e, em apenas um ano, o objetivo buscado aumentou 365 por cento, no mínimo. O que estou dizendo é: concentre-se obsessivamente em criar ótimos dias e eles vão se acumular, gerando uma vida maravilhosa.

— Pequenos avanços diários levam a resultados impressionantes, quando feitos de modo consistente ao longo do tempo — reforçou a empreendedora, relembrando uma das tatuagens cerebrais que aprendeu nesta aventura mágica.

— Sim — declarou o bilionário alegremente, enquanto se alongava e tocava a ponta dos pés, sussurrando para si mesmo: — A vida é boa e devo ajudar essas duas almas gentis a obter a grandiosidade antes que seja tarde demais. Esta é a verdadeira lição que os produtores de elite e heróis cotidianos entendem — continuou ele. — Ações diárias são muito mais importantes do que ações eventuais. A consistência é um ingrediente crucial da maestria. *E a regularidade se faz necessária se você estiver empolgado para fazer história.*

Naquele momento, a atenção da empreendedora foi roubada pela tela do celular, que acendeu. As seguintes palavras foram exibidas em letras que pareciam sangue escorrendo. Ela ficou imediatamente abalada e tremendo:

Um assassino ESTÁ CHEGANDO

— Querida, o que foi? — perguntou o artista, revelando a intimidade crescente do relacionamento deles.

— Sim, o que houve? — questionou o bilionário ao ver a empreendedora com o rosto branco como um fantasma.

— É... Hã.... É... Bom... É... — gaguejou ela.

A empreendedora caiu de joelhos em um canteiro de flores perto de onde o motorista estacionara o utilitário, mas levantou-se quase imediatamente.

— É outra ameaça de morte. Diz que alguém está vindo me matar. Os investidores de novo. Estão me obrigando a sair da firma. Adivinha só, caras? — disse a empreendedora, com uma postura de alta confiança e imensa rebeldia. — *Eu não vou embora*. Construí essa empresa e amo o que faço. Eu faria tudo pela minha equipe. Nossos produtos são incríveis e desenvolver a empresa foi uma grande realização. Estou pronta para enfrentá-los. Vamos lá! Podem vir!

— Isso está sendo resolvido — murmurou o bilionário, repetindo o que dissera na praia, quando soube das ameaças. — Apenas mantenha-se presente nos ensinamentos que está aprendendo e nesta oportunidade especial de integrar o Clube das 5 da Manhã. Continue se divertindo aqui comigo nas Ilhas Maurício, mantenha essa pequena história de amor que está se desenrolando entre você e meu amigo tatuado aqui — sorriu o bilionário. — E continue fortalecendo a consciência de seu poder natural como líder, produtora e ser humano. Estou muito feliz com o seu progresso. Você já está mais corajosa, leve e bem mais tranquila. Isso é muito bom.

— Acordar às cinco da manhã está ficando mais fácil a cada dia — comentou a empreendedora, sentindo-se confortada e parecendo recomposta. — As ideias que você está nos ensinando são valiosas. Estou crescendo muito. Mal posso esperar para exercer a granularidade em relação a continuar esse hábito e aprender a *fórmula 20/20/20* para saber exatamente o que fazer na minha Hora da Vitória. Venho praticando yoga e andando no mar antes de o sol nascer, mas adoraria conhecer um ritual mais específico. Sei que você tem algo assim. E toda essa filosofia está sendo incrivelmente útil.

— A metodologia precisa virá em breve. A essa altura gostaria apenas que vocês aprendessem o conceito que acabei de revelar, chamado de *princípio da acumulação diária*. O ato de vencer definitivamente começa pelo início. Domine sua manhã e a qualidade do seu dia aumentará exponencialmente, melhorando o calibre de sua vida de modo inacreditável. Vocês estarão muito mais dispostos, produtivos, confiantes, excelentes, felizes e serenos, mesmo nos dias mais difíceis, se calibrarem a parte inicial deles. Certo, agora vocês dois tenham um dia maravilhoso. Adoro essas palavras do poeta John Keats: "Eu quase desejo que fôssemos borboletas e vivêssemos três dias de verão. Com você, eu preencheria esses três dias com mais alegria do que cinquenta anos comuns poderiam conter." Isso é ótimo, não é?

— Sem dúvida — confirmou o artista, mexendo em três tranças rastafári, batendo na barriga e amarrando o coturno preto. — Concordo plenamente.

— E a que horas devemos nos encontrar amanhã, caras legais? — perguntou o bilionário com um olhar que tinha certeza da resposta.

— Às cinco da manhã! — responderam a empreendedora e o artista em uníssono, empolgados.

CAPÍTULO 11

Como enfrentar os altos e baixos da vida

"O que é melhor e mais bonito no mundo não pode ser visto ou ouvido, precisa ser sentido com o coração." — **Hellen Keller**

A empreendedora aprendeu a velejar quando criança. Ela amava sentir a água salgada no rosto e o gosto de liberdade que é estar no mar vasto. Ela se questionou por que havia parado de velejar. Naquele instante, também pensou por que tinha abandonado tantas atividades que lhe traziam harmonia e apreciou o fato de, nesse momento básico em um barquinho cruzando o infinito oceano Índico, ela estava verdadeiramente aberta e incrivelmente livre.

"Nossa cultura mede o sucesso pela quantidade de dinheiro, o número de conquistas e a influência que exercemos" pensou a empreendedora. "Contudo, embora o Orador Fascinante e o sr. Riley concordem que essas vitórias são importantes, eles me estimularam a pensar se estou gerenciando bem minha vida segundo outra série de métricas, como a conexão com meu poder natural, a intimidade com meu lado autêntico e se o meu lado físico está em dia, e o tamanho da minha alegria. Esse parece um jeito muito melhor de olhar para o sucesso. Ser realizada no mundo e também ter paz interior."

A ida à palestra do Orador Fascinante e os dias incríveis nessa ilha maravilhosa com gente que ainda se preocupa em dar "bom dia", sorrir para desconhecidos e mostrar uma ternura sincera continuavam a inspirar e a provocar mudanças de todo tipo em sua compreensão sobre a verdadeira natureza de uma vida produtiva, próspera e realizada.

A empreendedora observou que estava ficando menos mecânica e mais humana: ela não verificava mais seus dispositivos tecnológicos compulsivamente e não conseguia se lembrar de outro momento em que se sentiu tão criativa e disponível para as maravilhas milagrosas da vida. Também nunca esteve tão desperta para as bênçãos proporcionadas pelos dias passados na Terra e não conseguia se lembrar de uma época em que se sentira tão grata. Sim, ela tinha um apreço imenso por *tudo* o que tinha vivenciado. A empreendedora percebeu que os pontos difíceis da vida a fortaleceram e deixaram mais perspicaz, interessante e sábia, e começou a entender que uma vida fascinante e diversificada é feita de muitas cicatrizes.

Ela fez uma promessa a si mesma: usar o desafio que vinha enfrentando com os investidores para aumentar sua coragem. A tentativa de tomada hostil por parte dos sócios ampliaria seu compromisso com a defesa do heroísmo natural que todos temos em nosso cerne, embaixo das camadas de medo, insegurança e limitação que colecionamos ao avançar pela vida. O comportamento daqueles sócios desconfiados serviria apenas para transformá-la em uma pessoa melhor, mais decente e corajosa. Um mau exemplo costuma nos ensinar mais sobre a pessoa que desejamos ser. E neste mundo, onde tantos seres humanos calejados perderam o acesso a quem são de verdade, ela jurou conduzir o restante dos seus dias sendo um exemplo de excelência, capacidade de adaptação e o ápice da gentileza.

Enquanto a empreendedora e o artista navegavam no barquinho de madeira pelas águas cristalinas, em meio a corais, que poderiam causar um grande estrago se atingidos, e bem longe da praia onde o bilionário deu sua aula matinal, a empreendedora viu a distante massa de terra onde o sr. Riley sugeriu que o novo casal fizesse um piquenique.

Ela também detectou um afeto cada vez maior pelo homem ao seu lado. Mesmo vindo de universos totalmente diferentes, a química entre os dois era inegável, como um encontro de galáxias. E embora tivessem formas diferentes de agir, a compatibilidade era de um tipo inédito para ambos. A mãe da empreendedora disse certa vez: "Se você tiver a sorte de se apaixonar duas ou três vezes na vida, faça cada uma dessas histórias valer a pena."

Os poderes artísticos de seu companheiro também a intrigavam. O desejo de ser grandioso em seus próprios termos era motivo de atração, as falhas ocasionais, um desafio, o senso de humor dele era divertido e a compaixão visível era emocionante. Além de tudo isso, aqueles olhos negros derretiam a empreendedora.

— Essa foi uma boa ideia — disse o artista enquanto a empreendedora ajustava a vela e conduzia habilmente o barco ao redor das boias colocadas pelos pescadores que acordam cedo. — Vir aqui, longe de tudo. Eu precisava de uma pausa no aprendizado. Adoro todas as informações e estou aprendendo muito com o sr. Riley. Cara, ele é incrível, mas minha cabeça está lotada. Não quero pensar por algum tempo. Só quero me divertir e curtir a vida. Estar aqui com você é especial.

— Obrigada — respondeu a empreendedora, com os cabelos balançando ao vento e os olhos brilhantes fixos na água diante do barco.

"Desde que a conheci na palestra, nunca tinha visto você tão feliz", pensou o artista, abraçando a empreendedora. Ela não se afastou e manteve a calma enquanto o barco de cores brilhantes se aventurava mais longe no oceano.

Depois de um tempo, a ilhota que eles procuravam entrou no campo de visão de modo mais claro.

— A equipe do bilionário nos abasteceu para um belo piquenique — observou a empreendedora. — Que tal lançar âncora na parte rasa ali e almoçar naquela parte da praia com areia branca?

A ilha parecia deserta, exceto por algumas gaivotas bem alimentadas que voavam acima deles, algumas com peixes vivos pendurados no bico amarelo. Uma gigantesca tartaruga também andava lentamente pelo litoral úmido, como se fosse a dona do pedaço.

— Ótimo — respondeu o artista. — Gostei disso — acrescentou, tirando a camisa sem qualquer vergonha e mergulhando na água com vontade.

A refeição deliciosa era composta por lagostins grelhados picantes e uma salada de mangas frescas, além de um pedaço imenso de queijo pecorino que chegara da Itália aquela manhã. Para a sobremesa, melancia, abacaxi e kiwi.

A empreendedora externou a ambição de criar uma das maiores empresas do mundo enquanto eles saboreavam a comida e relaxavam naquele santuário tranquilo e isolado. Ela falou também do desejo de construir um império legítimo e depois, talvez, se aposentar com estilo e morar na parte rústica de Ibiza. Ela também se abriu ainda mais sobre a infância dolorosa, o divórcio terrível dos pais e a profundidade do trauma com a morte violenta do seu querido pai. Além disso, falou com mais detalhes sobre os vários relacionamentos fracassados que a levaram a se concentrar mais no trabalho e a solidão que sentia quando sua empresa não estava progredindo.

— Não foram relacionamentos fracassados — comentou o artista, mastigando alegremente um pedaço de melancia. — Eles levaram você a ser a pessoa que é agora, certo? E eu gosto muito de quem você é agora. Na verdade, eu *amo* a pessoa que você é — disse o artista, com sinceridade.

Em seguida, ele se inclinou e beijou a empreendedora.

— Por que você demorou tanto para dizer isso? — perguntou ela.

— Não sei. Minha confiança estava baixa há muito tempo — confessou o artista. — Mas ouvir o Orador Fascinante naquela palestra, conhecer você, sentir nossa química incrível e depois estar nessa aventura totalmente doida e especial... Sei lá, isso me fez acreditar mais em mim. Tudo isso me ajudou a retomar a confiança na vida, eu acho. O fato de me abrir para alguém de novo é ótimo. Vou pintar hoje, mais tarde. Algo especial vai surgir, eu sei disso.

— Sim, você precisa pintar — estimulou a empreendedora. — Também sinto que você vai ser um pintor de muito sucesso, uma verdadeira lenda.

Em seguida, depois de uma pausa duradoura, ela acrescentou:

— Aliás, eu também amo você.

O romance daquele momento entre os novos integrantes do Clube das 5 da Manhã foi subitamente interrompido pelo som de uma música alta no estilo hip-hop. Era possível ver uma figura se mexendo com incrível rapidez na água, ziguezagueando e depois seguindo em linha reta. Logo a identidade do invasor barulhento e penetra ficou clara: era Stone Riley, pilotando um poderoso jet ski e usando uma cartola presa no queixo. Sim, uma cartola. E se você olhasse de perto, veria o símbolo da caveira com dois ossos cruzados na parte de baixo dela, do tipo que se vê em bandeiras de piratas.

Em pouco tempo ele se juntou ao casal na praia preservada inclusive para comer os lagostins, a salada de manga e devorar grandes pedaços de frutas frescas. E logo ele estava de mãos dadas com a empreendedora e com o artista.

O homem era totalmente excêntrico e um herói muito humano. A empreendedora e o artista se olharam enquanto o bilionário comia. Eles sacudiram a cabeça, bateram palmas e liberaram um riso fácil.

— Caras — gritou o bilionário acima do volume da música enquanto o jet ski entrava na água rasa. — Fiquei com saudade. Espero que vocês não se importem com minha invasão ao seu piquenique — disse ele, com a boca cheia de comida. Sem esperar uma resposta, o bilionário aumentou o nível de decibéis da música e cantou junto.

— Som irado, não é? — perguntou, com a energia de uma usina hidrelétrica.

— Com certeza! — respondeu o artista, por instinto. — Quer dizer, certamente — corrigiu ele.

Os três companheiros passaram o resto da tarde inesquecível nadando, cantando, dançando e conversando. À noite o bilionário ofereceu um jantar magnífico na praia iluminada com tochas, lanternas brancas e, provavelmente, milhares de velas.

A comprida mesa de madeira, forrada com a melhor toalha, recebeu pratos elaborados com perfeição. O Orador Fascinante também apareceu no banquete, contando histórias com o bilionário. Outros amigos do sr. Riley também compareceram, mais tarde, para tocar bongô, participar da fabulosa refeição e beber ótimos vinhos. Até os empregados ultraprofissionais e excepcionalmente hospitaleiros foram estimulados a se juntar às festividades. Foi tudo surreal e especial.

Por um instante a empreendedora refletiu sobre a preciosidade daquela noite e lembrou uma frase do escritor de autoajuda Dale Carnegie, que o pai havia pendurado na porta da geladeira da família: "Um dos fatos mais trágicos sobre a natureza humana é que nós tendemos a adiar a vida. Ficamos sonhando com algum mar de rosas mágico e distante em vez de apreciar as rosas que florescem embaixo da nossa janela hoje."

A empreendedora sorriu para si mesma, percebendo que não adiaria mais a vida. Além de se apaixonar por um bom homem, ela começava a sentir um desejo luxuriante pela vida.

———

Às cinco horas da manhã seguinte o som de um helicóptero cortou a tranquilidade que só existe naquela hora do dia. A empreendedora e o artista esperaram na praia, conforme haviam prometido ao bilionário. Eles deram as mãos com força e aguardavam a próxima lição dele, mas o bilionário não aparecia.

Uma assistente saiu correndo da casa do magnata usando camisa social azul como o céu, bermuda vermelha como um tomate e muito bem-passada, além de sandálias de couro pretas.

— *Bonjour* — disse ela, de um jeito muito educado. — O sr. Riley pediu que eu acompanhasse os senhores até o heliponto. Ele tem um imenso presente para vocês dois, mas é preciso andar rápido. Estamos com a agenda bem apertada.

Os três correram pela praia, atravessando uma trilha bem-cuidada entre árvores frondosas, passando por um herbário com placas de madeira contendo frases de líderes famosos, onde em uma delas se lia: "Invasores serão transformados em compostagem." Por fim, um campo vasto e bem-cuidado. Bem no centro dele um helicóptero reluzente, com os rotores girando à luz do início da manhã, aguardava.

Dentro da aeronave havia apenas um piloto, de óculos de aviador, boné de aba reta e uniforme todo preto. Enquanto os passageiros entravam, o piloto continuou calado, manipulando os controles e escrevendo no que parecia ser uma lista de tarefas presa a uma prancheta velha onde se lia: "Levante-se e brilhe para fugir do sofrimento da mediocridade" escrita em vermelho na parte superior. Um emoji de carinha sorridente estava bem visível abaixo da frase.

O CLUBE DAS 5 DA MANHÃ

— Bom dia — disse a empreendedora ao piloto, com empolgação. — Onde está o sr. Riley?

O piloto não respondeu, preferindo virar um botão, mexer em uma alavanca e fazer outra marcação na folha branca.

— Boa sorte e tenham um voo seguro — disse a assistente, ajustando os cintos de segurança e colocando fones de ouvido com microfone em seus convidados VIP.

— Para onde raios estamos indo? — exigiu o artista, revertendo ao antigo status furioso.

Não houve resposta, apenas a porta sendo fechada com um ruído forte e depois trancada ao som de um clique.

O barulho do motor ficou mais alto e as hélices rodavam com mais rapidez e um ruído audível. O piloto, aparentemente em um transe imperturbável e nada simpático, empurrou a maneta de controle. Ao sobrevoar o campo gramado, o helicóptero deu uma guinada inesperada para o lado, desceu agressivamente na direção da terra em queda livre, depois balançou e subiu de novo.

— Desastre total! — gritou o artista. — Este piloto é incompetente. Odeio ele.

— Respire. Tudo vai ficar bem — ela o acalmou, pois estava tranquila, segura e em total controle de suas emoções. O treinamento matinal estava funcionando. Ela puxou o artista para perto, dizendo: — Estou aqui. Vamos ficar em segurança. Tudo vai acabar bem.

Logo o helicóptero se movia com firmeza, eficiência e graça nas alturas. Ainda sem falar uma palavra, o piloto mexia nos botões e controles, aparentemente sem ligar para o fato de carregar dois passageiros.

— Eu já vi esse relógio — comentou o artista, olhando o braço magro do piloto. — É o mesmo que Stone usava na palestra do Orador Fascinante. Isso é uma loucura — disse ele, com a voz agitada e suando como um urso polar em uma onda de calor.

— Controle suas manhãs. Mude sua vida — cantou a voz da frente do helicóptero.

— Oi, caras. *Bonzour*. Estão gostando de integrar o Clube das 5 da Manhã hoje? — perguntou a voz rouca. — Vocês vão amar a surpresa que está por vir. Outro país para mais uma lição sobre a rotina matinal dos líderes lendários, gênios criativos, além das grandes mulheres e homens do mundo.

O piloto virou a cabeça para os passageiros, tirou os óculos de sol com vontade e deu um arroto monumental.

Era o bilionário.

— Oi, pessoal. Não quis assustá-los, seres humanos gloriosos. Tenho brevê de piloto de helicóptero, sabiam? — disse o sr. Riley, quase em tom de desculpas.

— Claro — comentou o artista, que ainda se agarrava à empreendedora como um apostador segurando a última ficha.

— Tirei há alguns anos — continuou o bilionário. — Helicópteros são bacanas demais, mas com tantas empreitadas corporativas eu não costumo voar tanto quanto antes. Desculpem a decolagem meio bruta, acho que preciso praticar mais.

— Então, para onde vamos? — perguntou a empreendedora, reclinando o corpo no banco macio de couro.

— Agra.

— O que isso quer dizer? O que é Agra? — perguntou o artista.

— Estou levando vocês ao aeroporto. Precisamos continuar essa aventura que só acontece uma vez na vida — disse o bilionário.

— Estamos indo embora das Ilhas Maurício? — perguntou a empreendedora, decepcionada, enquanto suas pulseiras balançavam e batiam umas nas outras.

— E tudo o que você ainda tem para nos ensinar? — perguntou o artista — Ainda não aprendemos a *fórmula 20/20/20* que vai revolucionar nossa vida. Você disse que ela é a base do método das 5 da manhã. Estou ansioso para aprendê-la — argumentou o artista, dando um soquinho na mão de novo. — E eu amei as Ilhas Maurício, não estava pronto para partir.

— Nem eu — concordou a empreendedora. — Pensei que você ia ensinar em detalhes o que fazer depois de acordar às cinco da manhã. E na palestra do Orador Fascinante você prometeu dicas práticas de produtividade fundamentais para o crescimento da minha empresa e técnicas cruciais para fazer minha fortuna. Além disso, eu e meu namorado só fizemos um piquenique juntos, que você invadiu com música alta e um jet-ski todo moderno!

Houve silêncio total por um instante. Depois, todos no helicóptero começaram a rir.

— Relaxem, caras! — berrou o bilionário. — Minha casa está aberta, vocês podem voltar às Ilhas Maurício quando desejarem. Vou mandar os mesmos motoristas, o mesmo jatinho e garantir que sintam o mesmo amor da minha parte e da minha equipe incrível. Fiquem de boa. Estou sempre feliz em ajudar.

Ele ajustou outro botão e disse:

— Tenho um avião nos esperando na pista agora. Vocês, pombinhos, foram alunos *fenomenais*. De altíssimo nível, sem dúvida. Vocês adotaram os ensinamentos do Orador Fascinante com vontade, acordaram com o sol e foram pontuais todas as manhãs. Eu vi o progresso de vocês, por isso queria oferecer um ótimo presente hoje.

— Um presente? — questionou o artista. — Preciso voltar logo ao estúdio que tenho em casa. Preciso fazer uma reestruturação séria no meu ofício e na minha vida depois de tudo isso.

— Também preciso voltar logo para minha empresa — disse a empreendedora, sentindo algumas rugas voltarem à testa ao dizer essas palavras, embora em número bem menor do que antes de ter entrado para o Clube das 5 da Manhã.

— Tudo bem, mas agora não, caras. Ainda não. Nós vamos a Agra, por favor — pediu o bilionário.

— Não faço ideia de onde fica isso — admitiu a empreendedora.

— Agra fica na Índia — explicou o magnata. — Estou levando vocês para ver uma das Sete Maravilhas do Mundo. E preparem-se para conhecer a próxima etapa do método das 5 da manhã. Tudo o que vocês aprenderam até agora foi uma preparação. Fiquem atentos, caras. Agora estamos prontos para entrar nas informações *avançadas* que levarão à produtividade exponencial, desempenho máximo, liderança lendária e uma vida imponente que melhora o mundo. Preparem-se para receber as informações práticas sobre a rotina matinal de quem constrói mundos e faz história. O melhor ainda está por vir.

O bilionário aterrissou com habilidade o helicóptero ao lado de um jatinho particular impecável que já estava com as turbinas funcionando. Ao contrário do primeiro, esse jato era todo preto. Contudo, ele também tinha escrito C5M na cauda na cor laranja, exatamente como o que levou os dois alunos para as Ilhas Maurício.

— Vamos para a incrível Índia! — exclamou o bilionário, com empolgação.

— Vamos lá! — responderam a empreendedora e o artista.

Estava prestes a começar uma das experiências mais valiosas desta aventura extraordinária com o magnata excêntrico Stone Riley.

Capítulo 12

O Clube das 5 da Manhã descobre o protocolo para instalação de hábitos

"Odiei cada minuto do treinamento, mas disse: 'Não desista. Sofra agora e viva o restante da vida como campeão.'" — **Muhammad Ali**

A lição da manhã seguinte estava marcada para ensinar como os líderes e as pessoas mais produtivas do planeta instalam os hábitos que os transformam em superastros e estrelas, levando vidas fascinantes, ousadas e com propósito. Em resposta ao pedido do sr. Riley, tanto a empreendedora quanto o artista conseguiram estender o período longe de casa. Eles entenderam o valor profundo do treinamento ao qual estavam sendo submetidos e sabiam que a decisão mais inteligente seria aceitá-lo completamente.

— Oi, caras! — gritou o bilionário, correndo para seus colegas enquanto o sol indiano nascia meio tímido em um horizonte ao mesmo tempo estéril e fascinante.

Eram cinco da manhã em ponto.

O magnata vestia uma camisa preta de colarinho à moda Nehru, bermuda cargo e sandálias pretas. Ele tinha um sorriso largo, ainda com o brilho do sol das Ilhas Maurício, e usava um turbante.

— Esta manhã vou lhes ensinar as ideias do Orador Fascinante para instalar o regime de desempenho excepcional que vai ativar sua grandeza nos negócios e na vida. Como expliquei em outra lição, o que faz os melhores entre os melhores não é a genética e sim os hábitos. E também não é a extensão de seus dons, mas a garra. A lição de hoje vai ensinar o que precisamos fazer, segundo a ciência e as pesquisas, para abrir mão dos comportamentos que nos enfraquecem e codificá-los em outros, que nos servirão melhor.

— Como assim garra? — perguntou a empreendedora, prestando atenção em cada palavra do bilionário. Hoje ela usava rabo de cavalo e sapatos simples.

— É um termo popularizado pela psicóloga social Angela Duckworth, que estudou pessoas de elite nos negócios, na educação, na área militar e nos esportes. Segundo ela, o que levava os conquistadores de maior sucesso a serem tão bons não era o talento inerente, e sim o nível de comprometimento, disciplina, resiliência e perseverança. "Garra" foi a palavra usada por ela para descrever essas características.

— Bacana, irmão — elogiou o artista. — Isso me inspira a não desistir de uma pintura quando deparar com um muro de dúvidas, quando ficar frustrado com a falta de progresso ou ainda quando sentir medo de que outras pessoas na minha área possam rir porque estou produzindo arte nova e original em vez de algo copiado e derivativo.

— Bom — respondeu o milionário, esfregando o musculoso abdômen. — Albert Einstein escreveu: "Os grandes espíritos sempre encontraram oposição violenta das mentes medíocres. A mente medíocre é incapaz de entender quem se recusa a seguir cegamente as ideias convencionais e prefere expressar suas opiniões com honestidade e coragem."

— Amei isso — falou o artista, de modo exuberante, com uma expressão que exibia o orgulho crescente de confiar na visão pessoal quando se tratava de seu ofício.

— Vamos voltar ao assunto e continuar aprendendo as formas mais potentes de instalar duradouros hábitos de primeira classe, que não se dissolvem após algumas semanas de tentativas. A mentoria desta manhã é absolutamente essencial para vocês dois porque, mesmo já acordando às cinco da manhã todos os dias, nós queremos a disciplina para transformar isso em rotina para toda a vida. Ah, e uma parte essencial da instalação de hábitos de nível mundial consiste em aprender como os profissionais constroem um autocontrole impressionante e liberam quantidades raríssimas de força de vontade. Então, vamos começar por aí.

Os três companheiros estavam em pé em frente ao Taj Mahal, olhando para uma estrutura indescritivelmente sublime, um verdadeiro testemunho às recompensas da maestria na arquitetura e na engenharia.

— Amo muito a Índia — declarou o bilionário. — Uma das maiores nações da Terra. E este lugar é uma das Sete Maravilhas do Mundo por um motivo. Tem uma beleza de tirar o fôlego, não é?

— Verdade — admitiu a empreendedora, bebendo café bem quente.

O bilionário segurava uma garrafa de água com a mão esquerda. Como frequentemente acontecia com suas garrafas, havia uma mensagem escrita nela, que ele leu para seus dois alunos com vontade:

"O herói não alcança a grandeza nos períodos de conforto. As ilustres e nobres almas do nosso mundo ganham força, coragem e moral ao enfrentar de modo resoluto as tempestades da adversidade, dificuldade e dúvida. Ao enfrentar sua maior fraqueza, você recebe a oportunidade de criar sua maior força. O verdadeiro poder não vem de uma vida de facilidades, e sim de uma vida de esforço intenso, disciplina dedicada e ação exigente rumo ao que o seu eu supremo sabe que é certo. Continuar quando você quer parar, avançar quando deseja desistir e persistir no instante em que pensa em abandonar tudo é reivindicar seu lugar entre os grandes guerreiros e personagens honrados que lideraram a humanidade para um lugar melhor através da invencibilidade conquistada."

— Uau! — espantou-se o artista. — Algum grande poeta escreveu isso?

— Não. Essas palavras são todas minhas — disse o bilionário.

O sr. Riley levantou a mão e, bom, você já sabe o que aconteceu em seguida.

Da névoa do início da manhã surgiu uma assistente impecavelmente vestida e muito atraente, dizendo:

— Estamos muito felizes com sua volta à Índia, senhor. Sentimos sua falta. Aqui está o que o senhor pediu.

O bilionário fez uma leve mesura e deu um sorriso amigável à assistente.

Um xale de pashmina ricamente decorado foi entregue ao titã, que o estendeu na luz. Como você sabe, pashmina é um tipo de lã fina que vem da Caxemira. O termo em si significa "ouro suave" no idioma do país. Se você a visse, concordaria que é exatamente isso.

Costuras detalhadas foram feitas no tecido e, quando os dois alunos se concentraram nele mais de perto, conseguiam ler "*A doutrina 5-3-1 do guerreiro da força de vontade*" costurado no xale. Abaixo estava uma série de afirmações que explicavam o significado do 5-3-1. Era tudo muito singular.

A costura feita à mão na pashmina dizia o seguinte:

As cinco verdades científicas por trás de hábitos de excelência

Verdade número 1: *Uma força de vontade de nível mundial não é algo congênito, e sim uma habilidade desenvolvida através da prática incansável. Levantar-se com a alvorada é o treinamento perfeito para o autocontrole.*

Verdade número 2: *A disciplina pessoal é um músculo. Quanto mais você o força, mais forte ele fica. Portanto, os samurais da autorregulação criam ativamente condições difíceis para construir sua força natural.*

Verdade número 3: *Assim como outros músculos, a força de vontade fica mais fraca quando está cansada. Portanto, a recuperação é absolutamente necessária a fim de expressar maestria e para gerenciar a fadiga decisória.*

Verdade número 4: *Instalar qualquer hábito com sucesso segue um padrão distinto de quatro partes para automatizar a rotina. Segui-lo explicitamente levará a resultados duradouros.*

Verdade número 5: *Aumentar o autocontrole em uma área da vida eleva o autocontrole em todas as outras áreas. Por isso, entrar para o Clube das 5 da Manhã é o hábito que vai elevar todas as suas ações.*

Os três valores de quem cria hábitos heroicos

Valor número 1: *A vitória exige consistência e persistência.*

Valor número 2: *Continuar o que começou determina o tamanho do respeito pessoal a ser gerado.*

Valor número 3: *O modo como você pratica em particular é exatamente igual ao modo que você agirá em público.*

Teoria geral da autodisciplina espartana:

O guerreiro nasce fazendo regularmente o que é difícil e importante quando se sentir mais desconfortável.

O bilionário fechou os olhos e repetiu o seguinte:

— Não quero uma vida fácil, pois assim não haverá crescimento dos meus poderes. Desejo uma vida desafiadora, que traga à tona o melhor que há em mim, porque isso cria uma vontade de ferro e um caráter imbatível. — Este xale é meu presente para vocês dois — continuou o industrial. — Estudem as cinco verdades científicas e os três valores, além da teoria geral que compõe a *doutrina 5-3-1 do guerreiro da força de vontade*. Tudo isso servirá para vocês codificarem hábitos duradouros de modo brilhante.

Quase imediatamente surgiu um riquixá automático de um estacionamento vazio distante. Dele saiu um jovem sorridente vestindo casaco cinza-escuro, calças muito bem-passadas e engraxados sapatos marrons.

— Namastê, Arjun — disse o bilionário, unindo as mãos como em uma prece.

— E aí, chefe? — foi a resposta carinhosa do assistente. Embora as palavras fossem casuais, o jeito como ele as pronunciou demonstrava imenso respeito pelo empregador.

— Vocês dois conhecem a história por trás do Taj Mahal? — perguntou o bilionário, enquanto o assistente parava ao lado, disposto a prestar qualquer ajuda pedida pelo sr. Riley.

— Por favor, diga — pediu a empreendedora, que carregava um bloco de notas amarelo e uma caneta esferográfica simples. Toda a palestra anterior do bilionário ensinando que o mau uso da tecnologia leva à destruição da criatividade e redução extrema da produtividade teve imenso impacto. Ela hoje usava um bracelete com as seguintes palavras gravadas "Sonhos não se realizam enquanto você dorme."

— Claro, é uma história irada — empolgou-se o bilionário, voltando às gírias de surfista da Califórnia. — Assim como vocês, pombinhos, o imperador mongol Shah Jahan, que idealizou esta maravilha, estava muito apaixonado. Como símbolo de sua devoção e amor pela esposa, Mumtaz, após a morte dela, em 1631, ele se comprometeu a criar um monumento inédito para o mundo. Uma construção tão extravagante, sensacional, inspiradora e estruturalmente excepcional que todos os observadores entenderam a profundidade do afeto daquele homem ao vivenciar todo o esplendor da obra.

— Acontece algo no meu coração quando olho para o Taj Mahal — murmurou o artista, observando a brilhante fachada de mármore, Com os olhos semicerrados para evitar os raios de sol do início da manhã, ele parecia mais em forma, confiante, calmo e composto do que nunca.

— Eu também — concordou o bilionário, com a voz melancólica. — Ver o Taj Mahal não é só uma excursão do intelecto. É também uma ressurreição do espírito, pois acorda até a pessoa mais dormente para o que somos capazes de produzir como seres humanos. Continuando: uma vez que o marajá idealizou seu intento ousado, os trabalhadores começaram o processo de traduzir aquela visão sublime em realidade concreta porque, como vocês já sabem, a *ambição sem ser aplicada é uma ilusão ridícula*. Vocês agora estão muito mais fluentes na ideia de que o trabalho lendário exige quantidades generosas de dedicação, capacidade artística e persistência. A maestria não é um evento súbito, é um *processo* sem-fim que pode levar anos de habilidade artesanal, prática, sacrifício e sofrimento até o produto acabado se materializar a um nível que mova o mundo.

— Esta é outra Vantagem Competitiva Gigantesca — continuou o sr. Riley. — Permanecer fiel ao seu ideal nobre não só durante as semanas depois de pensar o sonho, como também nos longos meses e talvez anos no deserto da execução criativa enquanto você enfrenta rejeição, exaustão, as pedras atiradas pelos colegas invejosos, o ceticismo dos entes queridos e as distrações de outras oportunidades atraentes até encontrar seu caminho pelo inverno solitário da dúvida. É isso que separa os perdedores dos ícones. Qualquer pessoa pode ser ótima por um minuto. O esporte dos ícones consiste em sustentar o desempenho genial ao longo da vida. E isso exige "garra" e paciência incomuns nesses tempos superficiais, que a maioria da sociedade de hoje não consegue desenvolver. Estão me entendendo?

O bilionário estava animado, totalmente a mil por hora. Ele jogou um braço para cima e fez o gesto universal do V da vitória, apenas para proteger sua inspiração e isolar o fogo que havia sido aceso dentro dele.

— Há muitas décadas, Albert E. N. Gray fez um pronunciamento para vendedores da indústria de seguros e chamou de *denominador comum do sucesso*, resumindo o que ele tinha identificado ao longo de trinta anos de estudo como a chave para a fortuna nos negócios, família, saúde, fianças e vida espiritual.

— O que era? — perguntou a empreendedora, interessadíssima e bebendo o café que já estava morno.

— Bom — respondeu o bilionário, — Até onde me lembro do panfleto com o resumo da palestra amplamente divulgado para os maiores profissionais de vendas, ele dizia: "Fui criado com a crença popular que o segredo do sucesso é o trabalho árduo, mas vi tanta gente trabalhar arduamente sem ter sucesso que me convenci que o trabalho árduo não era o verdadeiro segredo."

— E qual era? — perguntou o artista, impaciente.

— Cara, eu estou chegando lá — respondeu o bilionário, brincalhão. — Então, Albert Gray disse: "Este denominador comum do sucesso é tão grande, tão poderoso..."

— E é exatamente o quê? — interrompeu a empreendedora, igualmente incapaz de esperar a resposta.

— Gray explicou que "o denominador comum do sucesso, o segredo de todo homem e mulher bem-sucedido está no fato de *criar o hábito de fazer o que os fracassados não gostam de fazer*".

ROBIN SHARMA

— Simples e profundo — observou o artista, passando a mão em uma de suas tranças rastafári e bebendo um pouco do café frio.

— Os produtores de primeira linha transformam em hábito as atividades de alto valor que pessoas medianas não têm vontade de fazer, mesmo quando eles também não querem fazê-las — continuou o bilionário. — E ao praticar o comportamento desejado repetidamente a maestria e disciplina pessoais crescem, automatizando a nova rotina.

O artista aquiesceu e coçou o cavanhaque, pensando em sua arte.

— Realmente estou me limitando devido às minhas inseguranças — refletiu ele. — Estou tão preocupado com a opinião dos outros sobre meu trabalho que não estou criando o suficiente, e o sr. Riley está certo. Não estou sendo paciente e construindo o autocontrole procede ao fazer tarefas difíceis e valiosas. Eu meio que faço o que me dá na telha, quando bem entendo. Alguns dias eu tenho motivação e em outros durmo o dia inteiro. Às vezes, sou preguiçoso, outros momentos eu trabalho arduamente. Sou como uma rolha flutuando na água, sem direção. Nenhuma estrutura verdadeira ou disciplina real. Jogo muito videogame, às vezes por várias horas, e tenho o hábito de me apressar para criar pinturas que vendem rápido quando preciso de dinheiro em vez de desacelerar e concentrar todo o esforço na obra que vai definir a extensão do meu talento e transformar minha área com sua genialidade.

— Então — disse o bilionário, retomando a história sobre a construção do Taj Mahal —, por 22 anos (não foram 22 dias nem 22 meses, mas 22 *anos*), mais de vinte mil trabalhadores labutaram no sol causticante da Índia. Bloco de mármore por bloco de mármore foi trazido de imensas distâncias por mais de mil elefantes, com o exército de artesãos construindo regularmente a estrutura que vocês estão vendo. Eles enfrentaram barreiras arquitetônicas, condições ambientais extremas e tragédias inesperadas pelo caminho, mas estavam concentrados, destemidos e implacavelmente comprometidos a fazer o necessário para realizar o sonho maravilhoso do imperador.

— Realmente incrível, sabe? — comentou o artista, inspecionando o ponto turístico. Uma borboleta passou voando, algumas gotas de chuva caíram no rosto dele e, acredite ou não, mais pombas voaram por cima da cabeça do bilionário.

172

— Qual é a dessas pombas, arco-íris e borboletas que estão ao seu redor boa parte do tempo? — quis saber a empreendedora, ajustando a camiseta com uma frase de Oscar Wilde que parecia se adequar à consciência recém-descoberta da mulher de negócios: "Seja você mesmo. Todos os outros já têm dono."

— Todos nós temos a magia. A maioria não sabe como usá-la — foi a breve e misteriosa resposta do barão.

— Voltando ao Taj Mahal, após duas décadas este mausoléu estava terminado e a humanidade recebeu um dos maiores produtos da audácia poética que já se viu — comentou ele em voz baixa.

— Estou extremamente inspirada — revelou a empreendedora. — Muito obrigada por nos trazer a Agra. Sempre serei grata por isso.

— O imperador devia gostar mesmo da esposa — disse o artista, fazendo uma revelação penetrante do óbvio. Em seguida, ele olhou seriamente para a empreendedora, cujo brilho ia muito além da beleza básica de atrizes, modelos e mulheres de alto glamour. Era uma beleza mais calma e profunda, do tipo que deixa o nascer do sol especial e o luar, encantador. Ele pensou que o magnetismo dessa mulher vinha de algo mais profundo que um mero rosto atraente. Era o encanto nascido da luta, a eletricidade que emanava da mágoa, a energia emitida através de um intelecto formidável e a beleza formada pela decisão de entrar no verdadeiro poder, sabedoria e amor de uma pessoa.

— O Taj Mahal é uma metáfora bem direta para que vocês, caras, pensem no tema de manter o compromisso com um novo hábito diante das eventuais dificuldades e permanecer sinceros aos seus ideais, não só nos períodos de conforto como especialmente quando tudo ficar terrivelmente difícil. É por isso que este momento de *coaching* matinal é tão importante. O que vocês estão prestes a aprender ajudará a *aplicar* boa parte das filosofias que ensinei até agora. O Orador Fascinante desenvolveu cuidadosamente o modelo que estou prestes a revelar por muitos e muitos anos trabalhando com construtores de negócios, conquistadores da maestria e pessoas que mudam o mundo, como eu. A sessão de hoje não diz tanto ao motivo para

ROBIN SHARMA

aceitar o ritual de levantar antes do sol. É mais uma questão de como fazer essa rotina em um regime *para toda a vida* — explicou o industrial, esfregando o lóbulo da orelha como uma criança imaginativa esfregando uma lâmpada mágica.

— Incrível — disse o artista, — Preciso disso. O jeito prático de garantir que eu continue acordando às cinco da manhã quando esta aventura terminar.

— Ótimo, então vamos lá! — comentou o bilionário.

Dois seguranças corpulentos levaram o bilionário, a empreendedora e o artista por uma entrada particular do complexo, geralmente reservada para chefes de estado, integrantes da realeza e outros líderes globais. Ao entrar no monumento, que estava escuro e calmo, o bilionário começou a discursar.

— Este é um período fascinante, instigante, confuso e emocionante no mundo. Para quem age como vítima a cada manhã e a cada dia, o futuro será muito difícil, perigoso e assustador, porque eles não vão saber o que os atingiu e estarão absolutamente desprotegidos para lidar com a reviravolta ambiental, econômica e social que está por vir. Mas para a minoria dedicada que se acostumou a uma rotina matinal blindada para defender seus dons, além de cultivar a moderação heroica pessoal e desenvolver um caráter à prova de balas, através do treinamento rigoroso dos músculos, da autodisciplina, o futuro será incrivelmente rico, harmonioso, produtivo. Os que se protegerem contra a turbulência que está a caminho, instalando um ritual matinal de primeiro nível e cuidadosamente granulado, serão capazes de otimizar toda a desordem em imensa oportunidade e transformar toda a confusão em uma ideia suprema de clareza, genialidade e calma, que lhes permitirá vencer.

O bilionário esfregou o turbante e depois, por algum motivo desconhecido aos dois alunos, começou a sussurrar.

— A primeira ideia que vou apresentar a vocês é que o cérebro foi construído para a expansão. Sim, os que estão empacados na vida pessoal e profissional e os que vivem na mentalidade do "não posso" em vez de trabalhar com a psicologia da possibilidade vão argumentar que não há como fazer as melhorias necessárias para programar os grandes hábitos, como ser integrante do Clube das 5 da Manhã. Eles vão lutar até a morte com a "realidade" de que é impossível acelerar a criatividade, a produtividade, a prosperidade, o desempenho e o impacto e vão tentar fazer você acreditar nas racionalizações deles para serem incapazes de materializar uma carreira incrível e manifestar excelente vida particular. Eles cederam o poder de mudar por tanto tempo que passaram a acreditar que a própria impotência representa a verdade. Despreze seu poder por muito tempo e você vai acabar acreditando que não tem poder algum, mas a realidade é uma história totalmente diferente. O fato é que tais pessoas boas, bem-intencionadas e cheias de talento permitiram que as forças do eu soberano fossem corrompidas com tanta frequência que sucumbiram ao estado de passividade aguda. Sim, a maioria das pessoas é passiva em vez de ativa para construir as próprias ambições, e depois elas fabricam, inconscientemente, uma série de desculpas para não serem líderes no trabalho e criadoras capazes na vida, pois têm muito medo de sair da segurança desse estado empacado e fazer os progressos que as levariam à glória.

O bilionário parou para respirar e um raio de sol dourado entrou no Taj Mahal. Depois, ele continuou:

— A ciência agora confirma que o cérebro pode crescer ao longo da vida. Esse lindo fenômeno se chama neuroplasticidade e diz respeito ao fato de que o cérebro humano, assim como a força de vontade pessoal, lembra muito mais um músculo do que se pensava. Ele é plástico de certa forma: empurre e ele vai se expandir, flexione e ele vai se estender e ficar mais potente para expressar seus dons mais radiantes. Então, vocês precisa exercitar o cérebro agressivamente para criar novos hábitos, como levantar cedo, e transformá-los em algo natural. *Os neurônios que disparam juntos se conectam juntos*, sabem? À medida que vocês repetem a rotina que desejam acrescentar ao estilo de vida, ela fica mais fácil e mais familiar. Este é um ponto muito importante a se pensar para depois agir com base nele.

— Nunca tive consciência que temos a capacidade de fazer o cérebro crescer — observou a empreendedora, empolgada. — Você está dizendo que quanto mais praticarmos um novo hábito, mais o cérebro vai trabalhar e evoluir para transformar esse hábito em parte de quem somos, certo?

— Sim — respondeu o bilionário. Ele adorava ver como os dois seres humanos que ele estava ensinando progrediam com suas lições. Os verdadeiros líderes sentem grande alegria quando lançam uma luz sobre os talentos alheios.

— É uma ideia poderosa — continuou ele, agora com um dedo na parede da maravilha do mundo. — Vocês não têm o cérebro que desejam, e sim o cérebro que conquistam. Em outras palavras, vocês não têm o cérebro que desejam, têm o cérebro que merecem, com base na forma como o utilizam. Passem os dias distraídos pelos dispositivos eletrônicos, presos à frente da televisão e fazendo em atividades sem importância e seu cérebro ficará debilitado e flácido, devido ao mau uso. Assim como outros músculos, ele vai se atrofiar, e isso vai resultar em cognição mais fraca, aprendizado mais lento e menor poder de processamento. Seus competidores vão destruí-los e os objetivos vão passar longe de vocês. Por outro lado, quando vocês usam o cérebro com inteligência, expandindo seus limites e gerenciando a força mental como um titã, ele vai se expandir e aumentar as conexões entre neurônios, gerando aumento importante em sua produtividade, desempenho e influência. O cérebro dos motoristas de táxi londrinos foi estudado e a área responsável pelo raciocínio espacial, o hipocampo, era significativamente maior neles comparado ao cérebro das pessoas comuns. Sabem o motivo?

— Devido à complexidade do sistema de ruas em Londres — respondeu o artista, confiante.

— Acertou — aplaudiu o bilionário. — Assim como você desenvolve os bíceps na academia levantando pesos ou fazendo flexões, os taxistas de Londres exercitam o hipocampo dirigindo todos os dias. E como eu disse, considerando que o cérebro é muito mais parecido com um músculo do que os neuroanatomistas entendiam, aquela parte dele se fortaleceu. Estão vendo como nós, seres humanos, somos poderosos? Este é um exemplo

O CLUBE DAS 5 DA MANHÃ

soberbo da neuroplasticidade que todos temos à disposição. O cérebro pode ser fortalecido, esculpido e otimizado, se decidirmos fazê-lo. Quando vocês voltarem para casa, estudem esse fenômeno e também processo incrível da neurogênese, que descreve a capacidade natural do cérebro de gerar novos neurônios. A neurociência que está surgindo explica a disponibilidade da maestria para todas as pessoas hoje, não importa onde vivem, a idade que têm, o que fazem da vida ou o quanto o passado delas foi difícil. Isso é maravilhoso — emocionou-se o magnata.

— Mas, enfim — continuou ele —, por enquanto, saibam que o cérebro tem maleabilidade e força. O que faz os grandes serem grandes é realmente entender que o desconforto diário é o preço do sucesso duradouro e que nos forçar além do limite constrói o tipo de cérebro que gera uma disciplina de nível militar. Esse papo de que os superprodutores têm vida fácil é um mito!

O bilionário colocou a mão no bolso, tirou um envelope selado e entregou-o à empreendedora.

— Abra isto, por favor, e leia para nós, com o máximo de convicção e paixão que tiver — orientou o barão, educadamente.

No envelope havia um papel de carta de alta qualidade perfeitamente dobrado, onde a mulher de negócios encontrou as seguintes palavras do ilustre filósofo Friedrich Nietzsche:

"Não falem em dons e talentos inatos! Podemos nomear grandes homens de todo tipo que foram pouco dotados, mas adquiriram a grandeza, tornaram-se 'gênios' (como se diz) por qualidades de cuja ausência ninguém que dela esteja cônscio gosta de falar: todos tiveram a diligente seriedade do artesão, que primeiro aprende a construir perfeitamente as partes antes de ousar fazer o todo; permitiram-se tempo para isso porque tinham mais prazer em fazer bem o pequeno e o secundário do que no efeito de um todo deslumbrante."

— Vire a página, por favor — solicitou o bilionário, com os olhos brilhando na luz que entrava no Taj Mahal.

A empreendedora leu um segundo trecho, cuidadosamente escrito com o que ela imaginou ser uma caneta-tinteiro azul. Era um verso do poeta inglês William Ernest Henley. Imagine estas palavras tomando a parte mais profunda e pura da sua alma:

"Por ser estreita a senda — eu não declino,
Nem por pesada a mão que o mundo espalma;
Eu sou dono e senhor de meu destino;
Eu sou o comandante de minha alma."

— Todos os mestres, gênios e heróis da civilização tiveram vida difícil — explicou o bilionário. — Eles treinavam muito e "jogavam com a dor", para usar um termo que muitos superastros e estrelas do esporte dizem hoje. Eles iam além do próprio potencial, sendo intensamente ambiciosos, persistentes e ferozes para capitalizar o maior potencial que tinham. A raiz latina da palavra "paixão" significa "sofrimento". Essas mulheres e homens sofreram por suas visões, ideais e aspirações. Eles também se sacrificaram para realizar suas proezas, sofreram pelo aumento das próprias habilidades e enfrentaram imensas angústias enquanto progrediam no ofício e abandonavam as tentações. É preciso dizer que essas pessoas ilustres também sofriam pelo estado do mundo. Minimizar seu potencial rebaixa o mundo, sabem? Porque o planeta se torna um lugar mais pobre sem sua grandeza.

Subitamente, o bilionário se ajoelhou no chão e fechou os olhos, cruzando os braços por cima do coração. Depois o magnata começou a roncar. Bem alto.

— O que raios você está fazendo agora, irmão? — perguntou o artista, igualmente confuso e divertido.

— Desconforto voluntário — foi a resposta rápida.

Mais roncos.

— Quero meu ursinho de pelúcia! — gritou ele. — E meu pijaminha!

Em seguida, Stone Riley começou a chupar o próprio dedão.

— Ele não existe — riu a empreendedora, divertida com outra proeza do industrial rebelde.

O CLUBE DAS 5 DA MANHÃ

Agora dava para ver o bilionário sorrindo, aparentemente impressionado com seus dons de comediante, além da capacidade incomum de transformar tudo em lições.

Ainda no chão, ele disse:

— A melhor forma de construir sua força de vontade é se colocar voluntariamente em condições de desconforto. O Orador Fascinante chama isso de "cenários de fortalecimento". Quando eu era bem mais jovem e minha capacidade de fazer o necessário quando não tinha vontade era muito mais fraca, eu cedia às ânsias menores com facilidade. Meus músculos da autodisciplina estavam flácidos, porque eu não os exercitava. O Orador Fascinante sabia que eu precisava ficar muito mais forte para instalar a rotina das cinco da manhã e ficar com ela por toda a minha carreira. Então, ele me colocou ativamente em situações difíceis, e funcionou como um passe de mágica.

— Que tipo de situações? — perguntou o artista.

— Uma vez por semana eu dormia no chão.

— Está falando sério? — perguntou a empreendedora. — Mesmo?

— Sem dúvida — confirmou o bilionário. — E comecei a tomar banho frio toda manhã. Duas vezes por semana eu jejuava, como tantos entre os mais bem-sucedidos homens e mulheres do mundo fizeram para capitalizar e manifestar o poder primal. É impressionante quanto tempo eu economizei, o quanto meu pensamento ficava claro e quanta energia eu tinha nos períodos de jejum. Ah, e quando estava em meu *loft* de Zurique para aumentar minha dureza e "garra", eu treinava arduamente no inverno, correndo na neve usando apenas camiseta e bermuda.

O bilionário ficou em pé.

— É exatamente o que eu venho sugerindo desde que chegamos ao Taj Mahal: vocês têm a capacidade para o autocontrole de nível mundial, a ciência confirma. O segredo está em forçar o cérebro a desenvolver novos caminhos neurais e obrigar os músculos de força de vontade a se flexionar e alongar, trabalhando intencionalmente esses recursos naturais até chegar ao nível mais alto. Assim, qualquer pessoa pode ficar tão forte, corajosa e invencível que, não importa os obstáculos e dificuldades enfrentadas, elas

179

continuam na jornada para conquistar seus objetivos gloriosos. Por que você acha que os Navy Seals e integrantes da SAS, verdadeiros guerreiros da força de vontade, ativamente se expõem a cenários capazes de esmagar o ânimo de qualquer pessoa? Todas as longas corridas na chuva carregando mochilas pesadas, rastejar na lama no meio da noite, comer alimentos brutais, viver em um ambiente espartano, enfrentar o próprio medo ao fazer testes como pular de precipícios para o mar, de costas e vendados, ou enfrentar exercícios que envolvem degradação psicológica para se treinarem a transcender o que os limita. Olha, caras, a bravura e a capacidade de fazer o que é difícil e necessário para expressar totalmente sua grandeza não são uma bênção divina. Nem um pouco. É uma prática voluntária. Resistência e vontade de ferro exigem dedicação. Por isso, eu sugiro fortemente que vocês comecem a sufocar seus demônios, matar seus dragões e aceitar seus monstros e se exigir mais. Este é um dos caminhos mais certos para conquistar a maestria e uma vida particular digna de orgulho. Isso me faz pensar no dramaturgo irlandês George Bernard Shaw. Aquele cara tinha uma barba bacana — disse o bilionário de um jeito meio estranho. — Vocês já viram? — acrescentou.

— Não — respondeu o artista.

— Deveriam, porque é irada — observou o magnata.

Depois ele estalou os dedos oito vezes. Em seguida, uma voz desconhecida soou alto de algum lugar do mausoléu:

"O homem razoável se adapta ao mundo. O homem que não é razoável tenta adaptar o mundo a si mesmo. Portanto, todo progresso depende do homem que não é razoável."

A voz cessou.

— George Bernard Shaw escreveu isso na peça *Man and Superman*, drama em quatro atos produzido por ele em 1903. O que estou tentando dizer é: quando se trata de exercer seus dons, talentos, ambições admiráveis e o instinto de mudar o mundo do jeito que vocês mais se identificam, nunca sejam razoáveis com vocês mesmos.

O bilionário fez uma pausa e algo que seus dois alunos nunca tinham visto: beijou a área carnuda entre o dedo indicador e o polegar da mão esquerda

— É preciso se amar antes de elevar o mundo, por sinal — murmurou ele com um sorriso antes de continuar a aula.

— O que George Bernard Shaw disse é inspirador — reconheceu o artista.

Pesquisas mostram que treinar para maximizar a força de vontade é uma das principais conquistas de uma vida épica — continuou o bilionário. — O explorador galês Henry Morton Stanley observou que o autocontrole é mais indispensável que a pólvora.

— Definitivamente inspirador — concordou a empreendedora.

— Olha — disse o bilionário —, é um mito que atletas celebrados, artistas lendários e estadistas reverenciados têm mais força de vontade natural do que o restante de nós. Esta é uma grande mentira. A verdade é que essas pessoas excepcionais começaram como gente comum e, através da prática implacável e do exercício constante para programar hábitos diários de excelência, o poder de se gerenciar contra os desejos e tentações ficou tão forte que a cultura os considerou super-humanos — declarou ele.

— Pequenos avanços diários levam a resultados impressionantes, quando feitos de modo consistente ao longo do tempo — comentou o artista, recitando, feliz da vida, a tatuagem cerebral valiosa que adotou nesta incrível jornada.

Ele apertou a mão da empreendedora.

— É isso — confirmou o bilionário. — Essas aparentes otimizações invisíveis e infinitesimais em sua força de vontade são o que o transformam em um Michelangelo, Da Vinci, Disney, Chopin, Coco Chanel, Roger Bannister, Pelé, Marco Aurélio ou Copérnico, quando realizadas diariamente e após longos períodos de treinamento. Todos os verdadeiros gênios começaram como pessoas comuns, mas praticaram e aumentaram tanto e com tanta frequência a força de vontade que ter um desempenho de primeira classe passou a ser automático. Aqui está outra tatuagem cerebral ensinada pelo Orador Fascinante: *As pessoas lendárias praticam ser espetaculares por tanto tempo que não sabem mais se comportar de um jeito que não seja espetacular.*

— Então, em termos práticos, por onde começamos? — perguntou a empreendedora. — Porque sei que nós queremos muito mais autodisciplina e ter hábitos excelentes para a vida inteira. Especialmente levantar às cinco da manhã.

— Sigam-me — orientou o industrial.

O sr. Riley os levou por um corredor do monumento, passando por uma série de salas mal-iluminadas até chegar a uma pequena câmara, onde havia um quadro-negro. O bilionário pegou um pedaço de giz e desenhou este diagrama:

— Este modelo simples se baseia nos estudos mais recentes sobre formação de hábitos — começou ele. — O ponto de partida é criar algum tipo de gatilho. Embutir o ritual de acordar cedo em suas manhãs pode ser algo simples como botar um velho despertador ao lado da cama para tocar às 5 da manhã. Quando chegarmos a Roma, vou explicar por que vocês não devem ter aparelhos tecnológicos no quarto.

— Roma? — exclamaram a empreendedora e o artista ao mesmo tempo.

O bilionário os ignorou.

— Depois de colocarem o gatilho do despertador em prática, o próximo passo, como vocês podem ver no diagrama, é fazer a rotina que desejam codificar.

— Ou seja, nós saímos da cama, não é isso? — perguntou a empreendedora.

— É — respondeu o bilionário. — Parece óbvio, mas é preciso pular da cama antes que a mente racional (o córtex pré-frontal) consiga dar um monte de desculpas para voltar a dormir. É nesse instante que vocês constroem o circuito neural de acordar cedo no cérebro através do poder da neuroplasticidade. E lembrem-se: os neurônios que disparam juntos se conectam juntos, formando uma potente autoestrada neural ao longo do tempo. É nesse momento, quando vocês estão diante da opção de ficar na cama ou levantar e começar a manhã de um jeito ótimo, que está a oportunidade de fortalecer a força de vontade. É desconfortável no começo, eu sei.

— Toda mudança é difícil no começo, confusa no meio e linda no final — interrompeu o artista, relembrando outra tatuagem cerebral do Orador Fascinante.

— Sim — concordou o bilionário. — A próxima etapa desse padrão de quatro partes para codificar um novo ritual é garantir que você tenha uma recompensa pré-definida. A recompensa é o que gera e depois aumenta sua motivação para fazer o novo hábito. Use sempre a força da recompensa para fazer avançar seus triunfos. Então, vamos supor que vocês façam o certo em vez do que é fácil e saiam da cama assim que o alarme tocar. Vou explicar em detalhes o que vocês vão fazer durante a Hora da Vitória, das cinco às seis da manhã, quando ensinar a *fórmula 20/20/20*.

— Cara, em algum momento você vai mesmo ensinar isso? — interrompeu o artista.

Ele não estava sendo mal-educado. Se você estivesse naquela câmara com os três, veria que ele só falara assim por estar muito interessado no método das 5 da manhã.

— A *fórmula 20/20/20* é assunto da sessão de *coaching* de amanhã — respondeu o bilionário com o máximo de tranquilidade. — Por ora, vamos nos concentrar na terceira etapa. Vocês precisam definir uma recompensa. Segundo os pesquisadores eminentes sobre a força de vontade, ela é essencial para criar um comportamento que pegue. Sua recompensa para levantar com o sol pode ser um belo pedaço de chocolate branco de sobremesa no almoço, tirar um cochilo à tarde (outro ritual predileto dos grandes criativos do planeta) ou se presentar com o livro desejado há tempos para sua biblioteca. Vocês definem o que é melhor para vocês.

— Entendi — confirmou a empreendedora.

Agora ela tinha certeza que todas essas informações elevariam seus negócios e expandiria de modo dramático a mente, o coração, a saúde e a alma rumo à vida de excelência genuína.

— Ótimo. Isso nos leva ao ponto final do padrão — falou o bilionário, tocando o pedaço de giz na palavra "repetição" escrita no quadro-negro da sala do Taj Mahal. — O jeito de aniquilar os impulsos mais fracos do eu inferior e se libertar dos desejos e tentações que bloqueiam o seu melhor é através da repetição incessante do novo comportamento que vocês estão trabalhando para instalar. A palavra fundamental aqui é *constante*. Sejam constantes no compromisso de integrar o Clube das 5 da Manhã pelo restante da vida e dediquem-se absolutamente e sem desculpas a cumprir esta promessa, que vai mudar sua vida. Sempre que vocês conseguirem, vão aprofundar o relacionamento com o eu soberano. Levantar antes de o sol nascer vai purificar seu caráter, aumentar sua força de vontade e acender os fogos de sua alma. Estou tentando ajudá-los, pessoas maravilhosas, a apreciar que a verdadeira medida de sua majestade não está nos momentos externos diante de uma plateia, e sim na luz suave e inicial da prática solitária. Vocês passam a ser imbatíveis no mundo pelo que fazem quando ninguém está olhando

— Li muito sobre equipes esportivas campeãs — contou a empreendedora. — Isso me ajudou a criar equipes soberbas em minha empresa e aprendi o seguinte: o que leva a equipe ganhadora à vitória não é a atuação nos últimos segundos de um jogo final empatado e sim a disciplina nos treinos.

— Exatamente — concordou o bilionário. — As jogadas brilhantes nos últimos segundos de uma final de campeonato são *automáticas*, resultado de incansáveis horas repetindo aqueles movimentos esplêndidos durante o treinamento.

"Bacana isso", pensou o artista.

Quero fornecer o último modelo de aprendizado desta manhã antes de liberar vocês, caras, por hoje. Essa estrutura deixa incrivelmente claro que instalar um hábito segue um processo de 66 dias. Antes disso, contudo, eu queria explicar mais alguns pontos práticos e rápidos sobre a autodisciplina.

— Ótimo — respondeu o artista. — A lição de hoje foi importantíssima para mim. Tenho certeza que vai me ajudar a derrotar a procrastinação e melhorar a qualidade da minha arte. E já fiz progressos em calibrar minha forma física.

— Fez mesmo — concordou a empreendedora, com uma piscadela marota.

— Bom, lembrem-se apenas que a força de vontade enfraquece quando fica cansada. Os cientistas chamam essa condição de "esgotamento do ego". Vejam bem, vocês acordam todas as manhãs com uma bateria cheia de autocontrole. Por isso, quero que façam as atividades mais importantes para erguer os impérios interiores na hora em que sua capacidade está mais alta, às cinco da manhã. É o seguinte: à medida que vocês passam o dia indo a reuniões, verificando mensagens e fazendo tarefas, a habilidade de autorregulação diminui, assim como a capacidade de lidar com tentações e gerenciar impulsos fracos. O fato de os músculos da disciplina humana sofrerem com a fadiga da decisão explica por que tantas pessoas imensamente bem-sucedidas acabam fazendo algo tolo que destrói a carreira delas, cedendo à vontade que leva à derrocada porque estavam tomando decisões importantes o dia inteiro. Quando chega a noite, elas não têm mais força de vontade alguma na bateria para gerenciar o desejo.

— Superfascinante — comentou a empreendedora. — Isso explica muito.

— Então, a chave está no repouso e na recuperação do músculo do autocontrole — explicou o bilionário. — Nunca deixe que ele se canse demais. A força de vontade realmente enfraquece quando você está mais cansado. Esta é uma consciência fundamental para se construir. Tomamos nossas piores decisões e fazemos escolhas mais baixas quando estamos exaustos, então não se permitam ficar exaustos. Ponto. Depois eu tenho uma sessão de mentoria poderosa para lhes ensinar como os melhores do mundo protegem bens inestimáveis como a força de vontade através da arte perdida da regeneração pessoal planejada.

O sr. Riley começou a tossir. Uma tosse gutural e preocupante, que não era do tipo comum.

— Ah! — acrescentou ele, retomando a compostura. — A pesquisa também diz que a ordem externa aumenta a disciplina. Por isso, Steve Jobs fazia questão que seu local de trabalho na NeXT fosse minimalista e todo pintado de branco. A bagunça diminui o autocontrole, além de roubar a largura de banda cognitiva.

— Talvez seja por isso que tantos gênios usam o mesmo uniforme todo dia — comentou o artista. — Eles querem manter a ordem e a estrutura na vida e entendem que nós levantamos, cada manhã, com uma quantidade limitada de força de vontade e foco mental. Então, em vez de desperdiçar esses dons valiosos em várias escolhas triviais como o que vestir e o que comer, eles automatizam o máximo de tarefas básicas possíveis para concentrar os poderes maiores nas atividades importantes. Agora estou entendendo ainda mais como os gênios viram gênios. Se eu passasse o dia inteiro fazendo minha arte e apenas um punhado de outras tarefas, não sofreria de "fadiga da decisão" como você a chama. Assim, eu não desperdiçaria tempo fazendo tantas escolhas ruins no fim do dia, como ver programas de TV idiotas, comer *junk food* e beber muita tequila.

— Certo — declarou o bilionário. — Vocês claramente sabem agora que "Toda mudança é difícil no começo, confusa no meio e linda no final". Esta ideia já deve estar bem avançada no caminho de se transformar em uma crença padrão em sua mente. Agora, vamos desconstruir aquela tatuagem cerebral poderosa do Orador Fascinante em um modelo potente que explica as três fases da instalação de hábitos para que vocês tenham ainda mais poder de fogo no regime de acordar cedo. Vocês vão amar o que estão prestes a aprender. Prometam que vão aumentar o volume do aprendizado enquanto explico isso? Aí eu encerro a manhã.

— Prometemos — expressaram juntos a empreendedora e o artista.

— Prometem mesmo? — perguntou o bilionário apontando o dedo mindinho.

— Sim — respondeu a empreendedora, encostando o dedo mindinho dela no do seu mentor.

— Sim — concordou o artista, fazendo o mesmo.

— Maravilha! — empolgou-se o magnata.

Um dos seguranças que escoltou os três companheiros até a estrutura entrou no recinto e tirou um gráfico de uma mochila. Depois, acendeu a lanterna e apontou para o desenho de modo que todos pudessem ver o que estava impresso. A estrutura de aprendizado tinha a seguinte aparência:

PROTOCOLO DE INSTALAÇÃO DE HÁBITOS

O PONTO DE AUTOMATIZAÇÃO

O MÍNIMO DE 66 DIAS

22 DIAS — 22 DIAS — 22 DIAS

ETAPA 1 — DESTRUIÇÃO
ETAPA 2 — INSTALAÇÃO
ETAPA 3 — INTEGRAÇÃO

— Para codificar qualquer novo hábito, vocês vão passar pelo período inicial de destruição — disse o sr. Riley, apontando para a primeira fase do diagrama. — Continuem assim e vocês, definitivamente, vão seguir para a segunda etapa do processo, onde novos caminhos neurais são formados e a verdadeira instalação começa. Este é o meio confuso. Por fim, à medida que normalizarem a nova rotina, vocês chegarão à etapa final e maravilhosa da integração. Todo o exercício leva aproximadamente 66 dias, de acordo com a pesquisa da University College London. O Orador Fascinante chama esse fato poderoso de *mínimo de 66 dias*. São 66 dias de treinamento para tomar posse de um novo hábito. Então, não desistam após alguns dias, semanas ou dois meses. *Como isso está relacionado a entrar para o Clube das 5 da Manhã, cumpram a promessa que fizeram a si mesmos por pelo menos 66 dias. Não importa o que aconteça.* Basta fazer isso e a vida de vocês ficará exponencialmente melhor. Prometo isso do fundo do meu coração — disse o bilionário. — Vejam bem, por isso toda mudança é difícil no começo. O Orador Fascinante chamou o primeiro estágio de Destruição. Se não fosse difícil, não seria mudança de verdade. É para ser assim porque você está reescrevendo os padrões anteriores da mente, destruindo o jeito antigo de funcionar e reescrevendo programas anteriores do seu coração e das suas emoções. Vocês sabem por que o ônibus espacial usa mais combustível nos sessenta segundos após a decolagem do que ao longo de toda a órbita da Terra?

— Ele precisa superar a força poderosa da gravidade depois de decolar — respondeu o artista, confiante.

— Exato — afirmou o bilionário, — É preciso grande quantidade de combustível para chegar à velocidade de escape, mas quando isso acontece, o momento linear entra em ação e a nave segue adiante. A primeira fase para criar qualquer novo hábito, o estágio de Destruição, é exatamente assim. Você precisa superar os hábitos profundamente arraigados, rituais dominantes e estados tradicionais de desempenho, indo além da sua força da gravidade até a velocidade de escape entrar em ação. É muito desafiador no começo. Não vou mentir: vocês já fizeram muito bem levantando às 5 da manhã no período em que estão comigo, mas vão empacar em um desses 22 dias da primeira fase. Nada de errado nisso, faz parte do processo de instalação de hábitos que toda pessoa buscando a produtividade máxima e uma vida mais rica precisa enfrentar. Para a maioria das pessoas que deseja levantar antes do nascer do sol cada dia dessa primeira fase é uma dificuldade. Elas sentem vontade de desistir, reclamam que acordar cedo não é para elas, que não são feitas para essa rotina e o esforço não vale a pena. Meu conselho é simples: *continue, a qualquer custo. A persistência está no limiar da maestria.* O que parece difícil é exatamente o mais valioso. Lembrem-se de que os maiores conquistadores e heróis de nossa civilização encontraram seu poder realizando tarefas difíceis e importantes. Lembrem-se também desta regra: *quando precisarem tomar uma decisão, escolham sempre o caminho que os leva mais além, aumentando seu crescimento e desenvolvendo seus dons, talentos e proezas pessoas.* Então, quando tiverem vontade de desistir, perseverem. Vocês vão chegar à próxima etapa em breve, e entendam que os pensamentos negativos, emoções ranzinzas e o forte desejo de desistir são normais e fazem parte da programação de qualquer novo regime. Os primeiros 22 dias são feitos para parecer uma leve forma de tortura.

— Porque a primeira etapa diz respeito a destruir o jeito antigo de ser para que o novo possa surgir, certo? — perguntou a empreendedora.

— Precisamente — confirmou o bilionário. — E só porque você não conseguia fazer algo antes não significa que não consiga fazer agora — acrescentou ele, acenando com a cabeça de modo encorajador. — Preciso repetir o que eu disse para vocês guardarem bem: se não fosse difícil inicialmente, não seria uma mudança real e valiosa. A sociedade nos programou para pensar que por ser difícil no começo algo de ruim está acontecendo e, portanto, deveríamos parar tudo para voltar à segurança do nosso antigo normal. Não há crescimento e evolução rumo ao status de lenda nesse modo de agir. Zero.

— É verdade — concordou a empreendedora, — Todos que conheço repetem o familiar todos os dias. Certo, talvez não todos, mas, definitivamente, a maioria tem os mesmos pensamentos, comportamentos e atos.

— Não é que eles não consigam mudar — explicou o sr. Riley. — Eles não se comprometeram a melhorar e ficar com o processo por tempo suficiente para que a neurobiologia, psicologia, fisiologia, as emoções e a espiritualidade façam suas maravilhas naturais. *Tudo* o que vocês acham fácil, hoje, já foi difícil, sabem?

Em seguida o bilionário pediu a lanterna do segurança e jogou o foco de luz na parte do modelo de aprendizado relacionada à segunda etapa da criação de rotina.

— Obrigado, Krishna — agradeceu. — Vejam bem, toda mudança é confusa no meio. A segunda etapa se chama Instalação porque é como se você fizesse uma reforma em uma casa. A antiga base precisa ser derrubada para que outra, muito melhor, seja construída. Essa etapa vai deixá-los confusos, estressados e frustrados. A vontade de desistir e considerar a decisão de entrar para o Clube das 5 da Manhã como uma ideia terrível será ainda maior. Vocês vão querer voltar para a cama quentinha e contar mais ovelhas. Saibam e acreditem que tudo isso é bom. *Muito* bom, na verdade. E embora vocês não consigam ver, estão avançando ainda mais na formação do hábito de acordar cedo pelo restante da vida. Tudo está prestes a ficar mais fácil. E está mesmo. Vocês estão apenas passando pela segunda etapa do procedimento e ele só *parece* confuso e caótico. A realidade é que vocês estão crescendo lindamente e chegando perto de outro nível de desempenho. "Em toda desordem há uma ordem secreta", disse o famoso psicólogo Carl Jung.

Ele fez uma pausa, respirando fundo.

— Durante a programação dessa nova e inestimável rotina matinal, toda a estrutura do seu cérebro viverá uma reviravolta enquanto vocês fabricam novos caminhos neurais. Todo o sistema está sendo reestruturado. Vocês estão em território seriamente desconhecido, germinando um broto verde, indo para o oceano azul, conquistando novos territórios de potencial e acessando universos maiores de otimização humana. Como o hormônio do medo cortisol está alto nesse momento, vocês ficarão assustados boa parte do tempo. Tudo o que está acontecendo no cérebro consome grandes reservas de energia, então vocês vão ficar exaustos com frequência na segunda etapa da instalação de hábito. Os sábios antigos, videntes e filósofos chamavam essa transformação pessoal profunda de "noite escura da alma". A lagarta está virando borboleta, de modo igualmente confuso e mágico. Os místicos definiram essa mudança real e profunda como uma jornada envolvendo uma série de pequenas mortes. *O eu antigo deve morrer para que uma nova versão melhorada possa renascer.* Segundo o Orador Fascinante, "Para avançar rumo à grandeza é preciso enfrentar a aniquilação de sua fraqueza". São palavras dramáticas, admito, mas o guru fala a verdade. Na segunda etapa,

O CLUBE DAS 5 DA MANHÃ

algumas vezes vocês podem sentir que tudo está desabando, mas na verdade tudo está melhorando. Muitas vezes a percepção humana não é a realidade, como vocês já aprenderam. É apenas vocês vendo o mundo por uma lente. A ilusão de segurança é sempre mais mortal do que a ascensão rumo à maestria. Fiquem na segunda etapa do processo por aproximadamente 22 dias e saibam que recompensas *incomensuráveis* estão por vir.

— Adorei tudo o que você acabou de dizer — interrompeu o artista. — Vou instalar o ritual de acordar cedo pelo restante de minha vida, mesmo se eu morrer tentando — prometeu a si mesmo.

O bilionário ficou quieto.

— Já passei por esse processo de destruição e transformação muitas vezes. Sempre que busco um novo hábito, aumentar minha habilidade ou até uma crença central mais evoluída, eu entro nesse ciclo de morte e renascimento e preciso dizer que parece mesmo o fim. Vocês vão ficar muito assustados em alguns momentos, bastante cansados por um tempo e confusos pelo que a voz sombria do ego vai dizer. Vocês vão até sentir que estão enlouquecendo. É por isso que tão poucos fazem esse trabalho, chegando ao ar rarefeito do desempenho épico e causando impacto mundial na cultura. É um trabalho apenas para os verdadeiros guerreiros, pois exige enorme coragem, imensa convicção e força de caráter incomum. Vocês têm tudo isso, basta colocar em prática. Como disse, com a prática e a paciência tudo vai ficar mais fácil, até se tornar automático. Certo, caras. — O bilionário bateu palmas como um técnico de futebol estimulando seus jogadores. — Sei que vocês estão aprendendo lindamente, então vamos continuar. O processo de instalação de novos hábitos exige a quebra de antigos padrões, o que acontece na primeira etapa. Depois, vem a formação dos novos circuitos cerebrais, que acontece na segunda fase. Ao fazer isso, vocês certamente chegarão à terceira e última etapa do processo: a Integração. Lembrem-se: toda mudança é difícil no começo, confusa no meio e *maravilhosa* no final.

Ele fez uma pausa, sorriu gentilmente e tocou a ponta dos pés. Em seguida, beijou a carne entre os dedos de novo e continuou os ensinamentos.

— A etapa final é quando tudo se reúne e vocês vivem os benefícios do compromisso fantástico de participar do Clube das 5 da Manhã pelo resto da vida — explicou. — Vocês estão quase no fim do período de aproximadamente 66 dias necessários para que o cérebro e o ser humano codifiquem uma rotina. Agora é a hora do sucesso. Vocês avançaram pela ruptura inicial, passaram pelo perigo e caos da fase do meio e chegaram ao outro lado mais fortes, habilidosos e íntimos de sua natureza invencível e suprema. Agora, vocês são a próxima versão do seu maior eu, capazes de ter desempenho melhor, influenciar mais gente pela força gloriosa do exemplo e ser mais úteis ao mundo, porque são donos do seu heroísmo primal. Todo o trabalho árduo, sacrifício. sofrimento, consistência cuidadosa e bravura brilhante se reúnem nessa etapa, à medida que o novo hábito no qual vocês estão trabalhando se integra em nível psicológico, emocional, físico e espiritual. E vira seu novo normal.

— Normal? A vida fica fácil? — perguntou o artista.

O bilionário subitamente se jogou no chão de mármore do Taj Mahal e começou a fazer mais flexões. Ele parecia um boxeador treinando para a luta principal da noite.

— O que raios você está fazendo agora? — perguntou a empreendedora, divertindo-se com a situação. "Ele é mais louco do que imaginei. Adoro ele", pensou.

— O objetivo primário da vida é o crescimento, esforçar-se continuamente para materializar cada vez mais do seu potencial. As flexões diárias não só me deixam em um estado de otimização contínua rumo ao nível mundial, como é um ótimo jeito de me manter jovem, feliz e vivo. O tédio mata o espírito humano.

O industrial se levantou.

— Para o grande atleta, o alto de uma montanha é a base da próxima. A instalação de um novo hábito excelente traz a importante oportunidade de começar o próximo. Faço mil flexões por dia, sabem? É um exercício soberbo, um dos melhores. É tão simples e me deixa magro e definido. Bom para os músculos do *core* e também trabalha os glúteos — disse o bilionário com uma expressão esquisita. — Além disso, fazer mil flexões por dia também é um ritual para me lembrar de seguir em frente, continuar expandindo e elevando a mente, coração, saúde e alma rumo ao melhor. Sinceramente, não tenho medo de cair. Isso faz parte de aprender a voar. Eu fico horrorizado é com a ideia de não crescer.

— Entendi — disse a empreendedora, rabiscando freneticamente em seu bloco de anotações.

Em seguida o bilionário passou o dedo indicador pelo modelo de aprendizado e parou na área que dizia "O ponto de automatização".

— O empolgante é que após chegar ao ponto de automatização não é preciso mais ter força de vontade para levantar às cinco da manhã. A instalação do novo regime em seu sistema operacional humano foi terminada. Acordar antes do nascer do sol passa a ser natural e fácil. Este é o verdadeiro presente pela excelência e dedicação ao longo de aproximadamente 66 dias. *A força de vontade que estava sendo usada para criar o hábito de acordar cedo agora está livre para outro comportamento de nível mundial,* para que vocês sejam ainda mais produtivos, prósperos, alegres e bem-sucedidos. Este é o segredo oculto de todos os atletas profissionais, por exemplo. Não é que eles tenham mais autodisciplina que as pessoas comuns, eles apenas capitalizaram o controle de impulsos por 66 dias até a instalação das rotinas vencedoras. Depois disso, eles redirecionam a força de vontade para outra tarefa, capaz de melhorar o conhecimento, e outra prática, que os ajudará a liderar sua área e conquistar vitórias. Várias instalações de hábitos seguidas: é assim que os profissionais jogam. Com o tempo, os comportamentos vencedores ficam automatizados, sistematizados e institucionalizados. Não foi exigido esforço algum para executá-los depois que foram instalados. Além disso, os superastros praticam os hábitos vitoriosos com tanta frequência que chegaram a um ponto em que nem se lembram de *não* fazê-los.

— Chegam a um ponto em que é mais fácil executá-los do que não executá-los, certo? — comentou a empreendedora.

— Absolutamente correto — respondeu o bilionário.

O artista estava empolgado.

— Isso é muito valioso para mim na vida pessoal e em meu trabalho como pintor. Pelo que entendi do processo, cada uma das três etapas, Destruição, Instalação e Integração, leva aproximadamente 22 dias, não é?

— Isso mesmo. A rotina fica automatizada por volta de 66 dias. Esse é o ponto de automatização porque os hábitos levam cerca de nove semanas para serem instalados. Não parem de levantar às cinco da manhã depois de uma semana nem desistam quando ficarem confusos no meio do processo. Mantenham-se incansáveis ao longo de todo o exercício passando por todos os problemas e desafios, assim como Shah Jahan e seus trabalhadores fizeram ao criar o Taj Mahal, uma das maravilhas do mundo. O incrível exige paciência e a genialidade exige tempo. Mantenham-se verdadeiros na dedicação a reservar uma hora quando o sol nasce e a maioria dorme de modo a desenvolver os quatro impérios interiores que vão prepará-los para realizar todos os outros impérios que seu grande coração desejar. Não deixem de lado o chamado para desenvolver seus talentos mais completos, aumentar o poder espetacular, multiplicar a felicidade e descobrir um paraíso de paz dentro de vocês que evento externo algum poderá reduzir. É assim, meus amigos, que vocês passam a ser invencíveis, indestrutíveis, verdadeiros mestres do seu domínio e uma maravilha do mundo do seu jeito singular.

— Amei isso — elogiou a empreendedora. — Bravo. Totalmente útil. Explica por que tão poucas pessoas têm os hábitos necessários para conquistar a maestria. Elas não mantêm o compromisso inicial por tempo suficiente para que funcione. Todos poderiam fazer isso, mas não fazem.

— Pois é — concordou o bilionário. — É por isso que a informação, a educação, o aprendizado e o crescimento têm importância vital. A maioria não conhece esse modelo transformador e as ideias práticas que revelei para vocês. Como não conhecem, não podem colocá-lo em prática, e o conhecimento não aplicado é um desperdício de potencial. Todos nós somos feitos para o triunfo, independente da forma que escolhemos para definir o que é triunfo. Contudo, a maioria de nós nunca aprendeu essa filosofia e metodologia que o Orador Fascinante me ensinou e agora estou passando a vocês. Peço apenas que ensinem o máximo de pessoas possível sobre o trabalho do

Orador Fascinante. Assim, podemos ajudar as pessoas a sair da escuridão da apatia, mediocridade e escassez para encontrar o poder inerente e obter realizações impressionantes pelo resto da vida. Meu Deus, precisamos fazer desse mundo um lugar melhor, mais saudável, mais seguro e mais amoroso.

— Sem dúvida — concordaram a empreendedora e o artista juntos.

A empreendedora em seguida parou para absorver a natureza inesquecível da cena ao redor. Ela estava ao lado de um homem por quem se apaixonara inesperadamente em uma aventura bizarra, linda e maravilhosa. Ela também estava em uma das Sete Maravilhas do Mundo, na Índia, país que sempre desejou visitar pelo visual de tirar o fôlego, gastronomia exótica e os cidadãos extraordinários do país.

Ela refletiu sobre o que aconteceu em seu mundo. As manipulações, roubos, traições e deslealdades. Naquele momento, a empreendedora riu. Não foi o riso forçado que tantos de nós ouvimos em reuniões de negócios, onde muita gente boa usa máscaras sociais para se encaixar, parecer poderosa e bacana, tudo isso por medo. Não, esta era a alegria palpável de uma pessoa que acabou de descobrir verdadeiros tesouros para viver com sabedoria.

Naquele momento, a empreendedora percebeu o quanto era abençoada.

A tentativa de tomada hostil se resolveria, pois a vida sempre dá um jeito de acertar tudo da melhor forma. Claro, ela aprendeu a não reprimir a sensação natural de raiva, decepção e, às vezes, tristeza que surgiam de tempos em tempos quando pensava na situação. Isso era apenas ela sendo humana, real e até corajosa, não fraca. Agora ela também entendia que havia algo muito mais importante que saúde, aclamação e fama. E que muitas pessoas financeiramente ricas na verdade são desesperadamente pobres.

— Nada é tão valioso quanto a minha felicidade. Nada é tão inestimável quanto minha paz de espírito — pensou a empreendedora.

Ela encontrou o amor, estava com a saúde excelente, tinha vários motivos para ser grata: dois olhos para ver o esplendor deste mundo maravilhoso, duas pernas, para explorá-lo, comida na mesa todos os dias, quando bilhões dormem de barriga vazia, e um teto para chamar de seu e fornecer abrigo. Ela possuía livros sábios na biblioteca de sua casa, um trabalho

ROBIN SHARMA

que alimentava a criatividade e, como o bilionário costumava dizer, uma oportunidade de conquistar a maestria não só para benefício próprio como para o bem da sociedade.

Assim, enquanto o sol nascia no abundante céu indiano, dentro do majestoso mausoléu que eletrificou a inspiração de tantos visitantes, a empreendedora decidiu fazer algo que todos nós precisamos fazer mais.

Ela perdoou.

A empreendedora abriu mão de sua hostilidade em relação aos investidores, liberou o ressentimento que sentia por eles e abriu mão de cada uma de suas decepções importantes. A vida é curta demais para levar tudo tão a sério. No fim das contas, não importa se os capitalistas de risco têm a propriedade de sua empresa, e sim no que a empreendedora se transformou como ser humano, além da qualidade do ofício que produziu, quantas pessoas ela ajudou, o quanto ela riu e como viveu bem.

O bilionário tinha razão: cada ser humano faz o melhor que pode com base em seu nível de consciência naquele momento e no grau de verdadeiro poder que consegue comandar. Se os investidores soubessem mais, eles teriam feito melhor. Essas pessoas geraram dor e sofrimento para ela porque estão sofrendo em nível profundo e subconsciente. Quem fere os outros, se odeia em silêncio. Esse jeito mais nobre de encarar a vida não é comum em nossa civilização, mas talvez seja por isso que o mundo é cheio de guerras, perigo e ódio. Talvez, considerou ela, esses bandidos corporativos fossem professores enviados pela melhor natureza da vida para levá-la ao limite e chegar a esse ponto de desespero e falta de esperança que precisava, para mudar e aprender a voar. Como ensinou o bilionário, tudo o que ela viveu pode ter sido a preparação necessária para se transformar na pessoa que precisava a fim de realizar o potencial de seus dons mais luminosos e cumprir a promessa de seu destino maior, de um jeito que beneficie a humanidade. Quando enfrentamos o risco de perder tudo, nós aprendemos a conhecer o eu maior.

Esse mentor estranho, excêntrico e imensamente sincero diante dela, sr. Stone Riley, abriu o coração, explicando como a disciplina diária simples de entrar para o Clube das 5 da Manhã, embora não seja inicialmente fácil, transformaria a produtividade, prosperidade e o bem-estar de qualquer pessoa que aplicasse o método. Ele manteve cada uma das promessas grandiosas feitas naquele bizarro primeiro encontro, na palestra do Orador Fascinante. Ele provou que era não só um titã da indústria como também da integridade e da decência.

— Precisamos de mais gente desse tipo — pensou ela. — Mulheres e homens que sejam líderes puros, pessoas que influenciam não pela força de um título ou pela ameaça de uma grande posição, e sim pelo poder do caráter, a nobreza do conhecimento, a compaixão no coração e pela dedicação incomum a deixar todos que conhecem melhor do que quando os encontram. Esses líderes não funcionam segundo os vícios egoístas do ego, e sim pelos ditames altruístas da sabedoria maior.

A empreendedora lembrou-se das palavras da poetisa Maya Angelou: "Meu desejo é que você continue a ser autêntico e a surpreender esse mundo cruel com seus atos de gentileza."

As instruções de Madre Teresa também vieram à mente da empreendedora: "Se todos cuidassem do próprio quintal, o mundo todo estaria limpo."

E assim, naquele início de manhã tão especial em um dos monumentos mais esplêndidos do mundo, ela não só perdoou como fez um pacto consigo mesma. Entendendo como nunca havia feito antes que otimizar o eu é a melhor forma de melhorar o estado do mundo e desenvolver a genialidade interior é o jeito mais rápido de elevar o relacionamento com tudo que é externo, a empreendedora prometeu nunca mais pensar em tirar a própria vida e também jurou que acordaria às cinco da manhã todo dia, pelo resto da vida, e se daria o presente da Hora da Vitória livre das distrações triviais, dos estímulos sem importância e das complicações desnecessárias para continuar a calibrar a mente, purificar o coração, fortalecer a saúde e elevar a alma.

Ela exigiria isso de si mesma, não importa quais desculpas e racionalizações a parte mais fraca e assustada de sua personalidade inventasse. Porque ela merecia vivenciar sua grandeza e queria ser uma das heroínas pelas quais todos esperamos.

ROBIN SHARMA

— Enfim — gritou o bilionário de modo inadequadamente alto. — Três táticas finais e ultrapráticas para instalar novos hábitos. Dediquei muito tempo a este assunto porque é absolutamente essencial para o sucesso. Vou ensinar rapidamente três técnicas confirmadas por estudos para ajudar a estabelecer a rotina do Clube das 5 da Manhã. Depois, nós vamos embora.

Ele pegou a lanterna e focalizou os raios no teto da câmara, mostrando as tatuagens cerebrais a seguir:

1. *Para fazer um hábito durar, nunca instale-o sozinho.*

2. *O professor é o que mais aprende.*

3. *Quando você sentir mais vontade de desistir é a hora que mais precisa avançar.*

O bilionário sorriu de novo.

— São instruções bem simples, não é? Profundamente simples porque são simplesmente profundas. A primeira frase lembra que os rituais são mais profundos quando realizados em grupo. É por isso que ser integrante do Clube das 5 da Manhã é tão potente. Você não está instalando a rotina matinal sozinho. Estamos nisso juntos e meu desejo sincero é que tragam o máximo de pessoas que puderem para o clube quando voltarem para casa. Quem estiver pronto para acordar cedo conseguirá fazer trabalhos de nível mundial e criar uma vida fenomenal. Há muito tempo grupos de apoio são um método comprovado de fazer progressos duradouros. Então, aproveitem esse conceito de modo brilhante.

Ele tossiu. Depois, esfregou o peito como se estivesse sentindo dor. Ele fingiu que ninguém havia notado e continuou a discursar:

— A segunda frase lembra que é realmente necessário ensinar a filosofia e metodologia que vocês estão aprendendo comigo. Ao fazê-lo, a compreensão do material vai se aprofundar de modo ainda mais soberbo. De várias formas, educar os outros sobre tudo o que compartilhei será um presente

O CLUBE DAS 5 DA MANHÃ

que vocês darão a si mesmos.

— Nunca pensei nisso dessa forma — observou a empreendedora.

— É verdade — informou o bilionário. — A última frase é a mais importante. Lembrem-se de que a persistência é necessária para todas as formas de maestria. O momento em que vocês acharem impossível seguir adiante representa enorme oportunidade para forjar um nível inédito de força de vontade. Quando vocês sentirem que não conseguem continuar, progridam um pouco mais. O músculo da disciplina será consideravelmente amplificado e o grau de respeito que vocês têm por si mesmos vai aumentar imensamente. E nada é tão essencial para a produtividade exponencial, liderar sua área de trabalho e criar uma vida que você adora quanto aumentar a autoestima.

De repente e sem qualquer pista do que estava por vir, o bilionário plantou bananeira. De olhos fechados, ele recitou este pensamento do escritor e filósofo Gerald Sykes: "Qualquer conquista sólida precisa necessariamente levar anos de aprendizado humilde e separação da maior parte da sociedade."

— Vocês dois, seres humanos incríveis, merecem materializar o melhor de si e conquistar proezas épicas — disse o bilionário, voltando para a Terra. — Não traiam os poderes que dormem em vocês ao ficar até tarde na cama macia que os deixa sedados. Os grandes homens e mulheres do mundo não chegaram a esse nível porque relaxaram glamourosamente embaixo das cobertas e sim por terem estabelecido ambições sublimes que decidiram *fazer*, mesmo sendo considerados malucos pela maioria. O nível mundial exige tempo, compromisso, sacrifício e paciência, como o Taj Mahal nos mostra, e o heroísmo nunca ocorre em uma estação. Codifique o hábito das 5 da manhã, fique com o processo indefinidamente e siga adiante quando sentir mais vontade de parar. Fazer isso vai transformar vocês em lendas e selar seu destino como pessoas dignas de ter influência mundial.

Em seguida, Stone Riley ficou em pé, abraçou seus dois alunos e desapareceu por um corredor de mármore.

Capítulo 13

O Clube das 5 da Manhã aprende a fórmula *20/20/20*

"No início da manhã, quando você estiver relutando e com preguiça de levantar, deixe este pensamento à mão: 'Estou levantando para fazer o trabalho de um ser humano.'"
— **Marco Aurélio, imperador romano**

"Roma está em minhas veias. A energia da cidade percorre o meu sangue e seu tipo singular de magia restaura meu espírito", pensou o bilionário enquanto o jatinho taxiava pela pista do aeroporto particular. A canção *Magnolia* do grupo musical italiano Negrita pulsava nos alto-falantes do avião enquanto o magnata mexia os ombros ágeis de acordo com a batida. "O orgulho feroz, as paixões fantásticas e o coração glorioso dos romanos me inspiram muito", afirmou ele para si mesmo. "O modo como a luz cai na Trinitá dei Monti, a igreja que coroa a Escadaria da Praça da Espanha, sempre eleva minha alma e costuma provocar lágrimas aos meus olhos. A gastronomia requintada, incluindo a *mozzarella di bufala*, *cacio e pepe*, *amatriciana* e *carbonara*, junto com o *abbacchio* assado, aumenta meu desejo de maximizar o apreço pela vida. E a arquitetura, cuidadosamente elaborada nesta cidade que é um museu a céu aberto, onde adoro caminhar na chuva, fala tanto ao guerreiro quanto ao poeta que há em mim", refletiu o magnata enquanto o jatinho se aproximava do portão.

O bilionário passou alguns dos melhores anos de sua vida fantástica (embora longe de ser perfeita) em Roma, morando em um apartamento no centro histórico da Via Vittoria. Para Zurique e as outras casas ele ia principalmente para trabalhar em projetos e gerenciar seus objetivos comerciais globais, mas Roma... Ah, Roma era para admirar e nutrir o apetite pela alegria.

Inalar o perfume de gardênias na primavera e fazer longas caminhadas ao lado do templo que fica no lago do parque Villa Borghese eram duas de suas atividades favoritas na vida. Acordar às cinco da manhã, antes que o tráfego movimentado de Roma ocultasse um pouco de sua magnificência e andar de *mountain bike* pela Fontana di Trevi até Monti, passando pelo Coliseu e, por fim, chegando à Piazza Navona para sentar-se e apreciar esta maravilha de igreja em uma praça tão exaltada lembrava a ele do brilhantismo que só o início da manhã pode trazer. Muito mais do que sua riqueza, tais experiências lhe davam a sensação de prosperidade e de estar vivo.

Você precisa saber que o grande amor da vida do bilionário veio de Roma. Ele a conheceu em uma livraria de língua inglesa pouco depois da fabulosa Via dei Condotti, a rua onde as lojas de grife de moda famosas da Itália instalam suas lojas conceito. Embora estivesse na casa dos trinta anos, o titã ainda estava solteiro, naquele primeiro encontro, uma espécie de playboy conhecido por gostar dos prazeres mais sofisticados do mundo. Ele ainda se lembrava do livro que pediu a ela para encontrar: *Fernão Capelo Gaivota*, de Richard Bach, o romance maravilhosamente transformador sobre uma gaivota que sabia que era capaz de voar mais alto que o bando e embarcou em uma jornada inesquecível para transformar esse conhecimento interior em realidade.

Vanessa rapidamente deu a ele uma cópia. Ela era excessivamente educada embora distante de um jeito que o deixou frustrado, então foi ajudar outro cliente.

Foi preciso mais de um ano com o bilionário visitando a loja repleta de livros organizados em velhas prateleiras de madeira que enchiam as paredes gastas pelo tempo para que a jovem aceitasse jantar com ele. A busca do bilionário foi movida pelo tipo de beleza discreta, inteligência ardente, estilo pessoal boêmio e a risada estranha que o deixava feliz como uma família de abelhas em um imenso pote de mel.

Eles se casaram na encantadora cidade à beira-mar de Monopoli, na região de Puglia, no Sul da Itália.

— Como aquele dia foi especial — lembrou o barão, saudoso. — A música soava pela praça principal enquanto todos nós dançávamos despreocupadamente e com empolgação sob o brilho de uma lua cheia. A *burrata* fresca, a massa *orecchiette* feita pela avó do chef, o povo da cidade se juntando à festa animada, mostrando a hospitalidade italiana, trazendo garrafas de vinho Negroamaro feito em casa e Primitivo como presentes de casamento. Toda a experiência ainda o comovia imensamente.

O relacionamento do bilionário com Vanessa foi tão sensacional quanto volátil, como acontece em várias histórias de amor épicas. Às vezes (na verdade, frequentemente) a conexão romântica intensa aumenta a dor que tem raízes profundas. Com aquela pessoa especial, nós finalmente nos sentimos seguros para tirar a armadura social e mostrar o verdadeiro eu. Assim, o outro consegue ver a totalidade de nossa maravilha, paixão e luz, mas isso também gera um vislumbre intenso do lado sombrio que todos temos, o lado que vem das mágoas acumuladas, à medida que vivemos.

Em *O Profeta*, Khalil Gibran escreveu: "Quando o amor vos chamar, segui-o. Embora seus caminhos sejam agrestes e escarpados. Embora a espada oculta na sua plumagem possa ferir. Embora sua voz possa despedaçar seus sonhos como o vento norte devasta o jardim. Todas essas coisas o amor operará em vós, para que conheçais os segredos de vossos corações." Apesar da natureza turbulenta do casamento, o bilionário e a esposa de beleza impressionante conseguiram ficar juntos por várias décadas.

Embora ela tenha falecido subitamente há muitos anos, ele não voltou a se casar. O magnata não se permitiu cair de amores novamente, preferindo expandir seu império de negócios, as empreitadas filantrópicas e apreciar sozinho a vida genuinamente adorável que conquistou.

O bilionário pegou a carteira no bolso, tirou lentamente uma fotografia amassada de Vanessa e olhou para ela, hipnotizado pela imagem. Depois, começou a tossir de novo. Vigorosamente.

— Tudo bem, chefe? — perguntou um dos pilotos, da cabine.

O bilionário permaneceu calado, olhando para a fotografia.

A empreendedora e o artista tinham ido de avião para Roma alguns dias antes e estavam encantados com os pontos turísticos, o esplendor e as raridades da Cidade Eterna. De mãos dadas, absorvendo a energia e a beleza de Roma, eles cruzaram as ruas de paralelepípedos por onde passaram grandes construtores e nobres imperadores.

Hoje era o dia tão esperado. Esta manhã eles aprenderiam a *fórmula 20/20/20* que era a base do método do Clube das 5 da Manhã. Os dois alunos aprenderiam sobre granularidade e precisão sobre o que fazer na Hora da Vitória, a janela de oportunidade que acontece entre cinco e seis da manhã, para que pudessem apreciar dias incríveis de modo consistente.

Hoje eles descobririam em detalhes como usar bem as manhãs para criar uma existência de nível mundial.

Conforme pedido pelo bilionário, os dois estavam no alto da Escadaria da Praça da Espanha. Eram precisamente cinco da manhã. Se você ficasse na plataforma embaixo do obelisco e olhasse para baixo, veria o ponto exato onde estavam o mentor e seus dois alunos naquela manhã.

Os primeiros raios do sol romano beijaram a Trinità dei Monti, enquanto os namorados contemplavam a cidade, repleta de cultura. Os antigos romanos eram conhecidos pela grandeza de visão, escala de seus prédios e pela habilidade sobrenatural de construir monumentos que traíam a realidade da engenharia. Os dois podiam ver a Basílica de São Pedro e o túmulo do imperador Augusto, além das Sete Colinas cruciais para proteger o império que começou como um pequeno vilarejo às margens do rio Tibre e se expandiu para quarenta países, espalhando-se pela Europa, Ásia e África. O ar tinha aroma de notas florais e fumaça, como se um fogo queimasse ao longe.

— *Buongiorno!* Domine sua manhã. Eleve sua vida — gritou uma voz, quebrando a tranquilidade.

Era o bilionário, com o entusiasmo que você ouviria de soldados romanos ao conquistar uma vitória crucial.

O sr. Riley caminhava pelas primeiras brasas da manhã ostentando o sorriso de um homem na magia da vida. Ele escolheu usar óculos escuros italianos chiques para essa importante sessão de *coaching* e vestia um quebra-vento italiano por cima de uma camiseta preta com as iniciais SPQR, calças pretas e tênis de corrida laranja.

— *Tutto bene?* — perguntou ele, feliz da vida.

— Estamos bem — disse a empreendedora, alegre, entendendo algumas palavras de italiano.

— Tudo ótimo — confirmou o artista.

— Chegou o grande dia, caras. A lição de hoje, ensinada por este seu mentor devorador de queijo e massa *tonnarelli*, diz respeito à *fórmula 20/20/20*. Finalmente estamos aqui, prontos para calibrar sua rotina matinal de modo que vocês dois materializem sua promessa de genialidade e levem uma vida de alegria ilimitada. Vocês vão amar o que estão prestes a ouvir. O restante de sua vida nunca mais será o mesmo — declarou o ilustre industrial.

Enquanto o sol nascia lentamente, foi possível observar uma tatuagem inédita nas costas da mão esquerda do bilionário, onde estava escrito apenas "20/20/20".

Os raios de luz se congregaram por cima da cabeça dele, dando a aparência de um halo. A cena era totalmente etérea. Você teria ficado impressionado.

— Isso é novo? — perguntou o artista, curioso. — Não tinha notado antes.

— Sim — respondeu o magnata. — Uma pessoa da Trastevere fez para mim ontem à noite. Bacana, não é? — disse o bilionário, parecendo tão inocente quanto um recém-nascido.

— Mais ou menos — pronunciou o artista soltando um bocejo monstruoso e bebendo café em um copo para viagem. — O café aqui na Itália é ótimo — acrescentou.

— Bom, a tatuagem é temporária — admitiu o bilionário. — Eu fiz porque hoje é o dia da *fórmula 20/20/20*. É realmente um dos dias mais importantes do nosso treinamento. Sinto-me abençoado por estar aqui com vocês dois. Estou começando a sentir que somos uma família. E estar de volta a Roma é incrivelmente especial. Parei de vir aqui depois que minha esposa Vanessa faleceu. Dói muito estar nesta cidade sem ela — confessou, antes de desviar o olhar.

Em seguida, Stone Riley colocou a mão no bolso da calça e puxou um ossinho da sorte, colocando o objeto cuidadosamente em um degrau que tinha uma série de desenhos misteriosos. A aparência da cena era a seguinte:

O bilionário pediu a seus dois convidados que formulassem um desejo, depois solicitou que eles quebrassem o ossinho, como sinal de boa sorte.

— Trouxe isso para a sessão de hoje não apenas com o intuito de criar um clima legal para vocês, caras — continuou o bilionário. — Quero que vocês se lembrem de que um ossinho da sorte sem uma espinha dorsal não adianta nada — explicou. — É meio a ideia do "comprometimento parcial gera resultados parciais" que aprendemos antes? — perguntou o artista.

— E mais a questão de '"nenhuma ideia funciona sem que você trabalhe por ela" — reforçou a empreendedora fazendo uma postura de yoga no sol que aumentava.

— Mais ou menos — respondeu o bilionário. — Sei que vocês querem levar vidas produtivas, excelentes, felizes e significativas. Integrar o Clube das 5 da Manhã é o único entre todos os hábitos possíveis capaz de garantir que essa ambição poderosa se realize. É a melhor prática que já encontrei para traduzir a intenção de viver gloriosamente em uma realidade diária. Sim, sonhos e desejos são apenas ossinhos da sorte. Levantar antes do nascer do sol é a espinha dorsal para fazer tudo isso.

— O poder de levantar cedo realmente vem da aplicação diária da *fórmula 20/20/20* — continuou o magnata. — E daqui a poucos segundos, vocês serão expostos a essa rotina matinal impressionante e poderosa.

O CLUBE DAS 5 DA MANHÃ

— Já estava na hora! — disse o artista, colocando os óculos de sol de lentes verdes para proteger os olhos da luz que começava a tomar os espaços vazios em torno da Escadaria da Praça da Espanha e da praça de paralelepípedos onde está a famosa fonte situada em torno da escultura de um antigo barco feita por de Bernini.

— Quero um abraço antes de começar, pessoal! — pediu o bilionário carinhosamente, já estendendo os braços na direção do artista e da empreendedora. — Bem-vindos a minha querida Roma! —acrescentou ele enquanto a canção *Come un Pittore* do grupo Modà era ouvida por uma janela aberta de um apartamento nas proximidades, cuja cortina da janela flertava com a brisa suave.

— Certo, vamos mandar ver. Saibam que sua criatividade, produtividade, prosperidade, desempenho e utilidade para o mundo além da qualidade de sua vida particular não vão se transformar apenas ao levantar às cinco da manhã. Não é apenas o ato de levantar cedo que faz esse regime ser tão poderoso. Suas ações nos sessenta minutos após levantar é que fazem o Clube das 5 da Manhã ser tão revolucionário. Lembrem-se: a Hora da Vitória dá uma das maiores janelas de oportunidade de sua vida. Como agora vocês sabem, o jeito de começar o dia influencia dramaticamente o desenrolar dele. Algumas pessoas acordam cedo, mas destroem o valor da rotina matinal vendo as notícias, navegando na internet, olhando as redes sociais e verificando mensagens. Tenho certeza que vocês dois entendem que esse comportamento vem da necessidade de uma dose rápida de prazer causada pela dopamina e uma fuga do que é realmente importante. Essa forma de agir leva integrantes da maioria a não fazer o que precisam no sentido de aproveitar a quietude desse momento especial de modo a maximizar a grandeza para que dias incríveis aconteçam de modo consistente.

— E à medida que criamos cada dia, construímos a vida, certo? — afirmou o artista, confirmando a informação aprendida na praia do composto à beira-mar do bilionário. — É o *princípio da acumulação de dias*, um dos *quatro focos de quem faz história* que você nos explicou. Ainda me lembro daquele modelo.

207

— Absolutamente correto — aplaudiu o bilionário. — Também preciso dizer que começar o dia de modo inteligente, saudável e tranquilo não diz respeito apenas a otimizar o sucesso público e privado. Também é uma questão de protegê-lo.

Subitamente, um homem em uma carroça e vestido de gladiador passou pela praça conhecida como Piazza di Spagna gritou:

— *Buongiorno*, sr. Riley. — E seguiu seu caminho.

— *A dopo* — respondeu o bilionário, alto o suficiente para que o homem ouvisse — Fantasia irada, não é? — disse ele aos alunos.

O bilionário esfregou a falsa tatuagem e olhou na direção do Coliseu.

— O homem que acabamos de ver me faz pensar no Auriga, um tipo de escravo na Roma antiga que transportava importantes líderes romanos e era escolhido por ser confiável. O barato é o seguinte: outra função crucial do Auriga era ficar atrás do general militar conhecido como Dux e sussurrar as palavras "*Memento, homo*" cuidadosamente em seu ouvido ao colocar a coroa de louros na cabeça dele.

— O que isso significa? — perguntou a empreendedora.

Hoje ela vestia calça jeans desbotada, camiseta em tom vermelho vivo com gola em V e tênis de corrida brancos. No cabelo, o rabo de cavalo que ela gostava, e o visual era complementado por algumas pulseiras. Ela irradiava otimismo.

— *Memento homo* significa "Lembre-se, você é apenas um homem" em latim — respondeu o bilionário. — O Auriga fazia isso para diminuir a arrogância do líder e ajudá-lo a gerenciar o inevitável convite ao egoísmo que inescapavelmente surge com todo grande sucesso. O ritual era uma disciplina profunda para garantir que o Dux continuasse obsessivamente concentrado na verdadeira missão de se aperfeiçoar, além de melhorar o império que governava, sem diluir toda a energia nas distrações e excessos que levam à queda de dinastias.

— Olha, eu vi alguns artistas geniais acabarem com impérios criativos e destruírem a boa reputação porque não gerenciaram bem o sucesso, então entendo — contribuiu o artista.

— Com certeza! — disse a empreendedora. — Quer dizer, definitivamente — corrigiu-se ela, apertando a mão do novo namorado. — Já vi muitas companhias terem sucesso rápido e perderem a fatia de mercado porque se apaixonaram pela fórmula vencedora, perderam o fogo, ficaram inchados e arrogantes. Eles caíram na falsa crença que o fato de haver longas filas para seus produtos excelentes significava que sempre haveria longas filas, mesmo sem aperfeiçoar seus produtos, melhorar o atendimento ao cliente e garantir que todo funcionário continue a aumentar seu desempenho de liderança. Então, também entendo, sr. Riley.

— Excelente — foi a resposta dele, em uma palavra.

— Ao aplicar a *fórmula 20/20/20*, lembrem-se sempre de continuar melhorando o jeito de usá-la toda manhã. Mantenham-se famintos. Persistam na mentalidade de iniciante em relação a isso, pois *nada falha como o sucesso*. Uma vez que vocês vivenciarem o quanto esta prática é transformadora, será fácil começar a se desviar ou até deixar de lado alguns passos do processo.

O bilionário tocou o dedo indicador em um dos degraus, depois fechou os olhos e recitou calmamente estas palavras:

— É hora de parar de fugir do eu superior e aceitar que você faz parte de uma nova ordem de habilidade, bravura e entendimento de sua vocação para inspirar a humanidade.

Em seguida ele andou pela plataforma de pedra na Escadaria da Praça da Espanha e levantou dois dedos da mão direita para fazer o sinal universal de paz. Depois, acenou na direção de um homem sentado em um banco e assando castanhas na Piazza Di Spagna, perto da Via dei Condotti. O homem usava uma camisa cinza toda amassada no peito, calça azul-marinho e tênis de corrida amarelos.

Ao ver o sinal, o homem imediatamente ficou em pé e correu pela praça, subindo os degraus de três em três até o topo, onde estava o bilionário. Ele levantou a camisa amassada, revelando um colete à prova de balas e puxou uma folha de papel plastificada debaixo da indumentária.

— Aqui está, Grande. Bom vê-lo de volta a Roma, chefe. — O homem falou com forte sotaque italiano e voz rouca.

— *Grazie mille! Molto gentile, Adriano* — agradeceu o bilionário, beijando a palma de uma de suas mãos antes de estendê-la na direção do funcionário. — O Adriano está na minha equipe de segurança — observou o sr. Riley estudando a página que acabara de receber. — Ele é um dos melhores. Cresceu na cidade de Alba, na região do Piemonte desta nação excepcional. Vocês, caras, gostam de *tartufo*?

— O que é isso? — perguntou o artista, confuso pelo que acabara de acontecer.

— Trufas, cara! — empolgou-se o bilionário. — Minha nossa, elas têm um gosto incrível. Com massa *tagliolini* e manteiga derretida por cima. Ou em cima de ovos fritos fresquinhos. É o alimento dos imperadores! — Os olhos do bilionário ficaram vastos como um descampado ao imaginar a refeição que descrevia. Uma linha fina de saliva se formou no canto direito da boca. Sim, ele babou. Para lá de esquisito, não é?

Adriano, que continuava a postos, entregou discretamente um lenço ao patrão e depois olhou para a empreendedora e o artista com uma expressão que parecia dizer: "Eu sei que ele é estranho, mas nós o amamos também."

Foi então que as quatro pessoas naquele lugar absurdamente encantador começaram a rir. Juntas.

— Tenha uma ótima manhã, chefe — desejou Adriano, preparando-se para ir embora. — Vejo vocês em Testaccio esta noite. Muito obrigado por me convidar para jantar com vocês hoje. Vamos comer *cacio e pepe* como sempre?

— *Si* — confirmou o bilionário. — *A presto.* — Alba é de onde vêm as trufas brancas — explicou ele. — Cães especificamente treinados farejam até encontrá-las. Ou então porcos. Talvez no futuro eu leve vocês, caras, para caçar trufas comigo. Prometo que será inesquecível. Enfim, vejam esse modelo de aprendizado fantástico. O Orador Fascinante desconstruiu a Hora da Vitória e a *fórmula 20/20/20* para nós. Agora não há perguntas sobre o jeito de fazer sua rotina matinal nem espaço para desculpas. Está tudo definido para vocês. Basta seguir essas dicas para dominar seu dia. Procrastinar é um ato de autodepreciação, sabiam?

— Sério? — perguntou o artista.

— Sem dúvida. Se você realmente se amasse, abandonaria todos os sentimentos de não ser bom o bastante para ser grande e renunciaria à escravidão causada pela fraqueza. Você pararia de se concentrar nas deficiências e celebraria suas qualidades incríveis. Pense nisso: não há pessoa no planeta hoje que tenha a mesma pilha única de dons que vocês. Na verdade, em toda a história nunca houve uma pessoa sequer exatamente como vocês. E nunca haverá. Sim, vocês são especiais assim. É um fato indiscutível. Então, aceitem a força total de seu talento pródigo, forças luminosas e poderes de tirar o fôlego. Abram mão do hábito destrutivo de quebrar os compromissos que fizeram consigo mesmos. Não cumprir essas promessas é um dos motivos pelos quais tantas pessoas não se amam. Não seguir o que decidimos fazer destrói nossa noção de valor pessoal e dissolve a autoestima. Continuem agindo assim e seu inconsciente vai começar a acreditar que vocês não valem nada. E lembrem-se do fenômeno psicológico conhecido como profecia autorrealizável que expliquei. Nós sempre agimos de acordo com aquilo que vemos. Assim, o pensamento cria os resultados, e quanto menos nos valorizarmos, e aos nossos dons, menor será o poder ao qual teremos acesso — explicou ele.

O bilionário observou um grupo de borboletas passar voando antes de continuar.

— É assim que tudo funciona. Por isso, minha sugestão é que vocês parem de adiar seus planos, exercitem os músculos da força de vontade, dos quais falamos no Taj Mahal, e façam do restante da vida um exercício de ousadia, um testemunho à produtividade excepcional e uma rara expressão de beleza imaculada. Honre tudo o que vocês são ao viver sua genialidade em vez de se odiar e negar o quanto são especiais. A procrastinação é um ato de ódio por si mesmo — repetiu o bilionário. — Então vá com tudo na instalação da *fórmula 20/20/20* como forma principal de gerenciar sua manhã.

O bilionário mostrou a estrutura à empreendedora e ao artista. O modelo era o seguinte:

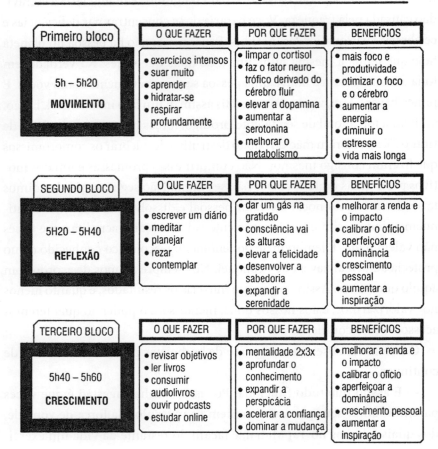

— Como vocês podem ver neste modelo de aprendizado, existem três blocos de vinte minutos para instalar e depois praticar até o nível de maestria. O primeiro bloco de vinte minutos da *fórmula 20/20/20* exige que vocês entrem em *Movimento*. Falando de modo simples: fazer algum exercício para suar assim que acordar revoluciona a qualidade dos seus dias. O segundo bloco estimula a *Reflexão* por vinte minutos. Esse segmento é feito para ajudar vocês a retomar o acesso ao seu poder natural, aumentar a autoconsciência,

O CLUBE DAS 5 DA MANHÃ

dissolver o estresse, alimentar a felicidade e restaurar a paz interior nessa era de excesso de estímulos e atividades. E vocês vão terminar essa Hora da Vitória de fortalecimento pessoal com vinte minutos voltados para garantir o seu *Crescimento*, que pode significar investir tempo lendo um livro para melhorar sua compreensão sobre uma vida melhor, um artigo para refinar sua capacidade profissional, ouvir uma sessão de áudio explicando como os virtuosos conquistaram seus resultados incomuns, assistir a um vídeo educativo que ensina a elevar seus relacionamentos, aumentar suas finanças ou aprofundar sua espiritualidade. Como vocês, caras, já sabem, o líder que aprende mais é o vencedor. Uma das dicas mais úteis que aprendi com o Orador Fascinante foi a importância *crucial* de iniciar a manhã com exercícios físicos vigorosos, praticamente assim que pular da cama. Ainda me lembro das palavras firmes dele: "É preciso começar o dia com exercício intenso. Isso não é negociável. Do contrário, a *fórmula 20/20/20* não vai funcionar e vou confiscar sua carteirinha de integrante do Clube das 5 da Manhã."

Três pombas voaram sobre o bilionário, que olhou para elas com um sorriso gigantesco, jogou um beijo para um dos pássaros e continuou seu discurso sobre a rotina matinal de quem faz história.

— Treinar rigorosamente assim que acorda muda tudo. Mexer-se com vigor logo após sair da cama gera uma alquimia neurobiológica em seu cérebro, que não só vai acordar vocês totalmente como eletrificar seu foco e energia, amplificar a disciplina e iniciar o dia de um jeito que fará vocês se sentirem incríveis. Agora, para ser ultraprático para vocês dois, vou dizer que o exercício pode ser uma aula de spinning, alguns polichinelos e burpees, saltitar como os boxeadores profissionais adoram fazer ou realizar corridas curtas. Não sei o que vai funcionar melhor para vocês. O verdadeiro segredo, contudo, é garantir que vocês suem.

— Por quê? — perguntou o artista, fazendo anotações abundantes.

— Pelo motivo que vocês verão no diagrama. Como vocês sabem agora, o cortisol é o hormônio do medo, produzido no córtex das glândulas adrenais e depois liberado na corrente sanguínea. O cortisol é um dos principais obstáculos que atrapalham sua genialidade e devastam sua oportunidade implícita de fazer história. Dados científicos confirmam que o nível de cortisol está mais alto de manhã.

— São informações fascinantes — observou a empreendedora, fazendo outro alongamento no sol romano.

— São mesmo. Então, exercitar-se por apenas vinte minutos das 5h às 5h20 vai diminuir significativamente o cortisol e, consequentemente, levar vocês ao desempenho máximo. É um modo fantástico de começar a manhã, certo? A ciência também mostrou que há um vínculo fundamental entre a boa forma física e a capacidade cognitiva. O suor de uma sessão poderosa de exercícios físicos gera o fator neurotrófico derivado do cérebro, que deixa esse órgão supercarregado para um dia vencedor.

— Uau! — exclamou a empreendedora, também fazendo anotações em ritmo furioso.

— O fator neurotrófico derivado do cérebro se mostrou capaz de reparar células cerebrais danificadas pelo estresse e acelerou a formação de conexões neuronais, fazendo vocês pensarem melhor e processar mais rapidamente — explicou o bilionário. — É outra Vantagem Competitiva Gigantesca, sem dúvida. Ah, ele também promove a neurogênese, então vocês vão ganhar novos neurônios. Que tal o valor disso?

— Uau ao quadrado! — gritou o artista, parecendo bem piegas, totalmente longe de ser uma pessoa composta.

— Minha empresa será intocável e vou ficar invencível no âmbito pessoal quando executar todas essas ideias que você está compartilhando conosco tão generosamente, — comentou a empreendedora. Imitando o que viu o sr. Riley fazer quando outros foram bons para ele, ela mostrar seu apreço com uma leve mesura.

— Sem dúvida — concordou o bilionário. — E ao se exercitar intensamente durante o primeiro bloco de vinte minutos da *Fórmula 20/20/20* vocês também vão liberar dopamina, o neurotransmissor da motivação, além de elevar a quantidade de serotonina, o composto químico maravilhoso que regula a felicidade. Isso significa que às 5h20, enquanto seus competidores estão contando carneirinhos, vocês já estão prontos para liderar sua área de trabalho, obter resultados excelentes e fazer o dia que vem pela frente ser épico.

— Poderia ser mais específico sobre o que precisamos fazer para acordar junto com o sol? — perguntou a empreendedora. — Quer dizer, seria possível dar mais detalhes sobre os comportamentos necessários para realmente sair da cama quando o despertador tocar? Espero que não seja uma pergunta idiota. É básica demais?

— É uma ótima pergunta — disse o artista, acariciando as costas da namorada.

— É uma pergunta fabulosa! — exclamou o magnata. — Claro que posso! Como já sugeri, compre um despertador à moda antiga. É o que eu faço. Conforme falei em Agra, não se deve dormir com qualquer tipo de tecnologia no quarto. Vou explicar o motivo em breve. Quando vocês tiverem o despertador, adiante-o em trinta minutos. Depois coloque o alarme para tocar às 5h30.

— Sério? — comentou o artista, confuso. — Isso parece esquisito.

— Eu sei — admitiu o bilionário. — Mas funciona *como se fosse mágica*. Vocês se enganam a pensar que estão acordando mais tarde, mas na verdade estão levantando às cinco. Essa tática funciona mesmo, podem fazer. Isso também parece óbvio, mas é outro segredinho fundamental: assim que o alarme tocar, pulem da cama antes que o eu mais fraco afunde vocês em todos os motivos para ficar embaixo das cobertas. Vocês só precisam passar pelo período de instalação de hábitos de 66 dias para acordar às cinco da manhã e chegar ao ponto de automatização, quando será mais fácil levantar cedo do que dormir até mais tarde. Quando entrei para o Clube das 5 da Manhã, eu dormia vestindo as roupas de ginástica.

O sr. Riley parecia levemente envergonhado. Em seguida, mais pombas e borboletas passaram voando e um filete de arco-íris apareceu na Escadaria da Praça da Espanha.

— Você está brincando com a gente, não é irmão? — riu o artista, mexendo em uma de suas tranças rastafári. — Você realmente dormia com as roupas de ginástica?

— Dormia — admitiu o bilionário. — E meus tênis de corrida ficavam bem ao lado da cama. Fiz o necessário para eliminar o peso mortal que as desculpas comuns tinham sobre mim.

A empreendedora aquiesceu. Ela parecia mais forte e feliz a cada dia.

— Enfim, deixem-me continuar falando sobre fazer exercícios assim que acordar. Ao fazer exercícios físicos intensos, vocês estimulam a farmácia natural de maestria que vai deixá-los fundamentalmente diferentes de quando acordaram. Vocês vão se sentir renovados às 5h20, quando seguirem essa estratégia para blindar sua neurobiologia e fisiologia. Lembrem-se disso, por favor! Obviamente, o movimento que faz suar também transforma sua psicologia ao longo do tempo. Mesmo se vocês geralmente não forem pessoas matutinas e ficarem ranzinzas no começo do dia, o esquema de "neurônios que disparam juntos se conectam juntos" vai transformá-los. Vocês vão sentir a confiança de que todo líder sem título precisa e terão o foco para se manter em uma tarefa por horas a fio, fazer seus trabalhos mais brilhantes e ainda vão se sentir muito mais calmos. O aumento da norepinefrina gerado pela atividade matinal vigorosa não só melhora a atenção, como deixa vocês significativamente mais serenos. E mais pesquisas provam que se exercitar regula a amígdala no sistema límbico, o cérebro antigo que discutimos em uma aula anterior na minha praia nas Ilhas Maurício, de modo que suas respostas a estímulos que vão desde um projeto ou cliente difícil até um motorista mal-educado ou criança gritando serão muito mais graciosos em vez de histéricos.

— São benefícios realmente maravilhosos — comentou a empreendedora. — Você tem razão, sr. Riley. Ter todas essas armas de produtividade em massa em meu arsenal é de valor inestimável.

— Precisamente — disse o bilionário, abraçando a empreendedora. — Eu amo vocês dois. Vou sentir falta de vocês.

Naquele momento o tom habitualmente esperançoso do mentor se transformou em uma tristeza desconhecida.

— Nosso tempo juntos está chegando ao fim. Talvez nos encontremos de novo. Realmente espero que sim, mas eu não sei...

O CLUBE DAS 5 DA MANHÃ

Com a voz embargada, ele desviou o olhar para a igreja branca que estava atrás de onde eles se encontraram, um tributo glorioso aos exemplos mais brilhantes de arquitetura visionária. O bilionário colocou a mão em um dos bolsos da calça preta e tirou um comprimido, que colocou na boca do jeito que uma criança ingere um doce.

— Enfim, como vocês também podem ver na desconstrução — continuou ele, segurando o modelo —, exercitar-se logo de manhã também eleva o metabolismo e alimenta o motor de queima de gordura do corpo para que vocês se livrem dos excessos com mais eficiência e emagreçam mais rapidamente. Outro triunfo valioso, não é? Ah, e à medida que vocês otimizarem a boa forma física, estarão preparados para manter a saúde pelo restante da vida. "Treinem com vontade. Vivam mais" é um lema inteligente sobre o qual construí minhas empresas. Agora vocês sabem que um dos segredos para o status de lenda é a longevidade. Não morram. Não é possível dominar o jogo e mudar o mundo sete palmos embaixo da terra — articulou energicamente o titã da indústria. — O ponto principal que estou tentando oferecer na primeira parte desse protocolo matinal calibrado em vez de superficial é, basicamente, este: a vida vai ficar cem vezes melhor quando vocês estiverem na melhor condição física. Exercício físico que faz transpirar como a primeira ação realizada ao levantar com o sol muda radicalmente sua vida. Ponto. Então, façam o que for preciso para codificar esse hábito. O que for preciso, caras.

— Posso fazer outra pergunta, sr. Riley? — pediu a empreendedora, educadamente.

— Vá fundo — disse o bilionário.

— E se eu quiser me exercitar por mais de vinte minutos?

— Tudo bem — observou o bilionário. — Essa rotina matinal não está escrita em pedra, como as palavras gravadas naquele obelisco ali — acrescentou, apontando para o monumento em uma pequena plataforma logo acima da Escadaria da Praça da Espanha. — Pegue tudo o que estou ensinando e ajuste para você. Personalize para se adaptar suas preferências e adapte a rotina ao seu estilo de vida.

217

ROBIN SHARMA

O bilionário inspirou um pouco do ar fresco de Roma, o mesmo que imperadores, gladiadores, estadistas e artesãos inspiraram há mil anos. Imagine respirar aquele ar e estar com esses três integrantes fascinantes do Clube das 5 da Manhã.

— Isso me leva ao segundo bloco de vinte minutos da *fórmula 20/20/20* que vocês precisam fazer na Hora da Vitória. O horário entre 5h20 e 5h40 é voltado para a Reflexão.

— O que exatamente você quer dizer com Reflexão? — perguntou o artista, mostrando a confiança recém-encontrada em ser um grande aluno. Ele coçou o cavanhaque ao fazer a pergunta, apoiando o braço no ombro da empreendedora.

— Como venho sugerindo nesse tempo que passamos juntos, gerenciar bem sua manhã é característica de quem é excepcional. Usar a parte inicial do dia com habilidade representa um fator determinante e crucial da eminência nos negócios e magnificência pessoal. Além disso, uma rotina matinal granulada de modo inteligente cria um período de paz profunda. Um pouco de quietude e solidão antes que a complexidade comece a chegar, a família precise de sua energia e todas as outras responsabilidades tomarem conta do dia. *Tranquilidade é o novo luxo em nossa sociedade.* Então, durante esse segmento da Hora da Vitória, saboreiem um pouco de quietude. Contemplem sua vida e em quem vocês esperam se transformar. Sejam cuidadosos e intencionais sobre os valores aos quais vocês desejam ser leais nas horas que estão por vir e como desejam se comportar. Pensem no que precisa acontecer para que este seja um ótimo dia na construção de uma vida lendária.

— Este bloco vai ser superimportante para mim — comentou a empreendedora, balançando as pulseiras. Uma delas estava novinha em folha e continha a frase: "Todas estas manhãs acordando cedo vão me transformar em ícone algum dia."

— Concordo com você — expressou o bilionário. — Refletir sobre o que é mais importante para uma vida lindamente vivida deixará vocês com o que o Orador Fascinante chamou de "sabedoria residual" ao longo do dia. Por exemplo, pensar tranquilamente sobre a importância do valor de pro-

O CLUBE DAS 5 DA MANHÃ

duzir trabalho que representa a maestria ou lembrar-se do compromisso em tratar bem as pessoas e fazer o segundo bloco ancora novamente essas virtudes na consciência. Assim, ao vivenciar o restante do dia, o resíduo da reconexão com essa sabedoria se mantém em foco, invadindo cada momento e guiando todas as suas escolhas.

Outra borboleta passou voando, seguida por mais três, de um jeito quase poético. O bilionário decidiu aprofundar seu ensinamento sobre a reflexão, mas antes tomou outro comprimido. Ele pôs a mão no coração e olhou para a sensacional vista de Roma.

— A luz aqui cai de um jeito diferente de todos os lugares. Vou sentir falta da minha Roma — pensou ele.

Então olhou para baixo, viu o barco branco esculpido por Pietro Bernini e depois a loja de flores, também na praça lá embaixo.

— De várias formas, a reflexão é a principal fonte de transformação, porque, quando você sabe mais, definitivamente, pode fazer melhor. Nesse segmento de vinte minutos da Hora da Vitória vocês só precisam ficar serenos, calados e entrar na quietude. É um presente nessa era de atenção dispersa, preocupações e ruídos.

— Esse seria um presente gigantesco para mim e meus negócios — reconheceu a empreendedora. — Eu percebi que passo muito tempo fazendo e reagindo e pouco tempo deliberando e planejando. Você falou que os grandes apreciam períodos de isolamento. Li que muitos gênios famosos tinham o hábito de ficar sozinhos por várias horas tendo apenas um bloco de papel e caneta para capturar as ideias que começavam a surgir na tela da imaginação deles.

— Sim — comentou o bilionário. — Desenvolver uma tremenda imaginação é um portal importantíssimo para ter uma fortuna celebrada. Uma das características que deixam os locais históricos de Roma tão especiais é o tamanho das estruturas. Imaginem a visão e a confiança dos romanos que as criaram! E a habilidade de transformar as ideias em algo real. Cada um dos sensacionais edifícios da Cidade Eterna é produto da imaginação de um ser humano, usada adequadamente. Então, vocês também devem usar o bloco da reflexão para inventar, visualizar e sonhar. Uma frase que acredito ser de Mark Twain diz: "Daqui a vinte anos você estará mais decepcionado pelo que não fez do que pelo que fez. Então, solte as amarras. Afaste-se do porto seguro. Agarre os ventos em suas velas. Explore. Sonhe. Descubra."

— Todos os grandes artistas sonham com um futuro que poucos acreditam ser possível — disse o artista com sabedoria.

— Sim — aquiesceu o bilionário. — Outra tática que pode ser praticada nesse momento é escrever o que o Orador Fascinante chama de *Projeto pré-desempenho*. É uma declaração por escrito do seu dia ideal. Pesquisadores confirmam que estratégias de comprometimento trabalham lindamente aumentando o foco e a disciplina para cumprir tarefas. Vocês terão um espírito claro e calibrado para o dia que está por vir, fazendo com que tudo se desenrole como vocês desejam. Claro que nada nos negócios e na vida é perfeito, mas isso não significa que não devemos fazer o melhor. As mulheres e os homens heroicos do mundo eram todos perfeccionistas. Eles eram *maximizadores*, imensamente obcecados em ser notáveis em tudo o que fazem. Então, reservem pelo menos dez minutos para escrever como seria o seu dia perfeito.

O magnata olhou novamente para a loja de flores e ergueu o dedo para o céu romano. Uma jovem atraente, com maxilar definido, óculos de aro de tartaruga, blusa de linho cinza e calças modernas levantou-se e subiu os degraus correndo como um guepardo em busca do jantar, carregando uma maleta de metal.

— Oi, Vienna — cumprimentou o bilionário, quando ela chegou.

— Salve, sr. Riley — respondeu a jovem, respeitosamente. — Estamos muito contentes de vê-lo novamente em Roma. Seus objetos estão aqui, senhor.

A assistente digitou um código no cadeado e a maleta se abriu. Dentro dela estavam três cadernos muitíssimo bem-feitos, com o couro italiano mais flexível. O bilionário entregou um para a empreendedora e outro para o artista, depois levantou o último, segurou perto do coração e o lambeu. Sim, ele lambeu o caderno.

— Quando estivermos nos vinhedos mágicos da África do Sul, vou explicar porque acabei de passar a língua no meu caderno — disse o bilionário, aumentando ainda mais o mistério.

— África do Sul? Quando vamos para lá? — perguntou o artista em voz alta.

— Vinhedos mágicos? — questionou a empreendedora.

O bilionário ignorou ambos.

— Pode ir, Vienna — disse o bilionário para sua assistente. — Muito bem. *Ci vediamo dopo* — acrescentou, enquanto ela caminhava pelos degraus antigos. Em seguida, ela subiu na garupa de uma scooter preta que a esperava e foi embora.

Quando a empreendedora e o artista abriram os cadernos, viram uma estrutura cuidadosamente detalhada na primeira página.

— Outro diagrama de aprendizado para nós? — perguntou o artista em tom de gratidão.

— *Si* — observou o bilionário.

— Irmão, eu adoro esses modelos — elogiou o artista. — São ferramentas de ensino inestimáveis, que esclarecem incrivelmente os conceitos confusos.

— E são muito relevantes — acrescentou a empreendedora. — A clareza gera a maestria, não é?

— Verdade — afirmou o industrial. — E de nada, caras. Contudo, foi o Orador Fascinante que investiu décadas de sua vida rica criando essas estruturas para explicar a filosofia e a metodologia do Clube das 5 da Manhã. Elas parecem simples porque ele levou toda a vida profissional para criá-las. Foi preciso longos anos de atenção extrema e isolamento dedicado para remover as complexidades e chegar à simplicidade que é a pedra de toque dos verdadeiros gênios. É como acontece quando um amador olha para uma obra-prima. Parece simples porque ele não compreende a destreza do mestre em tirar tudo o que era desnecessário. Remover o que não é essencial para produzir a joia leva anos de dedicação e décadas de devoção. Fazer algo parecer simples aos olhos destreinados é a marca de um maestro.

O modelo de aprendizado nos luxuosos cadernos de couro tinha a seguinte aparência, para você ter uma ideia clara do que os três companheiros viram naquela manhã ensolarada em Roma:

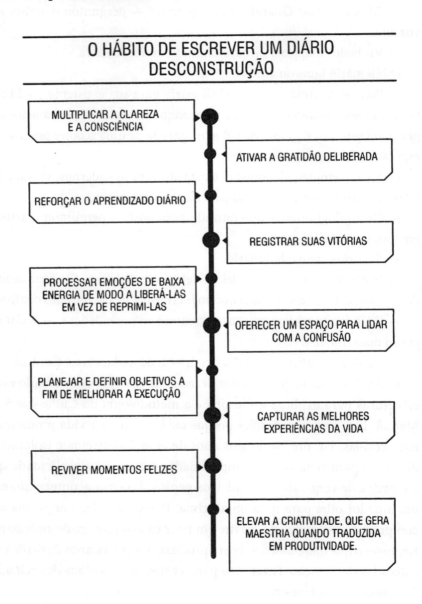

— Deixe-me chegar ao motivo dos presentes trazidos pela assistente — continuou ele. — Durante o bloco da reflexão na *fórmula 20/20/20*, outra atitude absolutamente vencedora é escrever um diário. Por isso mandei um artesão italiano fazer esses cadernos. Espero que façam maravilhas para vocês.

O magnata olhou para a Via dei Condotti. Os garis trabalhavam arduamente limpando a rua. Turistas passeavam pela avenida, tirando selfies e comprando lembranças de vendedores de rua.

— O Orador Fascinante adora passar tempo comigo aqui em Roma. Se tivermos sorte, nós o veremos ainda nesta manhã. Sei que ele foi correr ao nascer do sol perto do rio até Prati e depois ia fazer uma excursão de pesca em um lugar a poucas horas daqui. Ah, por sinal, ele formalizou o ato de escrever em um diário entre 5h20 e 5h40 com o termo "Diário de todo dia". O segredo para fazer isso é apenas escrever. Não pense demais, apenas anote seus compromissos para as próximas horas, registre suas ambições preciosas e ative sua gratidão listando o que está bom em sua vida agora. Usem também o diário para processar frustrações, decepções e ressentimentos em seu coração de modo a abrir mão deles. É milagroso como vocês vão liberar emoções tóxicas e energias baixas do sistema ao escrever suas mágoas reprimidas, liberando o máximo da criatividade, vitalidade *premium* e desempenho inigualável.

— É um jeito incrível de blindar e fortalecer o coração, certo? — comentou a empreendedora.

— Isso! — aplaudiu o bilionário, colocando o dedo no modelo de aprendizado na primeira página do seu diário.

— Aqui estão algumas recompensas que vocês receberão ao investir dez ou talvez todos os vinte minutos do segundo bloco da Hora da Vitória escrevendo o Diário de todo dia. Para repetir e reforçar, sugiro que vocês escrevam não apenas os elementos positivos da vida, como também os aspectos de sua experiência que causam desconforto e dor, pois o jeito mais rápido de sair de emoções difíceis é ter a sabedoria e a coragem de enfrentá-las diretamente. Senti-las para curá-las, nomeá-las para abrir mão delas, colocar uma voz escrita na energia tenebrosa dos fardos da vida para dissolvê-los. Estas são ideias revolucionárias que estou revelando a vocês dois. Quando resgatarem o poder bloqueado por várias camadas de emoções tóxicas e por feridas do passado, sua mente, coração, saúde e alma vão crescer exponencialmente. E quando os quatro impérios interiores os levarem à autopurificação esforçada, o eu supremo começará a assumir o comando, levando à geração dos impérios externos que vocês tanto esperam. Estou tentando explicar o seguinte: os sentimentos difíceis para o qual não encontramos um jeito saudável de removê-los ficam reprimidos, criando estresse, baixa produtividade e até doenças.

— O diagrama é bacana — reconheceu o artista. — Você está dizendo que se eu não vivenciar os sentimentos desconfortáveis, eles se acumulam e ficam presos a ponto de me deixar doente?

— Sim, o que você acabou de dizer é, basicamente, o que estou sugerindo — confirmou o sr. Riley. — Essas emoções tóxicas acumuladas ofuscam seus dons, talentos e sabedoria maior. Este é um dos principais motivos para a maioria das pessoas do planeta ter esquecido que são heróis e heroínas. Quando evitamos sentir, perdemos acesso ao eu mais poderoso e esquecemos as verdades da vida: que cada um de nós pode realizar proezas espantosas, produzir obras surpreendentes, obter saúde radiante, conhecer o amor verdadeiro, ter uma vida mágica e ajudar muitas pessoas. Falo apenas fatos aqui, mas a maioria de nós tem tanto medo, dor, raiva e mágoa acumuladas ofuscando o verdadeiro eu que não temos noção das oportunidades bem à nossa frente. Toda essa energia tenebrosa nos impede de vê-las e bloqueia o acesso a nossa genialidade primal. As grandes pessoas da história tinham esse acesso. Hoje, a maioria perdeu isso.

— Uma vida mágica? — disse a empreendedora. — Você vive falando de mágica. Parece meio distante. Um pouco riponga.

— Sim, uma vida mágica — respondeu o bilionário com firmeza, porém educadamente. — Vou explicar como entrar na magia disponível para cada um de nós quando chegarmos à África do Sul. Quando vocês aprenderem o que vou ensinar no vinhedo de lá, sua capacidade de manifestar dinheiro, saúde, alegria e paz interior vai crescer dramaticamente, mas eu ainda não posso falar sobre viver na magia. Não tenho permissão — comentou o bilionário misteriosamente. — É preciso sentir a ferida para curar um machucado — continuou ele. — Já passei por muito sofrimento na vida. Derrotas profissionais, perdas pessoais, problemas físicos. Na verdade, estou passando por algo que está criando mágoa em meu coração.

A atitude eufórica do bilionário subitamente começou a diminuir. Por um instante ele pareceu mais velho, arqueando as costas e com dificuldade para respirar, mas logo se recuperou.

— Mas, enfim, vamos às boas notícias — empolgou-se ele de novo, levantando os dois braços para o ar de Roma. — Não estou carregando muitas dores passadas no meu presente maravilhoso e no meu futuro fantástico. Usei a prática do Diário de todo dia durante o bloco dedicado à reflexão da *fórmula 20/20/20* para processar e liberar tudo. Essa habilidade é um dos motivos pelo qual sou tão cheio de curiosidade, gratidão e paz a maior parte do tempo e por ter sido capaz de conquistar tanto. Viver no passado rouba muita energia da maioria das pessoas, sabe? Este é um dos motivos cruciais que fazem a maioria das pessoas ser improdutiva. O Orador Fascinante foi o único ser humano capaz de fazer a ligação entre mau desempenho e turbulência emocional, mas pensem só: é totalmente verdade. Assim, imaginem o que escrever no Diário de todo dia fará pelas suas conquistas e o sucesso de seus negócios, especialmente à medida que você processar o que está enfrentando — disse o bilionário com empatia palpável, colocando um braço magro ao redor da empreendedora e outro no ombro do novo namorado dela. — E para sua arte — acrescentou ele, falando para o artista.

— Carregar dores passadas é exaustivo demais — concordou o artista —, todos nós ficamos derrotados, às vezes quase arrasados pelo resto da vida.

O bilionário continuou a exposição:

— Também estimulo vocês a reservar pelo menos alguns momentos do segundo bloco, entre 5h20 e 5h40, para meditar. O Orador Fascinante me ensinou a fazer isso e ajudou profundamente minha concentração, confiança, desempenho e a calma que sinto ao gerenciar um portfólio sofisticado de negócios. *Pessoas calmas são as melhores realizadoras.* Não há nada formidável na meditação, então podem se livrar de eventuais preconceitos em relação à habilidade e praticá-la sem medo. É uma das melhores formas do mundo de fortalecer o foco, preservar seu poder natural e isolar a paz interior. Há muitas descobertas científicas maravilhosas confirmando o valor de um ritual regular de meditação, então, mesmo que você queira dispensar o método, os dados atestam que funciona de modo fenomenal como hábito de otimização humana. As pesquisas atuais provam que meditar regularmente diminui o nível de cortisol, baixando o estresse. Também é um jeito forte de melhorar o relacionamento consigo mesmo. Vocês precisam de mais tempo para *vocês* a fim de aumentar a fluência e a intimidade com sua natureza superior e se reconectar com sua melhor parte, o lado capaz de entender que o impossível é outro nome para o que não foi tentado, além de conhecer seu reservatório interno de luminosidade, audácia e amor. É aquela parte que ainda consegue ver a grandeza nos outros, mesmo quando agem mal, e inspira positividade no mundo, mesmo quando tais virtudes não são devolvidas para você. Sim, entrem nesse santuário de vinte momentos de silêncio e quietude a cada manhã e *lembrem-se de quem vocês realmente são.* A verdade fala na solidão da primeira luz do dia, depois leve esse conhecimento de tirar o fôlego pelas horas restantes do presente que chamamos de dia.

O bilionário foi ao chão e fez uma série de flexões rápidas, depois uma prancha. A essa altura você já está bastante familiarizado com essas manobras bizarras do magnata excêntrico.

— Preciso falar do terceiro bloco da *fórmula 20/20/20* para encerrar esta sessão de mentoria. Tenho uma série de reuniões marcadas para hoje e depois vou para um jantar esplêndido com Adriano, o Orador Fascinante e outros velhos amigos — comentou o bilionário, alegremente.

— Vá em frente. Sem problemas — disse o artista.

— Claro. Ouvimos falar de um restaurante perto do Campo di Fiori que faz um ótimo carbonara. Vamos experimentar hoje à noite — comentou a empreendedora.

— Que delícia — respondeu o bilionário, parecendo uma criança de cinco anos em vez de um capitão do comércio. Em seguida ele continuou o discurso sobre a rotina matinal dos construtores de impérios, grandes realizadores e salvadores da civilização.

Subitamente, o bilionário apertou a barriga, contorcendo-se de dor.

— Está tudo bem, sr. Riley? — perguntou a empreendedora, correndo na direção de seu mentor.

— Sem dúvida — respondeu, fingindo que não havia problema algum. — Vamos seguir em frente. Estou totalmente comprometido em garantir que vocês aprendam tudo o que fui ensinado sobre o Clube das 5 da Manhã antes de deixá-los. Peço apenas que dividam os ensinamentos do Orador Fascinante com o máximo de pessoas possível. Vocês vão melhorar o mundo fazendo isso. Eu posso não ser capaz — completou ele, com a voz embargada.

— Muito bem — continuou o industrial. — Vamos seguir em frente. O bloco três da *fórmula 20/20/20* foi feito para ajudar o Crescimento diário. Lembrem-se da *mentalidade 2x3x*: para duplicar sua renda e impacto, triplique seu investimento em duas áreas principais: maestria pessoal e capacidade profissional. Então, das 5h40 às 6h, o segmento final da Hora da Vitória, é para aprofundar a base de conhecimentos, aumentar a perspicácia, melhorar a qualificação e superar os concorrentes em termos de aprendizado.

— Leonardo da Vinci disse: "Não é possível ter maestria maior ou menor do que a maestria de si mesmo" — citou o artista.

— Eu amo você ainda mais hoje — declarou a empreendedora.

— Bom, eu adoro você mais a cada dia — respondeu ele com um sorriso.

— Minha nossa. Estou no meio de um festival de amor bem aqui na Escadaria da Praça da Espanha — comentou o bilionário, rindo.

Ele fechou os olhos e recitou as palavras do filósofo estoico e estadista romano Sêneca: "Todo dia adquira algo que o fortaleça contra a pobreza, a morte e outros infortúnios. E após ter repassado vários pensamentos, selecione um para ser digerido profundamente naquele dia."

O bilionário abriu os olhos e disse simplesmente:

— A liderança externa começa internamente. — E depois acrescentou: — No bloco final, de 5h40 às 6h da *fórmula 20/20/20*, trabalhe em ser mais valioso para sua indústria e para a sociedade. Vejam bem, vocês não obtêm sucesso e influência apenas porque desejam isso. Vocês atraem tudo isso para sua vida *com base em quem vocês são* como pessoas e produtores. O desejo particular sem desenvolvimento pessoal é como sonhar em ter um jardim lindo sem plantar semente alguma. *Nós nos magnetizamos para recompensas excelentes aumentando o valor do eu.* Fiz minha fortuna com essa ideia. À medida que me aperfeiçoei, minha capacidade de melhorar a vida de mais pessoas melhorou através da qualidade elevada do meu serviço. À medida que fui me instruindo, passei a ser mais valioso para as áreas nas quais conduzia meus negócios, aumentando minha renda e meu impacto. Eis uma atividade bastante desconhecida nos dias de hoje: leiam um livro. Estudem a vida dos grandes homens e mulheres do passado consumindo as autobiografias no bloco do Crescimento. Conheçam os últimos avanços da psicologia, devorem obras sobre inovação, comunicação, produtividade, liderança, prosperidade e história. Assistam, também, a documentários revelando como os melhores fazem o que fazem e transformem-se neles. Ouçam audiolivros sobre maestria pessoal, criatividade e construção de empresas. Uma das características que todos os meus amigos bilionários e eu temos em comum é o gosto pelo aprendizado. Nós capitalizamos em cima dos nossos dons e talentos de modo incansável. Investimos em expandir nosso conhecimento e maestria o tempo todo. Somos totalmente a favor de ler, melhorar e alimentar nossa curiosidade sem limites. Diversão para nós é ir a uma palestra em grupo, no mínimo uma a cada três meses, para continuar inspirados, excelentes e absolutamente sintonizados. Não perdemos muito tempo com entretenimento sem sentido porque estamos dedicados demais à educação sem-fim. A vida é muito justa, sabe? — disse o magnata soando bem filosófico e parecendo muito mais forte. — Você recebe apenas o que dá a ela. É uma lei natural básica. Então, deem mais ao se aperfeiçoarem.

O CLUBE DAS 5 DA MANHÃ

— Muito bem, agora vocês já conhecem a rotina matinal lindamente produzida e perfeitamente calibrada para ter uma empresa e uma vida pessoal de primeiro nível. Aceitem-na totalmente, executem-na diariamente ou pelo menos cinco dias por semana e sua produtividade, prosperidade, senso de alegria e serenidade vão acelerar com força junto com o valor que vocês serão capazes de fornecer ao mundo — resumiu o sr. Riley de modo exuberante.

— E agora? — perguntou o artista.

— Agora nós vamos visitar os mortos — foi a única resposta do bilionário.

CAPÍTULO 14

O Clube das 5 da Manhã entende que dormir é essencial

"Vocês não podem imaginar o desejo de descansar que sinto, é uma fome e uma sede. Por seis longos dias, desde que terminei o trabalho, minha mente está um redemoinho: veloz e incessante, uma torrente de pensamentos que não progride nem leva a lugar algum, girando de modo rápido e constante." — **H. G. Wells**.

O sol romano surgiu ainda mais alto enquanto os três companheiros olhavam por cima dos telhados das construções e do Vaticano. As ruas agora estavam barulhentas. A Cidade Eterna ganhou vida.

A mão do titã foi para o céu mais uma vez, levando outro assistente a surgir do nada. Dessa vez um homem por volta de quarenta anos correu pela praça, ficou em pé no centro dela e tirou um dispositivo no qual falou de modo rápido e alto. Em um minuto três mulheres com echarpes no cabelo, como se via nos maravilhosos filmes italianos dos anos 1950, aparecem em três reluzentes Vespas vermelhas. Elas estacionaram aos pés da Escadaria da Praça da Espanha, bem ao lado da escultura do barco e depois sumiram pela Via delle Carrozze.

— Vamos lá, pessoal, é hora de pilotar! — exclamou o bilionário.

— Mas e a história de visitar os mortos? — perguntou a empreendedora, com as rugas na testa reaparecendo e os braços cruzados.

— Confiem em mim. Peguem suas scooters e sigam-me — orientou o bilionário.

Os três companheiros seguiram pelas antigas ruas de Roma. Até a igreja mais desconhecida ou o obelisco mais simples os deixava em um estado onírico de espanto. O sol brilhava com força enquanto romanos e turistas enchiam os calçadões. A cidade estava cheia de vida. Ao passar por uma praça, eles viram uma cantora de ópera incrivelmente talentosa tocando o coração dos passantes e cantando como se não houvesse amanhã, tendo um homem ao seu lado para recolher o dinheiro. Enquanto o bilionário, a empreendedora e o artista cruzavam as ruas de Roma, tiveram outra visão surreal: a Pirâmide de Céstio, construída entre os séculos XVIII e XII a.C. para ser um túmulo.

— Uma pirâmide à moda egípcia no coração da Cidade Eterna. Inacreditável — pensou o artista, tentando manter os olhos nas ruas.

Em pouco tempo eles estavam fora dos muros da cidade. O bilionário liderava o grupo. A empreendedora notou, pela primeira vez em toda a manhã, que a camisa dele tinha nas costas as palavras sábias de Benjamin Franklin, um dos pais fundadores dos Estados Unidos: "O início da manhã tem ouro na boca." E na parte de trás do capacete dele havia o texto: "Levante-se primeiro. Morra por último."

— Este homem é assombroso — pensou ela. — Único. — A empreendedora sabia que essa aventura sensacional logo chegaria ao fim, mas esperava que o sr. Riley continuasse em sua vida. Ela não só passou a admirá-lo, como sentia que precisava dele.

Eles pilotaram por algum tempo e depois o bilionário indicou que deveriam parar em uma rua lateral assustadoramente desolada. Após estacionarem as scooters sem dizer uma palavra, ele acenou para que os alunos o seguissem, passando pelo busto de pedra do grande general romano Júlio César e descendo alguns degraus rumo a um túnel escuro e empoeirado.

— Onde raios nós estamos? — perguntou o artista. Gotas de suor se formavam na pele delicada embaixo dos olhos dele.

Imagine-se lá com esses três seres humanos e visualize como o artista estava naquele momento.

— Estamos nas catacumbas — anunciou o bilionário. — Os antigos romanos enterravam seus mortos aqui. Todas essas passagens subterrâneas são cemitérios que remontam aos séculos II a V.

— E por que estamos aqui? — questionou a empreendedora.

— Trouxe vocês a esta cripta para explicar algo — declarou o bilionário, com o tom carinhoso de sempre.

Naquele instante, eles ouviram passos no fim do túnel. O artista olhou para a empreendedora, de olhos arregalados.

O bilionário não disse uma palavra. Os passos se aprovimavam. Mais fortes.

— Isso não me parece bom — comentou a empreendedora.

Os passos continuaram enquanto a luz turva de uma vela atingiu a parede decrépita da catacumba. Em seguida, um silêncio tomou conta do lugar.

Uma figura alta surgiu lentamente, segurando uma vela comprida e tendo a cabeça coberta por um capuz do tipo usado por monges. Nenhuma palavra foi trocada. Era tudo extremamente misterioso. O intruso ficou em pé diante dos três amigos, ergueu a vela ainda mais alto e fez quatro movimentos circulares. Depois, retirou o capuz.

O rosto que se revelou era conhecido. Um rosto que tinha aparecido em estádios pelo mundo e inspirado milhões a fazer obras incríveis, realizar sonhos épicos e viver vidas lendárias.

Era o Orador Fascinante.

— Meu Deus, você me assustou! — disse o artista, ainda suando em bicas.

— Desculpem. Stone me disse para vir até aqui e fiquei meio perdido — explicou o Orador Fascinante. — Um lugar extraordinário, essas catacumbas. É meio assustador aqui, contudo — acrescentou ele, parecendo saudável, feliz e tranquilo.

— E aí, cara? — perguntou o bilionário, abraçando seu conselheiro e melhor amigo. — Obrigado por vir.

— Claro — respondeu o Orador Fascinante. — Bom, vamos direto às ideias que você me pediu para dividir com esses dois. Você sabe que sempre aceito um convite para jogar — acrescentou ele, fazendo um cumprimento com as palmas das mãos do tipo que jogadores profissionais de basquete trocam após acertar um lance livre.

— O sr. Riley pediu para dividir com vocês meus pensamentos sobre o valor do sono profundo como elemento para uma criatividade de elite contínua, o ápice de produtividade e desempenho de altíssimo nível. E ele me disse que desejava fazer isso aqui embaixo, pois os habitantes desta cripta estão em um sono eterno e também porque a ciência afirma que um dos principais jeitos de ter uma morte precoce é não dormindo o bastante.

— Sério? — perguntou a empreendedora, cruzando os braços novamente.

A luz da vela revelou um anel simples de noivado em seu dedo.

— Não! Não acredito que vocês, caras, fizeram isso — emocionou-se o bilionário, com a felicidade emanando da voz rouca. Ele fez um rápido, excêntrico e inédito passo de dança.

— Fizemos sim — responderam a empreendedora e o artista, juntos.

— E vocês dois estão convidados para o nosso casamento. Vai ser pequeno, mas especial — acrescentou o artista.

— Fiquem à vontade para fazer a cerimônia em minha praia nas Ilhas Maurício — ofereceu o bilionário. — Ah, meu presente será cobrir todas as despesas. Para vocês, suas famílias e todos os amigos. Vai ser tudo por minha conta. É o mínimo que posso fazer por vocês dois, novos integrantes do Clube das 5 da Manhã, que confiaram em um velho que parecia doido. Vocês estão trabalhando bastante e são meus heróis.

O bilionário soltou uma tosse súbita. Talvez fosse a poeira do corredor. Em seguida, colocou três dedos sobre o peito, onde fica o coração, e tossiu de novo.

— Está tudo bem? — perguntou a empreendedora, descruzando os braços e tocando um dos musculosos ombros do mentor.

— Sim.

— Então — disse o Orador Fascinante —, deixem-me começar dizendo que a calibração da primeira hora do dia não é a única missão crucial para obter a excelência em liderança e a produtividade exponencial, o *gerenciamento da última hora da noite também é importantíssimo* para quem realmente leva a sério a vontade de obter resultados de nível *premium.*

Ele segurou a vela embaixo do rosto, criando um efeito quase místico.

— O que gera o desempenho em nível de gênio é um equilíbrio delicado entre o domínio da rotina matinal e a otimização do ritual noturno. Vocês não vão conseguir orquestrar a *fórmula 20/20/20* da qual o Stone falou esta manhã se não dormirem adequadamente.

— Quase sempre durmo pouco — reconheceu a empreendedora. — Às vezes é difícil funcionar, a memória falha e me sinto exausta.

— Pois é — concordou o artista. — Meu sono é todo bagunçado. Acordo algumas vezes à noite, mas nessa viagem tenho dormido muito bem.

— Isso é ótimo, porque estamos no meio de uma feroz recessão de sono em todo o mundo — expressou o Orador Fascinante, articulando muito bem a linguagem dramática pela qual ficou internacionalmente famoso. — A internet, as redes sociais e a absorção disseminada por nossos dispositivos alimentam boa parte dela. Pesquisas agora confirmam que a luz azul emitida pelas ferramentas tecnológicas reduz a quantidade de melatonina, composto químico responsável por informar ao corpo que precisa dormir. Verificar dispositivos eletrônicos o dia inteiro afeta a função cognitiva, como vocês já aprenderam, e foi comprovado que estar na frente de uma tela antes de dormir gera problemas no sono. Eu poderia me aprofundar e explicar como a luz dos dispositivos ativa os fotorreceptores da retina chamados "células ganglionares intrinsecamente fotossensíveis", que limitam a produção de melatonina e afetam o ritmo circadiano, prejudicando o sono, mas vocês entenderam a ideia.

— Entendo sim — confirmou a empreendedora. — De verdade. Vou reestruturar minha rotina antes de dormir para acordar às 5 da manhã me

ROBIN SHARMA

sentindo melhor e cheia de energia. Prometo fazer isso para descansar bem e conseguir aplicar a *fórmula 20/20/20* de modo impecável.

— Pelo *mínimo de 66 dias* até virar um hábito automático — interrompeu o artista. — E depois pelo restante da vida, para que realmente seja mais fácil executar o método das cinco da manhã do que ficar na cama dormindo.

— Quando não dormimos o suficiente, não só fica muito difícil levantar cedo como vários outros efeitos altamente nocivos prejudicam a produtividade e minimizam o desempenho, além de reduzir a felicidade e acabar com a saúde — explicou o Orador Fascinante.

— Conte-nos tudo — pediu a empreendedora.

— Sim, diga a eles — estimulou o bilionário, agachado nas catacumbas. — Esta postura é ótima para a lombar, além de facilitar a digestão — acrescentou ele.

— Bom, quando vocês dormem (e o segredo aqui não é apenas a quantidade como a *qualidade* do sono), os neurônios encolhem em 60%, à medida que o líquido raquidiano cerebral passa pelo cérebro. Também foi descoberto que o sistema linfático também está no crânio e não apenas no corpo, como se acreditava. Tudo isso significa que nós, como seres humanos, arquitetamos evolutivamente um processo poderoso de modo a lavar o cérebro para mantê-lo em condições excelentes, e esse mecanismo de limpeza só acontece quando dormimos.

— Isto é interessantíssimo — observou a empreendedora.

— Fale sobre o hormônio do crescimento — pediu o bilionário.

— Claro — respondeu o Orador Fascinante. — O hormônio do crescimento humano é produzido na glândula pituitária do cérebro e importante para a saúde dos tecidos, o bom funcionamento do metabolismo e para uma vida mais longa. Aumentar o nível do hormônio do crescimento melhora o humor, a cognição, a disposição e a massa muscular magra, reduzindo a fome excessiva através da regulação da leptina e da grelina. A questão principal é: embora o hormônio do crescimento humano seja

O CLUBE DAS 5 DA MANHÃ

liberado através de exercícios físicos (um dos motivos para o primeiro bloco da *fórmula 20/20/20* ser tão importante), 75% da produção desse hormônio acontecem durante o sono! Este é o verdadeiro segredo: para maximizar o processo de limpeza do cérebro e o hormônio do crescimento ser produzido com excelência, de modo a aumentar a criatividade, produtividade, vitalidade e longevidade, é preciso ter cinco ciclos de 90 minutos de sono. É o que os estudos científicos estão confirmando agora. São sete horas e meia de sono por noite. Também é importante saber que, segundo as pesquisas, não é só a privação de sono que mata. Dormir em excesso, nove ou mais horas por noite também encurta a vida, está comprovado.

— Você tem algum modelo de aprendizado para explicar tudo isso, deixando nosso entendimento superclaro e calibrado em vez de vago e fraco? — pediu o artista.

— Bom trabalho, Stone. Você ensinou a eles a *Fórmula do sucesso em três etapas* — aplaudiu o Orador Fascinante.

O bilionário, ainda perto do chão sujo da cripta, aquiesceu com um aceno de cabeça e depois arrotou.

— Sim, eu tenho uma estrutura para vocês — confirmou o Orador Fascinante. — Desconstruí a rotina noturna que me ajudou a dormir maravilhosamente bem de modo consistente ao longo de todos esses anos.

O Orador Fascinante pegou uma lanterna em seu robe e desatarraxou a parte de cima, revelando um compartimento secreto. De onde ele tirou dois pequenos pergaminhos, dando um para a empreendedora e outro ao artista.

Cada pergaminho apresentava o seguinte diagrama:

O RITUAL ANTES DO SONO FEITO PELOS PRODUTORES MARCANTES — DESCONSTRUÇÃO

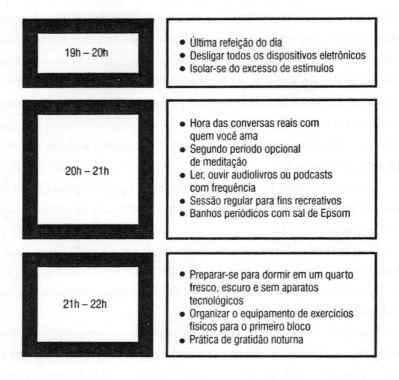

— Não sei como agradecer a vocês — comentou a empreendedora. — A vocês dois — especificou ela, olhando para o bilionário, que agora fazia agachamentos à luz de velas e sussurrava:

— Grande fortuna e sabedoria fundamental continuam vindo para mim. Sempre sou líder, nunca vítima. Um leão em vez de ovelha. Amo minha vida e estou melhorando a cada dia. E quanto mais pessoas eu ajudo, mais feliz eu sou.

— Também quero expressar minha gratidão — acrescentou o artista, estendendo a mão e fazendo um leve cafuné na empreendedora.

— Se o mundo conhecesse e aplicasse as filosofias e metodologias do Clube das 5 da Manhã, todo ser humano vivo se transformaria — reforçou a empreendedora. — E agora entendo que acordar com o sol não significa passar o dia dormindo pouco. Está mais para a velha questão de "Quem dorme cedo, acorda cedo".

— E à medida que cada um de nós faz sua parte para criar sua revolução interior, todos os relacionamentos melhoram, desde o que temos com nosso ofício até as conexões interpessoais — contribuiu o artista.

— É como disse Mahatma Gandhi: "Seja a mudança que você deseja ver no mundo" — acrescentou a empreendedora, com o rosto brilhando à luz suave da vela e mexendo em seu novo anel. — Li um pouco sobre ele antes de dormir ontem à noite.

— Com todo o respeito — comentou o Orador Fascinante, empolgado: — As verdadeiras palavras de Mahatma Gandhi foram ajustadas ao longo dos anos para virar uma citação adequada a uma cultura que vive um déficit de atenção coletivo.

— O que ele realmente disse — interrompeu o bilionário — foi: "Se pudéssemos mudar a nós mesmos, o mundo também mudaria. Quando um homem muda sua natureza, a atitude do mundo em relação a ele se altera. Não precisamos esperar para ver o que os outros fazem."

— Excelente trabalho, Stone — comentou o Orador Fascinante, sorrindo — Mas eu realmente entendo o que você quis dizer — disse ele gentilmente à empreendedora: — E é claro que você está certa. Meu pedido a vocês dois é que compartilhem o máximo desses princípios e modelos mentais com o maior número de pessoas possível. Porque, se todo líder corporativo, trabalhador do comércio, cientista, artista, arquiteto, influenciador político, atleta, professor, mãe, bombeiro, pai, taxista, filha e filho adotassem a rotina matinal e o ritual noturno que revelamos a vocês, *teríamos um novo mundo*, com muito menos tristeza, grosseria, mediocridade e ódio e muito mais criatividade, beleza, paz e amor.

— E agora preciso ir embora — anunciou o Orador Fascinante. — Vejo você mais tarde no jantar, Stone. *Cacio e pepe* no cardápio, certo?

— Claro — respondeu o bilionário, levantando-se. Ele voltou a tossir e pareceu instável por um instante. A mão esquerda tremeu e uma das pernas ficou bamba.

O Orador Fascinante logo desviou o olhar.

— Preciso ir — foi o que ele disse antes de se dissolver na escuridão da tumba.

Os três que ficaram saíram da cripta, depois subiram as escadas e entraram na luz ofuscante do sol romano.

O bilionário ligou a scooter e acenou para que os convidados o seguissem. Eles atravessaram um labirinto de ruas estreitas, passaram por um velho aqueduto e voltaram aos muros da cidade. Em pouco tempo eles percorriam as ruas congestionadas do centro histórico e desciam a Via dei Condotti.

Após estacionar as scooters, a empreendedora e o artista seguiram o bilionário pela Escadaria da Praça da Espanha.

— Bom — declarou ele —, isto fecha o círculo dessa sessão de mentoria iniciada às cinco da manhã. Antes de deixar vocês, caras, irem embora por hoje, eu tenho um último modelo irado, que o Orador Fascinante ensinou quando eu era bem mais jovem e se mostrou inestimável. Sei que vou encerrar os ensinamentos desta manhã com chave de ouro.

O bilionário bateu palmas com um ruído estrondoso. Um barulho foi ouvido ao longe, vindo da Villa Borghese. Logo o som ficou mais alto e mais próximo.

Um objeto pairou sobre a cabeça do bilionário, da empreendedora e do artista. Os turistas sentados na Escadaria da Praça da Espanha, bebendo café *espresso* e tomando *gelatto*, olharam para o céu, tentando descobrir o que estava acontecendo. Você adoraria estar lá, naquele momento fabuloso.

— *Mamma mia!* — gritou uma senhora de vestido florido e soltinho, que segurava um bebê em um dos braços e um buquê de tulipas em cores deslumbrantes no outro. — É um drone! — gritou um adolescente usando um boné de aba reta, jaqueta jeans com a frase "Dúvida não é uma opção" costurada nas costas e jeans com imensos buracos no joelho. Por algum motivo desconhecido, ele estava descalço.

O bilionário começou a pilotar habilmente a pequena aeronave rumo a um pouso preciso e suave na superfície de um lago naquela tarde quente de verão. Ele piscou para os dois alunos.

O CLUBE DAS 5 DA MANHÃ

— Ainda tenho o dom! — orgulhou-se ele.

O drone levava uma caixa de madeira contendo uma pequena placa de vidro com um modelo de aprendizado. O diagrama era o seguinte:

Linha do Tempo	Atividade	Observações
4h45	• Horário ótimo para levantar • Cuidados pessoais	• Período na pista antes do voo • Deixar a roupa de ginástica ao lado da cama na noite anterior • Hidratar-se para dar combustível às mitocôndrias de suas células e liberar ATP, que aumenta a energia
5h – 5h20	• Exercícios físicos intensos • É preciso suar, pois liberar o fator neurotrófico derivado do cérebro • Mais hidratação • Podcasts/áudio/vídeo/música	• Primeiro bloco: movimento • Mudar seu estado de cansado para alerta às 5h20 • Exercícios físicos aumentam os telômeros • Ativar a neurobiologia da grandeza
5h20 – 5h40	• Meditar • Rezar • Escrever em seu diário • Prática de gratidão • Roteiro de projeto pré-desempenho	• Segundo bloco: reflexão • A meditação reduz e retarda o envelhecimento • Planejar e sequenciar aumenta o foco e a produtividade
5h40 – 6h	• Leitura • Audiolivros • Podcasts • Aprendizado e vídeos inspiradores	• Terceiro bloco: crescimento • Mentalidade 2x3x • Alimentar a esperança e seu ofício • Gerar inspiração • Construir invencibilidade em sua área de trabalho
6h – 8h	• Conexão familiar • Objetivos pessoais • Sem redes sociais • Sem notícias • Sem verificar mensagens	• Enriquecer o bem-estar e reduzir a demência digital • Elevar o tom da sua manhã • Promover alegria e calma
8h – 13h	• Regra 90/90/1 • Método 60/10 • Trabalho de nível mundial	• Os ciclos gêmeos do desempenho de elite • Protocolo da pequena bolha do foco total • Menlo Park pessoal
13h – 17h	• Trabalho de menor valor • Reuniões • Organização • Desjejum (opcional: dividendo 16/8)	• Tarefas administrativas triviais • Trabalho menos criativo • Planejamento • Mais hidratação
17h – 18h	• Tráfego para você • Segunda leva de exercícios físicos • Protocolo das duas massagens • Descompressão e período de transição	• Manter o nível via aprendizado • Tempo de renovação pessoal • Sol/ar fresco/reabastecer

Período sem tecnologia (4h45 – 6h)

Linha do Tempo	Atividade	Observações
18h – 19h30	• Sem dispositivos digitais • Refeição em família • Portfólio de conquistas felizes • Passeio ao ar livre com os entes queridos	• Conexão social • Aventura • Serviço comunitário
19h30 – 21h30	• Leitura • Relato noturno no diário • Preparação para acordar cedo • Sem telas e tecnologia • Horário ótimo para a segunda meditação antes de dormir	• Rituais noturnos para o sono • Banho quente com sal de Epsom • Quarto escuro • Temperatura fresca
21h30	• Sono profundo	• Produzir hormônio do crescimento • Restaurar e regenerar o cérebro, corpo e espírito

Período sem tecnologia

— Achei que vocês, caras, adorariam esse plano, passo a passo, e detalhado, para ter um dia incrível. Claro que esse é apenas um jeito de fazê-lo. Vocês vão notar que o regime noturno é um pouco diferente do ensinado pelo Orador Fascinante. Como sempre, a aplicação das táticas que ensinei cabe totalmente a vocês. A vida é sua, a escolha, também. Essa estrutura me ajudou imensamente porque uniu vários elementos poderosos da *fórmula 20/20/20* que ensinei no início desta manhã aos aspectos cruciais de um processo de primeiro nível antes de dormir, construindo um mapa diário imensamente específico para qualquer pessoa executar e obter dias incríveis de modo consistente. É como uma receita culinária: siga os passos e veja os resultados.

— E dias incríveis criam uma espiral que gera semanas incríveis, que se transformam em meses incríveis — emendou o artista, fechando seu caderno.

— E meses incríveis viram trimestres incríveis, que rendem anos e décadas incríveis e, no fim das contas... — acrescentou a empreendedora, também fechando seu caderno.

— Uma vida incrível! —disseram os três ao mesmo tempo.

— Dia a dia. Passo a passo, vocês produzirão uma existência épica — resumiu o bilionário, usando os óculos escuros chiques, do tipo que os romanos antenados usam para exibir a atitude de "não me esforço para ter esse visual incrivelmente bacana". Outras gaivotas bateram as asas e produziram aqueles ruídos chatos que elas adoram fazer.

O CLUBE DAS 5 DA MANHÃ

Sem dúvida, o bilionário era uma alma excessivamente carinhosa. Não só era rico financeiramente, como de coração, mas ele detestava gaivotas e como elas invadiram vários telhados no coração de Roma nos últimos anos.

— Preciso fazer algo em relação a essas criaturas com penas — pensou ele, demonstrando uma irritação incomum. — Enfim, agora está claro por que eu trouxe vocês à Escadaria da Praça da Espanha: gerar produtividade explosiva, saúde de elite, prosperidade excepcional, alegria contínua e paz interior sem limites é um jogo *passo a passo*. Pequenos avanços diários levam a resultados impressionantes, quando feitos de modo consistente ao longo do tempo. As microvitórias diárias e otimizações infinitesimais são o caminho mais certeiro para uma vida digna de orgulho. Este é um dos meus lugares favoritos no mundo, sabe? Queria que vocês dois estivessem aqui comigo não só para aprender o processo transformador da *fórmula 20/20/20*, como para reforçar a realidade que viver de modo extraordinário é uma espiral rumo ao topo da escada do sucesso e da importância. E enquanto vocês fazem essa jornada rumo à experiência mais completa de sua maior grandeza, uma beleza e magia tão óbvias quanto a que vocês estão testemunhando agora vão infundir seus dias e acelerar ao longo dos anos, passo a passo. Disso vocês podem ter certeza.

Após olhar cuidadosamente o modelo de aprendizado escrito no vidro, a empreendedora perguntou em voz alta:

— O que é a *regra 90/90/1*? E o *método 60/10*? Também não entendi outras partes.

— E o que significam a segunda leva de exercícios físicos e o protocolo das duas massagens no modelo? — perguntou o artista.

— As respostas virão em breve — respondeu o bilionário, gerando suspense. — Vocês dois sabem que eu guardei os melhores *e maios valiosos* ensinamentos para o fim do nosso período juntos.

Em seguida o bilionário abraçou a empreendedora e o artista, mais forte do que nunca. Dava para ver as lágrimas tomando conta dos olhos dele aos poucos. Muitas lágrimas.

— Eu amo vocês dois. *Ci vediamo* — disse ele.

E depois desapareceu.

CAPÍTULO 15

O Clube das 5 da Manhã aprende com os mestres as 10 táticas da genialidade para toda a vida

"Se você soubesse quanto trabalho foi necessário, não chamaria de genialidade." — **Michelangelo**

— São Paulo é tão especial, não é? — disse o bilionário enquanto o carro popular sem identificação dirigido por um motorista vestindo camisa de mangas curtas parava e andava no tráfego intenso dessa cidade de tantos milhões. Como fez nas Ilhas Maurício, ele sentou-se no banco da frente.

Os três companheiros tinham acabado de sair do aeroporto de aviões particulares e iam para um hotel-boutique no centro da capital financeira da América Latina.

— É uma cidade grande — observou o artista, expressando o óbvio.

— Agradecemos muito por você nos trazer ao Brasil para nosso casamento — disse a empreendedora, empolgada.

— Obrigado, irmão — acrescentou o artista.

— Ele realmente queria que a cerimônia acontecesse no seu complexo à beira-mar — disse a empreendedora, apontando para o noivo com um olhar carinhoso.

— Queria mesmo. Aquele lugar é o paraíso — concordou o artista.

— Para ser sincera, eu também acho, mas queria homenagear meu pai, que era brasileiro — explicou a empreendedora.

ROBIN SHARMA

— E esposa feliz significa vida feliz — confirmou o artista, sorrindo.

Depois ele citou as palavras do *Ursinho Pooh* de A. A. Milne: "Se você viver cem anos, eu quero viver cem anos menos um dia, assim nunca terei que viver sem você."

A empreendedora se aproximou do artista no banco de trás do carro, que passava por magníficas catedrais neogóticas, grandes avenidas com arranha-céus, o impressionante Theatro Municipal de São Paulo e o majestoso Parque do Ibirapuera.

O que o artista disse fez o bilionário lembrar sua esposa. Ele pensava nela todos os dias. E não era das viagens luxuosas para lugares exóticos que ele mais se lembrava, nem das belas refeições nos melhores restaurantes do mundo. A mente voava para os momentos mais simples e aparentemente comuns na companhia dela: dividir uma pizza barata e excelente com azeite de oliva, ler livros em silêncio na frente de uma lareira crepitante, dar passeios ao ar livre, passar noites vendo filmes, as idas ao supermercado, dançar no quarto ao som de músicas que os lembravam do quanto se amavam. E também a paciência dela ao ensinar italiano a ele, o jeito como ela ria com muita vontade e o quanto era imensamente dedicada à única filha do casal.

"Os melhores tesouros da vida então nos momentos mais simples, nessas ocorrências diárias que a maioria de nós não valoriza até perdê-las", pensou o bilionário.

Erguendo a mão para exibir orgulhosamente o anel de noivado, o artista continuou a expressar a profundidade do seu amor enquanto o carro se movia.

— Eu a amo demais, cara. Ela é o meu nascer do sol. Eu só me importava com a arte, não precisava de ninguém ao meu lado, sabe? Acho que nunca soube o que era amor de verdade. Não consigo me imaginar vivendo sem ela agora — disse ele ao sr. Riley.

A empreendedora pensou no quanto era abençoada. Desde a palestra do Orador Fascinante, a mente, o coração, a saúde e a alma dela estavam sendo reorganizadas e melhoradas radicalmente e de modo permanente.

Ela estava liberando as crenças limitadoras forjadas em sua infância tumultuada e abrindo mão das emoções tóxicas que nasceram de traumas passados, além da situação atual com os investidores. O bilionário estava certo e ela percebia isso em um grau ainda mais profundo: cada um de nós faz o melhor que pode com base no nível de consciência, maturidade e segurança pessoal em que estamos. Quem magoa os outros na verdade está se magoando. Essas pessoas se comportam do jeito mais sábio que conhecem. Se fossem capazes de se comportar com grande liderança, generosidade e humanidade, elas o fariam. Essa ideia profunda gerou sementes ainda mais fortes na empreendedora. Quando ela ouviu o Orador Fascinante falar pela primeira vez, ela era cínica e resistiu a vários ensinamentos. Desde então, ela mudou consideravelmente, e agora aceitava de todo o coração tudo o que teve a sorte de aprender. Foi uma evolução inspiradora.

A visita a Roma acontecera há três semanas. Nesse período, a empreendedora estava fazendo corridas curtas de 20 minutos às 5 da manhã todos os dias, além de muita musculação. Às 5h20, ela usava a tranquilidade do segundo bloco para calma contemplação, escrever listas de motivos para gratidão em seu novo diário e meditar. Por fim, às 5h40, ela ouvia um audiolivro sobre uma grande figura das finanças ou lia algo sobre produtividade, trabalho em equipe e liderança. Ela também conseguiu algo difícil: acabou com o vício em tecnologia, que era sua tábua de salvação, mas a impedia de produzir o maior trabalho de sua vida e a distraía de estar totalmente presente. Nesses dias fantásticos longe do escritório, ela estava criando o resultado mais brilhante de sua carreira, aproveitando o fenômeno da hipofrontalidade transiente ensinado pelo bilionário para orquestrar resultados em nível de genialidade inéditos para ela e reconquistar o bem-estar interior perdido.

Tudo o que ela estava aplicando gerava enormes recompensas. Tudo na vida parecia estar se conectando novamente. Ela estava em forma como não ficava há anos, além de mais feliz, serena e produtiva do que nunca (nos períodos que estava longe do artista), fazendo mais negócios do que imaginava ser possível.

ROBIN SHARMA

Tudo isso graças ao Clube das 5 da Manhã, que lhe permitia proteger seus talentos naturais em um mundo comercial cheio de ruídos, estresse e convites à interrupção. A Hora da Vitória proporcionava um período isolado no início do dia para construir os quatro impérios interiores a fim de construir os exteriores.

Com a esperança, confiança e perdão que acabara de encontrar, ela até fez ótimos progressos para negociar uma solução com os investidores. A empreendedora estava empolgada porque deixaria toda essa situação horrível para trás logo.

E logo ela estaria casada. Ela sempre quis alguém especial para dividir as alegrias e os sucessos e sempre desejou equilibrar a fome de fazer fortuna com o sonho de ter uma família. O tipo de família que ela gostaria de ter quando era menina.

Quando a empreendedora estava prestes a responder às reflexões do artista sobre a extensão do seu amor, ouviu-se um tiro.

O vidro do para-brisa do veículo foi estilhaçado, instantaneamente parecendo uma teia de aranha. Dois homens de ombros largos usando capuz e com metralhadoras nos ombros mandaram o motorista destrancar as portas. Quando ele tentou acelerar para longe do perigo, outra bala furou o vidro, atingindo de raspão o ouvido do motorista e jorrando sangue.

— Abra a porta — orientou o sr. Riley, com uma calma impressionante. — Vou cuidar disso. — disse ele, apertando um botão vermelho secreto localizado estrategicamente embaixo do porta-luvas.

As portas foram destrancadas. Ouviu-se um clique.

Falando rápido, um dos homens armados gritou:

— Todo mundo fora do carro! Agora! Ou vão morrer!

Quando os ocupantes do veículo seguiram as ordens, o outro homem armado pegou a empreendedora pelo pescoço:

— Falamos para você abandonar a firma. Falamos que íamos matá-la. Avisamos que isso ia acontecer.

Subitamente, um utilitário esportivo grande, do tipo que se vê em áreas de guerra, chegou ao local.

Mais quatro pessoas, dois homens e duas mulheres, com pistolas e coletes à prova de balas, chegaram em motocicletas esportivas.

Era a equipe de proteção do bilionário.

A batalha foi travada na rua, envolvendo facas e mais tiros. O bilionário foi retirado do local com uma eficiência impressionante. Ele ainda parecia inabalável como se fosse um general liderando uma missão militar, dizendo apenas:

— Salvem os outros passageiros, eles são da minha família.

Um helicóptero começou a sobrevoar o local. Sim, um helicóptero, que tinha "5AC" pintado na lateral em grandes letras cor de laranja sobre tinta branca.

A equipe de segurança do magnata desarmou rapidamente o maior dos dois bandidos, que tinha ameaçado a empreendedora, e a levou para o utilitário esportivo em segurança. O artista, contudo, havia desaparecido, infelizmente.

— Preciso encontrá-lo! — gritou a empreendedora para o pessoal do veículo blindado. — Preciso encontrar meu marido — acrescentou, visivelmente em estado de choque.

— Fique aqui — ordenaram os agentes, segurando-a firmemente pelo braço.

Mas a empreendedora, em seu novo estado de força mental, forma física, resiliência emocional e destemor espiritual criado graças à nova rotina matinal, abandonou o guarda parrudo, chutou a porta que estava levemente aberta e saiu correndo. Como uma atleta de elite, ela cruzou com habilidade uma via expressa de quatro faixas. Ela ouviu buzinas e alguns brasileiros gritando palavras em português, preocupados com o bem-estar dela, mas a empreendedora continuava correndo, rápido como uma gazela.

Ela se escondeu em um café. Nenhum sinal do noivo. Depois entrou em um restaurante. Em seguida, correu por uma rua famosa pelas churrascarias. O artista não estava em lugar algum.

Até que a empreendedora viu o diário onde ele havia feito todas as anotações das lições do Orador Fascinante e do bilionário. O mesmo caderno que ela o viu agarrando com força quando eles se encontraram, aparentemente por acaso, no Centro de Convenções quando ela estava no momento mais sombrio de sua vida. E, como uma espécie de anjo, ele a deixou mais segura, calma e feliz com sua presença amorosa.

O que aconteceu a seguir foi trágico. Quando a empreendedora diminuiu a velocidade e andou até uma pequena avenida, ela viu sangue. Não era uma poça, mas gotas e manchas de sangue fresco.

— Ah, Deus! Ah, meu Deus! Por favor, não! — gritou ela.

A empreendedora continuou a seguir a trilha, passando por diversos carros estacionados, uma mãe levando seu bebê em um carrinho e uma fila de casas elegantes.

— Por favor, Deus, não o deixe morrer, por favor — rezou a empreendedora.

— Estou aqui! — gritou uma voz esganiçada.

A empreendedora correu na direção do chamado do artista. Chegando mais perto, ela viu o bandido apontando o revólver diretamente para a cabeça do noivo. O capanga havia tirado o capuz. Dava para ver que ele era jovem e parecia extremamente assustado.

— Olha — declarou corajosamente a empreendedora, caminhando devagar na direção dos dois homens. — Olha — repetiu ela —, sei que vocês não querem machucá-lo. Sei que vocês não querem passar o resto da vida na cadeia. Basta me dar a arma e vocês podem ir. Não vou falar para ninguém sobre vocês. Basta me dar a arma.

O bandido estava travado, sem palavras e tremendo. Ele afastou a arma da cabeça do artista lentamente e mirou no peito da empreendedora.

— Apenas relaxe — implorou ela, com uma voz forte, porém cheia de empatia, e continuou andando na direção do noivo e do sequestrador.

— Eu vou matar você! Fique aí! — gritou o bandido.

A empreendedora dava cada passo com cuidado, encarando diretamente o homem com a pistola e agora tinha um sorriso suave, tamanho era o grau de sua bravura recém-conquistada e confiança consideravelmente aumentada.

O CLUBE DAS 5 DA MANHÃ

Após uma longa pausa, o criminoso ficou em pé, encarando a empreendedora com uma aparente mistura de imenso respeito e descrença visceral e saiu correndo.

— Amor, você está bem? — A empreendedora abraçou o artista com carinho.

Retomando a compostura, embora suando sem parar, ele respondeu:

— Eu já nasci bem, amor. É... Você acabou de salvar minha vida, sabe?

— Eu sei. E não foi porque estamos prestes a nos casar, sabe? Não fiz isso porque amo você.

— O quê? — perguntou o artista. — Então, por que você fez o que acabou de fazer? Quer dizer, foi *incrível* o que você conseguiu! Totalmente gângster.

— Eu fiz isso por causa do clube.

— Do que você está falando? — perguntou o artista, perplexo.

— Fiz isso por causa dos poderes que desenvolvi como integrante do Clube das 5 da Manhã. Foi assim que eu consegui. *Tudo isso realmente funciona. De verdade.* Tudo o que aprendemos nas Ilhas Maurício, na Índia, em Roma. O principal motivo de ter salvado sua vida não é porque você logo será meu marido e teremos ótimos filhos, depois netos, um monte de cachorros e gatos e, com sorte, até canários em casa — disse ela, emocionada. — Eu o salvei porque você também está no clube e o sr. Riley disse que precisamos ficar juntos e proteger uns aos outros.

— Está falando sério? — perguntou o artista em voz alta. Ele não gostou do que ouviu.

— Claro que não! Estou só brincando, amor — riu a empreendedora. — Eu adoro você, daria minha vida por você em qualquer dia da semana. Agora, vamos encontrar o sr. Riley e ver se está tudo bem com ele.

———

No dia seguinte, após terem se recuperado da experiência dramática, eles se encontraram na cobertura do bilionário no hotel chique. O sr. Riley parecia saudável, concentrado e muito feliz.

— Que dia, ontem, hein caras? — comentou o magnata, sugerindo que a situação enfrentada por eles não passava de um passeio tranquilo por um parque florido.

— Aquilo foi brutal e traumático — repetiu o artista.

— Você, meu amigo, foi um herói ontem — declarou o bilionário com orgulho, depois concentrando-se na empreendedora. — E você, minha jovem, é um milagre com duas pernas.

— Obrigada — disse ela, mexendo os pés e vendo se o artista estava bem.

— Eu vi você agindo, sua calma. Notei a concentração sob pressão extrema e o desempenho sobre-humano.

— Esta deusa aqui salvou minha vida — reconheceu o artista, empolgado.

— Vocês, pombinhos, estão só começando a sentir os benefícios de entrar para o Clube das 5 da Manhã. Agora imaginem como ficarão depois do *mínimo de 66 dias*. E após seis meses executando essa rotina matinal de alto nível que acabaram de descobrir. Pensem em como vão capitalizar seu potencial, otimizar o desempenho e ser úteis ao mundo em um ano. Lembrem-se sempre que todos os maiores líderes também serviram. Quanto menos tudo girar ao seu redor, mais sua obsessão se volta para elevar os outros. A identidade como construtores de impérios *genuínos* aumentará, levando vocês a se transformarem em pessoas que fazem história.

— Entendi — confirmou a empreendedora, bebendo água em uma garrafinha, mantendo-se bem-hidratada para ficar no melhor de sua energia.

— Quero recompensar vocês pelo heroísmo demonstrado ontem — falou o bilionário. — Tenho algumas notícias que vão fazer vocês amarem ainda mais a vida.

— Diga logo, por favor — pediu a empreendedora. — Embora eu realmente não precise de nada, sabe? Fiz aquilo por amor. É simples assim.

— Bom... Vocês estão prontos? — perguntou o magnata.

— Sim, prontos.

— Bom, hoje de manhã eu pedi ao meu pessoal para comprar todo o controle acionário desses investidores detestáveis. Digamos que fiz uma oferta que eles não puderam recusar. E minha equipe jurídica os obrigou a assinar um acordo prometendo nunca mais passar perto da sua empresa. Eles também não poderão chegar perto de você e do homem que será seu marido daqui a algumas horas.

— Irado, não é? — comemorou o bilionário, sapateando pelo chão da cobertura.

Sim, ele sapateou por todo o recinto e depois sacudiu os braços, dançando intensamente ao som de música imaginária. Por fim, imaginem só: ele começou a rebolar. Sim, o ilustre industrial que valia 1 bilhão de dólares estava rebolando na suíte do hotel.

"Ele é o ser humano mais esquisito que já encontrei, sem a menor dúvida, mas verdadeiramente maravilhoso e quase mágico", pensou a empreendedora.

A empreendedora e o artista olharam um para o outro e começaram a rir. Depois, entraram na dança, mas ficaram para trás, pois o sr. Riley era meio exibido de vez em quando, apesar de toda a humildade. Após a sessão de dança, eles abraçaram esse homem que virou mentor magnífico, professor exuberante e amigo sincero.

A empreendedora agradeceu imensamente o barão excêntrico pela generosidade de acabar com aquela situação difícil. Essa fuga espetacular estava virando algo quase místico. Tudo estava evoluindo e se desenrolando ainda melhor do que o imaginado. E agora ela estava livre do problema que era a parte mais difícil de sua vida.

Ali ela percebeu que do outro lado de cada tragédia está o triunfo. E além da adversidade está uma ponte para a vitória, se você tiver olhos para vê-la.

— A sessão de hoje será rápida — disse o bilionário. — Meu chefe de equipe está cuidado do seu casamento enquanto conversamos. Vocês terão os lírios brancos e a música que pediram. Todos os detalhes serão calibrados em altíssimo nível. É assim que eu e minha equipe trabalhamos. Ah, os seus convidados vieram nos meus jatinhos. Todos já chegaram e estão felizes da vida, especialmente eu.

O titã tossiu intensamente por três vezes e sentiu o braço tremer. Ele estava sentado emuma cadeira moderna de madeira forrada de couro branco, do tipo que artesãos moveleiros na Suécia e na Dinamarca fazem. Pela primeira vez havia medo nos olhos dele.

— Vou derrotar esse monstro. Você está mexendo com o cara errado — sussurrou para si mesmo.

Ele puxou a carteira, tirou a foto gasta da esposa, que partira há tanto tempo, colocou-a perto do coração e se concentrou nos pontos essenciais do discurso da manhã.

— Agora que vocês sabem quase tudo o que precisam saber sobre o método das 5 da manhã, quero oferecer dez táticas que vão acelerar o processo tanto na vida pessoal quanto profissional. São dez gestos para o heroísmo diário. A *fórmula 20/20/20* vai ajudá-los a usar suas manhãs de modo brilhante. Essas dez rotinas vão complementar o regime matinal para que o resto do dia se desenrole gloriosamente. Domine-as e vocês serão imbatíveis, vivendo uma espiral significativa de sucesso onde todo elemento importante da vida se eleva à medida que as horas passam.

Como sempre, a mão dele foi ao ar. Da biblioteca da suíte de cobertura surgiu um assistente, com dificuldade para carregar o que parecia ser uma grande obra de arte emoldurada. O bilionário correu para ajudar o assistente.

O assistente jovem, injustamente bonito e sarado, usava uma camisa com as palavras: "Todos sonham em ser lendas até chegar a hora de trabalhar para isso."

— Esse é um dos meus presentes de casamento para vocês — disse o bilionário, mostrando uma pintura de tirar o fôlego do grande inventor Thomas Edison. Em cima do rosto de Edison, em estilo moderno e instigante, estavam as palavras do inventor: "O melhor pensamento acontece na solidão. O pior, na desordem."

— Encomendei este quadro a um dos meus artistas favoritos, que vive em Berlim. Ele pintou várias obras de arte em meu apartamento de Zurique, mas hoje em dia quase não trabalha, e aceitou a encomenda como favor especial. Vocês, caras, poderiam se aposentar se vendessem esta obra, podem acreditar. Por favor, virem o quadro — pediu o bilionário educadamente, sentado na bela cadeira e olhando a cara cobertura com vista para os arranha-céus de São Paulo. Muitos dos prédios tinham helipontos para que os ícones das indústrias que funcionavam neles pudessem andar pela cidade sem perder horas preciosas de produtividade e vida no trânsito de São Paulo. Porque, como você já sabe, as horas que a maioria das pessoas comuns desperdiça as pessoas épicas exploram.

Na parte de trás da obra de arte muito bem-emoldurada estava um gráfico com este título: *As 10 táticas da genialidade para toda a vida.*

O bilionário continuou falando:

— Thomas Edison é um exemplo de conquistas criativas prodigiosas como poucos na história, tendo registrado 1.093 patentes ao longo da vida, desde a lâmpada até a câmera cinematográfica e, em 1901, uma bateria que depois foi usada para os carros elétricos. Ele não era apenas um inventor, também era um construtor estratosférico de empresas.

— Sim — continuou o bilionário. — Vale muito a pena estudar a vida dele e desconstruí-la em seu diário para aumentar sua intimidade e fluência com o caminho seguido por ele. Edison disse: "Estar ocupado nem sempre significa trabalho de verdade. O objetivo de todo trabalho é a produção ou realização."

"E enquanto vocês granulam a fórmula de sucesso do inventor, aprofundem-se também em estudar a capacidade de concentração dele, que também observou: — Você faz algo o dia inteiro, não faz? Todos fazem. Se você levanta às 7 da manhã e vai dormir às 23h, usou 16 horas, e certamente, como acontece com a maioria dos homens, fez algo o tempo todo. O único problema é que eles fazem muitas tarefas e eu me dedico a uma. Se eles aplicassem esse tempo em uma direção ou objeto, teriam sucesso."

— Isso está certíssimo — observou o artista, que nessa manhã vestia roupas pretas, usava os coturnos de sempre e tirara o cavanhaque, sua marca registrada. — Lembra o que você disse nas Ilhas Maurício sobre termos uma quantidade limitada de largura de banda cognitiva e cada distração que rouba nossa atenção diminui a oportunidade de fazer um trabalho magistral, pois deixamos resíduos de atenção por toda parte: no local de trabalho e na vida. E se não tivermos muito cuidado, teremos a demência digital mencionada no último diagrama que você nos mostrou em Roma. Estou entendendo isso de forma imensa hoje. Quando voltar para minha casa e estúdio, vou montar um ambiente completamente tranquilo, sem dispositivos eletrônicos. Também planejo fazer uma grande desintoxicação tecnológica. Nada de redes sociais e de ficar à toa na internet por pelo menos algumas semanas a fim de retomar a concentração. Entendi que ao entrar em um espaço de silêncio, eu devo me concentrar em um projeto por vez, sem espalhar meu poder criativo e energia física por vários projetos. Foi isso que tirei das palavras de Edison: não dispersar a genialidade sendo muito bom em vários aspectos quando desejo ser lendário trabalhando intensamente em apenas uma tarefa.

— Estou percebendo que até uma interrupção quando estou pensando em um novo produto ou na minha próxima aventura no oceano azul pode me custar milhões de dólares, ou mais — concluiu a empreendedora, empolgada.

— O que vocês disseram é muitíssimo importante se quiserem aproveitar seus talentos e expressar a completude de sua grandeza inerente com seriedade — afirmou o bilionário, sorrindo de alegria.

— Edison subia a colina até o laboratório em Menlo Park e trabalhava por várias horas, às vezes dias seguidos, com sua equipe, em um invento que era o centro da inspiração. Esse cara esperto era bem irado.

Em seguida, o bilionário apontou para o gráfico nas costas da pintura.

— Sei que vocês dois precisam se preparar para a cerimônia. Aceitem gentilmente este presente, mas antes leiam o que está escrito na parte de trás, para começar a programar essas dez táticas que vão acelerar seu progresso no Clube das 5 da Manhã e definir seus dons, talentos e poderes com toda força. Levantar cedo e executar a *fórmula 20/20/20* são os passos fundamentais para liderar sua área e melhorar a vida pessoal. Esses dez hábitos calibrados são amplificadores, garantindo que vocês vejam resultados lineares e obtenham recompensas exponenciais.

O modelo de aprendizado era o seguinte:

AS 10 TÁTICAS DA GENIALIDADE PARA TODA A VIDA

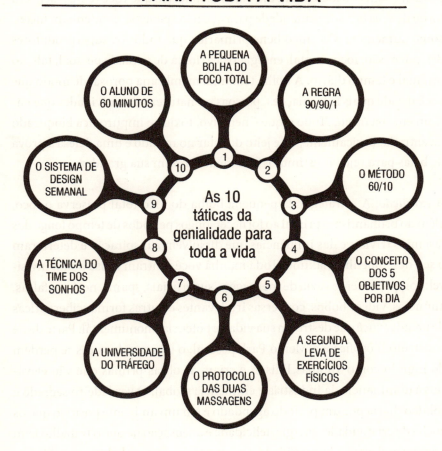

Embaixo do modelo *As 10 táticas da genialidade para toda a vida* a empreendedora e o artista leram a seguinte lista de estratégias, além de explicações precisas sobre o significado de cada uma e como aplicá-las.

Primeira tática: A pequena bolha do foco total

A ideia: O vício em distrações mata a produção criativa. Ficar atraído pela interrupção digital custa sua fortuna em termos financeiros, cognitivos, energéticos, físicos e espirituais. Para ter a renda e o impacto que poucos têm hoje em dia, é preciso levar o dia como poucos fazem atualmente. A pequena bolha do foco total é um canal metafórico que vocês constroem em torno de seus bens de genialidade para que não apenas se mantenham fortes, como aumentem. Os cinco bens primários que todos os superprodutores defendem são: foco mental, energia física, força de vontade pessoal, talento original e tempo diário. A bolha tem uma membrana porosa, de modo que você decide quais informações, pessoas e a natureza das atividades que entram em sua órbita. Tudo o que é negativo, tóxico e impuro fica bloqueado na entrada. Basicamente, esse jeito de estar no mundo é uma defesa à prova de balas para rejeitar estímulos que menosprezem sua grandeza.

A execução: A estratégia da pequena bolha do foco total preserva o foco, além do brilhantismo primal ao fornecer longos períodos de tempo longe dos fascínios triviais e das influências que dissolvem a inspiração e deterioram o seu desempenho máximo. Toda manhã vocês entram nessa bolha invisível, completamente vazia de mensagens superficiais, spams, notícias falsas, anúncios, vídeos bobos, conversas irrelevantes e outras formas cibernéticas de prender você que destroem sua vida de potencial monumental. Parte desse construto filosófico é o Menlo Park pessoal: o lugar onde vocês se perdem do mundo como Thomas Edison e criam as obras-primas que vão elevá--los à dominância da indústria e eminência global. O verdadeiro segredo é solidão diária por um período agendado e em um ambiente positivo que os encha de criatividade, energia, felicidade e a sensação de que o trabalho feito por vocês elevará a humanidade. Os espaços que vocês habitam moldam o resultado de sua produção. Esse conceito pode e deve ser aplicado além da rotina profissional. Assim, seu tempo particular fica livre de negatividade, vampiros de energia e objetivos que ferem a alma. Claro que vocês podem mexer nesse muro metafórico de proteção ao redor dos seus cinco bens de genialidade para ter uma vida social maravilhosa e não virar eremitas. Usar a pequena bolha do foco total na vida pessoal significa viver seus dias em universo alternativo criado alegremente por você. Lembre-se: a bolha tem membrana porosa, então você escolhe quem entra em sua realidade, além dos elementos de beleza, espanto e paz. Algumas ideias específicas para aplicar esta tática: vender o aparelho de TV, evitar as notícias pelo restante da vida, ficar longe de shopping centers barulhentos, onde vocês compram objetos que não precisam, desfazer a amizade com pessoas que drenam sua energia nas redes sociais, desligar todas as notificações enquanto estiverem na pequena bolha do foco total e apagar aplicativos com anúncios constantes.

Segunda tática: A regra 90/90/1

A ideia: Fazer trabalho real em vez de artificial diariamente e com consistência absoluta lhes dará uma Vantagem Competitiva Gigantesca que vem da maestria. A produtividade em nível virtuoso é rara e o mercado paga mais pelo que é escasso. Conquistadores lendários concentram toda a atenção e esforço em um projeto por vez para canalizar toda a capacidade cognitiva e energia preciosa em lançar produtos gloriosos e transformar a indústria. Para trabalhar assim é preciso instalar o hábito diário de explorar suas melhores horas profissionais e melhores resultados produtivos. Quando vocês começarem a trabalhar, não é hora de fazer compras na internet, fofocar ou verificar mensagens. É hora do show para o superprodutor.

A execução: Pelos próximos 90 dias agendem sua vida para investir os primeiros 90 minutos do dia de trabalho na atividade que, uma vez realizada em nível mundial, irá levá-los a dominar sua área de trabalho. Esse período de 90 minutos precisa estar totalmente livre de ruídos e interrupções. Coloquem os dispositivos em uma bolsa escrita "para o período 90/90/1" e deixem-na em outro quarto. Instalar limites claros que impeçam o acesso à tentação é uma poderosa tática para diminuí-la.

Terceira tática: O método 60/10

A ideia: Pesquisas revelam que os maiores produtores não trabalham de modo linear, arduamente e por mais tempo esperando chegar a resultados mais fortes e melhores. Em vez disso, os criadores de elite entendem o poder da oscilação, estruturando os ciclos de trabalho para alternar os surtos de foco profundo e intensidade feroz de desempenho com períodos de verdadeiro descanso e recuperação total. Em outras palavras, eles trabalham no equilíbrio e alternam resultados incríveis com momentos para reabastecer seus bens de genialidade de modo a não esgotá-los. Usando os dados científicos comprovados que seres humanos fazem seus trabalhos mais impressionantes quando estão descansados e relaxados, em vez de exaustos e estressados, os verdadeiros profissionais dedicados à glorificar a genialidade operam em um modo de pulsação, funcionando mais como corredores de curta distância em vez de maratonistas.

A execução: Após realizar o segmento 90/90/1 do seu dia de trabalho, use um timer e trabalhe no melhor de suas capacidades por 60 minutos consecutivos, sentados ou em pé, em sua pequena bolha de foco total. Treine-se para não se mexer, apenas se concentrar e criar os maiores resultados que puder. Após esse ciclo de 60 minutos de produtividade, recarregue-se por dez minutos. Algumas ideias para esse ciclo de recuperação: fazer uma breve caminhada ao ar livre, ler um livro para aumentar sua liderança ou maestria pessoal, meditar, visualizar ou ouvir músicas empolgantes com fones, como fazem vários atletas campeões antes de entrar em campo ou quadra, para que a atenção saia do comportamento de ruminar e se preocupar do lado esquerdo do cérebro para a criatividade e o fluxo da parte direita. Após dez minutos incríveis de regeneração, façam o próximo segmento de 60 minutos de trabalho cheios de inspiração, excelência e inventividade. Depois, façam o próximo ciclo de dez minutos de renovação.

Quarta tática: O conceito dos 5 objetivos por dia

A ideia: Estudos mostram que o auge produtivo dos líderes empresariais mais eficazes está nos dias em que eles envolveram ativamente a mente no progresso realizado, mesmo se tiverem enfrentado sérios reveses. Ao fazer isso, eles se inocularam da influência sabotadora do viés de negatividade do cérebro. Um dos grandes segredos para um desempenho sensacional é treinar a atenção para obter vitórias consistentes de 1% e microconquistas ao longo de cada hora do dia de trabalho. Pequenos avanços diários levam a resultados impressionantes, quando feitos de modo consistente ao longo do tempo. E ao refletir de modo deliberado sobre as áreas em que estão avançando, vocês conseguem isolar a ambição, resguardar a confiança e derrotar o trapaceiro poderoso do medo, para realizar proezas incríveis.

A execução: Durante o segundo bloco da Hora da Vitória, liste os cinco miniobjetivos que deseja conquistar ao longo do dia para sentir que ele foi bem gasto. Isto também exige prática, como muito do que vocês já aprenderam. Quanto mais vocês praticarem esse hábito, mais fácil ele se tornará e maior será sua capacidade de execução. Então, insistam no processo. Após 30 dias, vocês terão conquistado 150 vitórias valiosas, e em um ano, essa estratégia será responsável pela conquista de 1.825 objetivos de alto valor, garantindo que os próximos 12 meses sejam os mais produtivos de sua vida.

Quinta tática: A segunda leva de exercícios físicos

A ideia: Vocês já descobriram a beleza da neurociência por trás do exercício diário. Mexer o corpo regularmente aumenta a concentração, melhora o poder de processamento do cérebro, além de acelerar a capacidade de aprendizado, aumentar a energia, elevar o otimismo, ajudar a dormir melhor, através da produção de melatonina, e promover a longevidade, com a liberação do hormônio de crescimento humano, além do aumento nos telômeros. Os telômeros evitam que as pontas dos cromossomos desfiem, de modo similar às partes plásticas nas pontas dos cadarços de sapatos. O envelhecimento encurta os telômeros, e é por isso que eles são comparados com um estopim de bomba. A questão é: está bem documentado que exercícios físicos diminuem este encurtamento, ajudando vocês a ficarem saudáveis por mais tempo. Também é preciso observar que a meditação, uma dieta rica em alimentos integrais, o sono de boa qualidade e jejum intermitente (que o Orador Fascinante chama de *dividendo 16/8* porque vocês não comem durante 16 horas e depois quebram o jejum por oito horas) evitam a degeneração dos telômeros. Considerando os fatos que afirmam o poder absolutamente transformador dos exercícios físicos, por que você se exercitaria apenas uma vez ao dia? Por que não usar esse regime a fim de aumentar ainda mais a vitalidade para que não só vivam mais que os colegas de mercado como enganem o envelhecimento vivendo uma vida absurdamente feliz e produtiva?

A execução: Para fazer a segunda leva de exercícios físicos agendem um período no final do dia de trabalho de modo a conseguir uma grande noite. Vocês vão derrotar a exaustão que a maioria das pessoas sente após o trabalho, recarregar a bateria da força de vontade para melhorar suas escolhas noturnas e até descobrir que o desejo de açúcar à noite diminui significativamente. Uma das melhores atividades a serem feitas nessa hora é um passeio ao ar livre, de uma hora. Vocês vão ganhar outro bloco de tempo sem interrupções digitais, permitindo pensamentos mais profundos e geração de ideias valiosas. Vocês também serão recompensados com os benefícios que estar em ambiente natural com a luz do sol e ar fresco trazem para a mente, coração, saúde e alma. O naturalista John Muir expressou isso muito bem: "Em toda caminhada em ambiente natural a pessoa recebe muito mais do que busca." Outras ideias para a segunda leva de exercícios físicos: dar um passeio de *mountain bike* de 60 minutos, nadar ou fazer uma aula de yoga. Ao executar essa rotina, vocês também vão queimar ainda mais calorias e acelerar o metabolismo, reduzindo a gordura corporal. A segunda leva de exercícios físicos vai mudar sua vida.

Sexta tática: O protocolo das duas massagens

A ideia: Estudos demonstraram que a massoterapia gera melhoras significativas no desempenho cerebral, no humor, na capacidade de enfrentar o estresse e no bem-estar em geral. Entre os benefícios da massagem estão uma redução de 31% no nível de cortisol (o hormônio do medo), aumento de 31% na dopamina (neurotransmissor da motivação), elevação de 28% na serotonina (o composto neuroquímico responsável pela regulação da

O CLUBE DAS 5 DA MANHÃ

ansiedade e aumento da felicidade), redução na tensão muscular, além do alívio da dor pelo envio de mensagens anti-inflamatórias às células musculares e aumento nos sinais para que essas células façam mais mitocôndrias. O objetivo é receber uma massagem profunda nos tecidos em vez de um trabalho simples de relaxamento corporal. Precisa doer um pouco para que funcione bem. Essa prática incrível também reduz o estresse, que degrada os telômeros, além de otimizar a boa saúde e maximizar o tempo de vida.

A execução: Para aplicar o protocolo das duas massagens reserve horário para duas massagens de 90 minutos por semana, pois tudo o que é agendado acaba sendo feito, e porque planos vagos geram desempenho semelhante. Além disso, a melhor das aplicações é preferível à maior das intenções. Os virtuosos realizam sua visão, pois se dedicam a aplicá-la. Vocês podem dizer que são ocupados e não podem se dar o luxo de receber duas massagens longas por semana. Na verdade, considerando os benefícios comprovados e maravilhosos desse protocolo para seu estado mental, cognição, alegria, saúde e longevidade, a verdade é que vocês não podem se dar o luxo de *não* instalar esse hábito. Sim, duas massagens de 90 minutos por semana vão custar muito caro, mas a morte vai custar ainda mais.

Sétima tática: A universidade do tráfego

A ideia: Quem leva um total de 60 minutos para ir e voltar do trabalho todos os dias passa aproximadamente 1.200 dias no trânsito, se tiverem uma vida humana média. São mais de três anos perdidos em um ônibus, carro ou trem, e com o aumento das distâncias esse período de tempo só aumenta. A maioria das pessoas em um engarrafamento está se infectando com notícias tóxicas, papo superficial no rádio e outros estímulos negativos que acabam com a produção e dissolvem a paz interior. As pessoas em ônibus, carros ou trens, indo e voltando do trabalho, em geral dormem, sonham acordadas ou brincam com dispositivos tecnológicos em um estado crônico de apatia. Seja diferente.

263

A execução: Entrar para a universidade do tráfego significa aproveitar o tempo de viagem, seja indo e voltando do supermercado, consultas médicas ou outros eventos, para aprender, expandindo seus conhecimentos profissionais e pessoais. Ideias específicas para isso: ouvir audiolivros e consumir podcasts valiosos. A verdade é que uma nova ideia aprendida em um livro ou curso pela internet pode render milhões ou até bilhões de dólares para você, além de multiplicar sua criatividade, produtividade, vitalidade e espiritualidade de modo exponencial. Não há outro veículo disponível hoje com retorno mais alto do que investir na educação e no crescimento.

Oitava tática: A técnica do time dos sonhos

A ideia: Atletas profissionais recebem ajuda de uma equipe para chegar ao status de melhor do mundo. Assim, eles estão livres para mobilizar os cinco bens da genialidade, desenvolvendo os poderes e o conhecimento que vão levá-los a dominar o esporte. Michael Jordan não era seu médico e Muhammad Ali não era o próprio treinador. Os superprodutores terceirizam e automatizam todas as atividades, exceto as que estão no reino de sua maestria, permitindo a pureza do foco e liberando muito tempo.

A execução: Delegue tarefas que desperdiçam suas horas e diminuem a felicidade. O ideal é reestruturar toda a sua vida para se dedicar apenas ao que amam e são ótimos em fazer. Com essa configuração, vocês vão aumentar o desempenho por terem priorizado algumas tarefas e terão liberdade pessoal e serenidade muito maiores. Além disso, como os integrantes do seu Time dos Sonhos são líderes em suas respectivas áreas, a ascensão ao status de lenda será mais tranquila, pois vocês terão ótimas pessoas ao seu lado. O seu time dos sonhos pode ter *personal trainer*, nutricionista, massoterapeuta, *coach* financeiro para fortalecer sua fortuna, conselheiro de relacionamentos para ajudar a manter laços ricos com as pessoas importantes em sua vida e um conselheiro espiritual para manter seus pés no chão em termos das leis eternas de uma vida bem vivida.

O CLUBE DAS 5 DA MANHÃ

Nona tática: O sistema de design semanal

A ideia: Vocês agora sabem: tudo o que é agendado acaba sendo feito. Entrar em uma semana sem um planejamento granulado para os próximos sete dias é como escalar o Mont Blanc sem uma estratégia de alpinismo ou fazer trilha em uma floresta profunda sem bússola. Sim, a espontaneidade e o espaço para os milagres inesperados são excepcionalmente importantes, mas isso não significa que vocês não devam exercer a responsabilidade pessoal e maturidade humana arquitetando um roteiro semanal cuidadoso que amplifique sua energia, organize suas escolhas e garanta o equilíbrio.

A execução: Criem e depois ritualizem 30 minutos toda segunda-feira de manhã para criar o "Plano para uma bela semana". Comecem o processo escrevendo em seu diário uma história sobre os pontos altos dos sete dias que acabaram de viver, registrando também as lições aprendidas e as otimizações para deixar a próxima semana ainda melhor. Depois, em um grande pedaço de papel que separa cada dia em blocos das 5h até as 23h, anote todos os seus compromissos. O segredo está em listar mais que as reuniões de negócios e projetos de trabalho. Defina períodos claros para a Hora da Vitória, as sessões 90/90/1, os ciclos 60/10 e a segunda leva de exercícios físicos, além de tempo para os entes queridos, seu portfólio de paixões e segmentos para as tarefas do dia. Fazer isso semanalmente vai dar um foco extraordinário aos seus dias, gerar um impulso maravilhoso, aumentar a produtividade em termos significativos e melhorar notavelmente o equilíbrio de sua vida.

Décima tática: O aluno de 60 minutos

A ideia: Quanto mais você souber, melhor você ficará. Os líderes lendários têm curiosidade sem fronteiras e apetite ilimitado para se transformar no eu maior. A educação é um veneno potente contra a interrupção. Os produtores de pico passam a vida aprendendo. Estejam entre os poucos e formidáveis que recuperam o heroísmo, cultivam o ofício e materializam a genialidade ao serem alunos de nível mundial.

A execução: Estude pelo menos 60 minutos por dia. Faça o que for preciso para manter o compromisso com o crescimento incessante. Aprender diariamente vai aumentar a perspicácia, aprofundar a sabedoria e incitar o fogo que alimentará a grandeza. Vocês vão se transformar em pensadores importantes. Algumas táticas específicas para esses 60 minutos são: ler todos os bons livros em que puderem botar as mãos, revisar as anotações do diário, fazer um curso online, falar com um mentor e assistir a vídeos para aprender novas habilidades. Capitalizar seus dons mais brilhantes e maiores poderes os transformará em pessoas maiores e ainda mais indispensáveis, tão requintadas no ofício que sua empresa e mercado não serão capazes de funcionar sem vocês. E também vão evoluir, sendo líderes excepcionalmente valiosos em seu campo e capazes de fornecer notáveis fluxos de valor para os integrantes de sua equipe, clientes e comunidades que têm a bênção de servir. Os resultados surgirão como recompensas generosas na forma de renda, eminência e alegria psíquica de ser uma pessoa nobre, fazendo trabalho de primeira classe e com um propósito poderoso.

———

— Tenho outro presente para vocês dois antes de sairmos para o seu casamento! — exclamou o bilionário. — É um poema que memorizei para minha Vanessa — disse ele, com o retrato dela nas mãos. — No dia dos namorados, minha tradição era presenteá-la com 108 rosas vermelhas, chocolates maravilhosos e outro presentinho durante um jantar em nosso restaurante favorito. Aí eu ficava de joelhos e recitava o poema.

— Qual era o "outro presentinho"? — perguntou o artista.

O bilionário pareceu um pouco envergonhado, desviando o olhar para o piso da cobertura.

— Lingerie — respondeu, em uma palavra, acompanhada de uma piscadela.

O CLUBE DAS 5 DA MANHÃ

Depois ele ficou em pé na mesa de carvalho que ficava na sala de jantar da gigantesca suíte do hotel. Como uma criança brincando de esconde-esconde, ele cobriu os olhos com as mãos e recitou antigo velho poema de Spencer Michael Free com uma impressionante paixão:

"É o toque humano que conta neste mundo
O toque da tua mão e da minha
Que significa muito mais para o coração fragilizado
Que o abrigo, o pão e o vinho
Pois o abrigo vai-se quando a noite acaba
E o pão dura apenas um dia
Mas o toque da mão e o som da voz
Cantam para sempre na alma"

— Isso é lindo — disse o artista, visivelmente comovido.

Estava cada vez mais claro para o sr. Riley que o pintor boêmio e meio bruto tinha o coração mole. Embora uma pessoa desinformada talvez visse o artista como a parte mais passiva do casal romântico, isso não era verdade. A profundidade do grande amor que ele sentia pela empreendedora superava as necessidades imaturas do ego. Essa gentileza não pode ser confundida com fraqueza. O artista era um homem poderoso.

— Eu escrevi um poema — acrescentou o artista. — É para você, meu amor.

— Leia para mim, por favor — pediu a empreendedora, graciosamente, ajeitando o colarinho do futuro marido.

"Que Nunca Possamos Dizer Adeus
Um encontro ao acaso e à primeira vista
Sua beleza me comoveu
E sua força me acalmou.
As oportunidades inesperadas da vida
Enviadas por uma inteligência sábia
Pedindo que façamos nosso papel.

Ao correr um risco
Só os que ousam vencem
Só os que se dispõem a enfrentar a rejeição encontram a salvação
Só os que resgatam seu poder vivenciam a ressurreição

"Jamais conheci o amor verdadeiro
Jamais acreditei em arco-íris duplos
Passeios românticos de mãos dadas ao nascer do sol
Nunca imaginei que o primeiro beijo fosse levar a isso
Quando você cair, vou ajudá-la
Se ficar com medo, vou abraçá-la
Quando tiver dúvida, estarei ao seu lado
Quando o sucesso chegar, brindarei a você
E quando tiver vontade de ir embora, não abrirei mão de você
Penso em você o tempo todo
Sinto você profundamente em mim
Não sei o que fiz para merecê-la
Mas meu sonho agora é envelhecer ao seu lado
Que nunca possamos dizer adeus"

O artista ficou de joelhos e beijou a mão de sua futura esposa. Ela ficou ruborizada, profundamente comovida. Ouviu-se um choro em voz alta.

Os dois alunos entregaram um lenço para o mentor enxugar as lágrimas.

Capítulo 16

O Clube das 5 da Manhã reconhece os ciclos gêmeos do desempenho excepcional

"Com liberdade, livros, flores e a lua, quem não seria feliz?"
— Oscar Wilde

O bilionário estava sozinho no espaçoso terraço da cabana particular que alugara em uma vinícola em Franschhoek, África do Sul. Ao escrever no diário de todo dia, o sr. Riley refletiu sobre a felicidade maravilhosa, exuberância incomum e beleza impressionante no casamento da empreendedora e do artista em São Paulo. Eles, claramente, foram feitos um para o outro.

— O universo trabalha de modo interessante e absolutamente inteligente E se existe uma união que vai durar, é essa — refletiu ele.

Enquanto o magnata fazia anotações em seu diário, pássaros cantavam despreocupadamente e jardineiros, usando uniformes azuis, cavavam o solo do vinhedo com brilhantes pás enquanto conversavam empolgados com forte sotaque sul-africano. As videiras intrincadas e cuidadosamente organizadas em estacas de madeira exibiam um encantamento que só a natureza permite, com um fio de névoa migrando lentamente do Vale de Franschhoek para as montanhas ao redor.

Um pouco mais cedo, às cinco da manhã, o bilionário levou a empreendedora e o artista em uma viagem de *mountain bike* que começou pela fazenda de vinhos, depois seguiu pela rua Daniel Hugo e pelo vilarejo, passando por estábulos bem usados, cachorros preguiçosos que se moviam como lesmas sob o efeito de Prozac e roseiras que envolviam cerquinhas brancas erguidas nos dois lados da estrada de terra. O bilionário realmente escolhera um lugar quase perfeito para cenário da penúltima sessão de mentoria.

A lição ensinada pelo magnata enquanto os três pedalavam falava sobre a importância vital de equilibrar o desempenho pessoal de elite com uma renovação pessoal profunda a fim de obter conquistas magistrais consistentes. O titã explicou o valor de alternar o tempo no mundo buscando sucesso de altíssimo nível com um tempo de recuperação ao ar livre, em uma simetria necessária para garantir forte harmonia entre vencer no trabalho e a riqueza na vida. Para garantir que os alunos pensassem a longo prazo sobre os bens de genialidade, o bilionário também explicou que a imensa produtividade na sociedade desprovida de coração abundante, alegria autêntica e paz interior duradoura era similar a um hamster correndo em uma roda: ele acha que está se movendo, mas continua preso na gaiola.

Enquanto os raios do início da manhã caíam sobre a bela paisagem verde, o titã pedalava a bicicleta brilhante e vermelha, falava empolgadamente e dava risadas festivas, otimistas e verdadeiras. O tipo de risada que todos queremos dar mais na vida. Ele também continuou a tossir muito, chegando até a cuspir um pouco de sangue, mas como o bilionário parecia vibrante e anormalmente saudável, a empreendedora e o artista não se preocuparam muito com o bem-estar do generoso mentor. Talvez esse tenha sido um erro, mas os recém-casados estavam tão imersos no momento que não passaram muito tempo tentando descobrir o que estava acontecendo. Em retrospecto, eles preferiam ter agido de outra forma.

OS CICLOS GÊMEOS DO DESEMPENHO DE ELITE

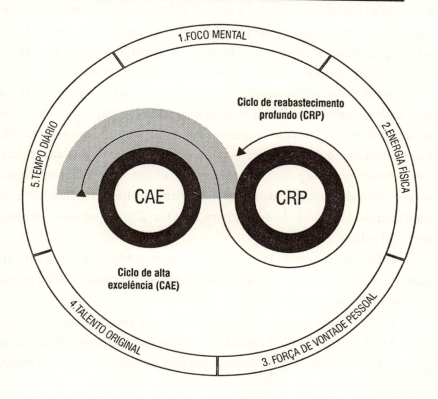

O bilionário ensinou que "a produção criativa excessivamente excelente sem a produção calibrada de bens humanos leva a uma redução notável de desempenho". Em outras palavras: *ser lendário em sua indústria é uma questão de sustentabilidade*. E de garantir que você se apresente em nível mundial não só por um mês ou um ano. O verdadeiro esporte dos capitães do comércio, grandes mestres das artes, visionários das ciências, heróis das áreas de humanas e gigantes atléticos consiste em preservar o desempenho máximo *ao longo da vida.*

— A longevidade é fundamental para o status de lenda — reforçou ele para seus dois dedicados alunos. — Este é um dos principais segredos para chegar ao status de ícone. Vocês realmente precisam aprender a equilibrar o trabalho intenso e brilhante com o descanso e a recuperação profundos de modo a continuar renovados e fortes ao longo de toda a carreira. Ao fazer isso, vocês não vão esgotar seus dons por usá-los demais, como alguns atletas profissionais estouram os joelhos e acabam impedidos de voltar a jogar. Todos os gênios sabem e aplicam esse princípio importantíssimo.

Enquanto bebia café doce, o bilionário explicou que um dos motivos para os grandes homens e mulheres do mundo serem excepcionais é a aplicação de um fenômeno chamado "supercompensação". Assim como o músculo sofre estiramento quando você o estressa até o limite de sua capacidade e *realmente cresce na pausa da recuperação,* os cinco bens da genialidade surgem quando você ativamente os força além dos limites usuais e em seguida permite um período de regeneração. O sr. Riley apontou a estrutura no papel e disse:

— Estão vendo, caras? O segredo para o sucesso duradouro está em uma palavra: *oscilação.* Eu a mencionei em São Paulo, mas vocês estão prontos para se aprofundar nisso agora.

— Definitivamente, estamos — declarou a empreendedora.

— Vejam só — disse o bilionário. — Quando cientistas estudaram os grandes levantadores de peso russos, descobriram que o segredo da invencibilidade deles era a proporção entre trabalho e descanso.

— Como assim? — perguntou o artista enquanto os companheiros carregavam as bicicletas pela trilha à beira de um fabuloso vinhedo.

— O crescimento acontece quando você está descansando — respondeu o bilionário, bem direto. — Não faz sentido lógico, certo? Na verdade, essa regra de produtividade é uma das verdades mais cruciais e paradoxais que existem. O Orador Fascinante revelou isso enquanto eu construía meu império global. O senso comum diz que para fazer mais precisamos trabalhar mais horas. Para conquistar mais, precisamos fazer mais. Contudo, sólidas pesquisas confirmam que esse método linear de "trabalhar com mais afinco para produzir melhor" tem sérias falhas, não é sustentável e só leva ao esgotamento, à exaustão e à perda de inspiração, diminuindo seu fogo para liderar o campo profissional e melhorar o mundo. Esse modo antigo de funcionar também causa um esvaziamento visceral dos recursos humanos que vão levá-los a serem mestres de seu ofício, se forem aplicados com inteligência.

— O que você está falando me lembrou do *método 60/10* — comentou o artista, feliz. Ele usava a roupa de ciclista que o bilionário tinha fornecido e, considerando a prática diária da *fórmula 20/20/20* como praticante do Clube das 5 da Manhã, ele parecia significativamente mais em forma, concentrado, empolgado e confiante do que na palestra do Orador Fascinante. A transformação dele foi maravilhosa.

— Esse comentário foi soberbo — aplaudiu o bilionário. — E você tem razão, embora o modelo de aprendizado que estou prestes a ensinar seja muito mais do que isso. Hoje vocês vão receber ideias avançadas para alternar períodos de trabalho e descanso a fim de gerar produtividade exponencial. Vocês também vão aprender a se divertir nesse processo. Nesta manhã vão descobrir como trabalhar menos e materializar mais através do que atletas profissionais chamam de "periodização". Quando terminarmos, vocês terão profunda compreensão do que é preciso fazer para triunfar em sua esfera e viver *lindamente* pelo restante da vida.

O bilionário apontou a parte da estrutura de aprendizado chamada *Cinco bens da genialidade.*

— Como já ensinei, toda manhã vocês acordam com a bateria cheia de força criativa. Cada amanhecer significa um poço repleto de cinco tesouros que, se forem gerenciados adequadamente, vão fazê-los superar a violência das desculpas e evitar a ponta da faca dos limites anteriores para que o grande herói codificado em sua alma veja a luz do dia e permita que vocês se transformem no que nasceram para ser: produtores de obras espetaculares, líderes sem título e seres humanos dedicados a viver em espanto com as graças mais lindas da vida.

ROBIN SHARMA

— Estou dentro! — exclamou o artista.

O sr. Riley continuou, olhando para o diagrama:

— Como vocês já sabem, os *Cinco bens da genialidade* são: foco mental, energia física, força de vontade pessoal, talento original e tempo diário. Repito isso para vocês poderem se lembrar. Esses bens primários estão no auge no início da manhã. É por isso que devemos começar o dia bem e realizar as tarefas mais importantes no horário mais valioso em vez de desperdiçar essa preciosa oportunidade brincando com tecnologia, vendo as notícias ou dormindo demais.

— Entendi — confirmou a empreendedora, escrevendo ferozmente no caderno de couro que ganhara em Roma. Uma echarpe colorida com estampas elegantes dava um ar dramático ao rabo de cavalo que ela usava.

— E o ponto essencial da lição de hoje é este — falou o bilionário, apontando para o centro do modelo. — O desempenho de alto nível não é um jogo linear. As conquistas de elite se parecem mais com a batida do coração, com um ritmo, um pulso. Se vocês quiserem ser grandes mestres por várias décadas e, literalmente, dominar seu campo por toda a carreira e levar a vida que adora até a velhice, absolutamente precisam alternar os períodos de resultado intenso e fantástico que são os Ciclos de Alta Excelência com os momentos de recuperação significativa dos Ciclos de Reabastecimento Profundo. Estudem isso, por favor — pediu o bilionário, colocando o dedo indicador na estrutura.

— Só para deixar bem claro — disse o artista, inalando o ar fresco. CAE é Ciclo de Alta Excelência e CRP significa Ciclo de Reabastecimento Profundo?

— Sim — respondeu o bilionário. Hoje a camiseta preta que ele usava tinha letras brancas, dizendo: "Sim, estou em um relacionamento. Comigo mesmo."

A esquisitice dele era magnífica.

— Assim, o movimento principal para obter uma vitória duradoura, em nível profissional e pessoal, consiste em oscilar — continuou o magnata. — Alternar períodos de foco passional e obcecado em um objetivo e trabalho potente em nível mais alto com blocos de tempo dedicados a reabastecer, relaxar, recuperar e se divertir. Realmente é como o seu coração pulsando.

O CLUBE DAS 5 DA MANHÃ

— Amei esse conceito que você está nos ensinando de modo tão carinhoso — observou a empreendedora. — Esse será outro fator fundamental para minha vida profissional e meu mundo particular.

— Será mesmo — concordou o bilionário sucintamente. — O crescimento acontece mesmo na fase de repouso. Parece absurdo, certo? Fomos programados para pensar que se não criamos e produzimos, estamos perdendo tempo e nos sentimos culpados se não fizermos algo, mas olhe para isto. — O barão abriu uma bolsa de nylon presa à cintura, tirou duas medalhas que pareciam ser feitas de ouro e colocou-as no pescoço da empreendedora e do artista, como se faz para celebrar um campeão. Cada medalha tinha as seguintes palavras:

A equação do desempenho lendário:

$$\text{Pressão} \times \text{Reabastecimento} = \text{Crescimento} + \text{Resistência}$$

— A lenda do tênis Billie Jean King disse que a pressão é um privilégio — lembrou o bilionário aos seus dois alunos. — Vejam bem: a pressão e o estresse não são ruins.

— Não? — perguntou a empreendedora.

— Não. Eles na verdade são absolutamente *necessários* para expandir suas capacidades — disse o bilionário.

— É preciso forçar seus talentos muito além do limite, mesmo quando nao quiserem fazer isso — continuou o mentor. — Afastar-se da zona de conforto. Só assim eles vão crescer. Lembrem-se sempre disso: *Quando vocês sentirem menos vontade de fazer algo, é a melhor hora para fazê-lo.* Como vocês também já sabem, isso acontece, em parte, porque aumentar o músculo da força de vontade em uma área importante também melhora a autodisciplina em todas as outras áreas. O que estou tentando dizer no sentido mais amplo é: a pressão e o estresse são bênçãos maravilhosas aproveitadas pelos grandes jogadores. Nossos dons não aumentam quando nos limitamos aos círculos de segurança. É preciso desafiar e forçar suas capacidades além do normal. Os músculos só se expandem quando os levamos além dos limites usuais e depois reservamos algum tempo para o reabastecimento e a recuperação.

O bilionário analisou o vinhedo, depois acrescentou:

— Eu me lembro de uma conversa fascinante com um atleta profissional que apareceu em um dos meus jantares de caridade. Sabe o que ele me disse?

— O quê? — perguntou o artista.

— "Eu descanso para permitir que o treinamento faça efeito" — pronunciou o bilionário. — Um jeito profundo de viver. O trabalho sem pausa esgota sua grandeza ao longo do tempo.

— Hmmm — murmurou a empreendedora, empurrando sua *mountain bike* até encostar o banco em uma estaca.

— Se vocês quiserem fortalecer os músculos abdominais, é preciso forçá-los além dos limites atuais — disse o bilionário — Se vocês costumam fazer cem abdominais, aumentem para duzentas. Se duzentas forem sua cota diária, então façam trezentas. Isso na verdade gera uma inflamação muscular. Os fisiologistas do exercício chamam esse fenômeno de "microtrauma". Contudo, se vocês quiserem o crescimento do músculo, não podem exercitá-lo incansavelmente, ou vão se lesionar. É preciso descansar os músculos por um ou dois dias.

— É no ciclo de recuperação que o verdadeiro crescimento acontece — interrompeu o artista, captando o princípio que estava aprendendo.

— Absolutamente correto! — empolgou-se o bilionário. — O crescimento acontece durante o repouso, em vez da fase de desempenho. Vocês se lembram do início do trabalho na praia nas Ilhas Maurício, quando falei para vocês, caras, que cresci em uma fazenda antes de me mudar para Malibu?

— Acho que sim. Parece que as Ilhas Maurício aconteceram há uma vida.

— Bom, tem uma metáfora que aprendi na fazenda que vai ajudar a entender totalmente os *Ciclos gêmeos do desempenho de elite*. Fale com qualquer fazendeira e ela vai dizer tudo sobre o *"pousio"*. Antes dele, há um período intenso de cultivo do solo, plantando as sementes e trabalhando muito. Depois, vem o período de descanso. Parece que nada está acontecendo e é como se fosse tempo perdido, mas essa é a parte legal: a colheita está realmente crescendo durante o *pousio*. Os produtos que aparecem no outono são apenas o resultado final visível.

O bilionário bebeu mais café, derramando um pouco na camisa. No recipiente que continha o líquido estava escrito: "Sonhe grande. Comece pequeno. Comece agora."

Uma borboleta amarela com asas frágeis e veias vermelho-sangue passou perto dos amigos e três águias anunciaram sua autoridade sobrevoando a região.

— Meu Deus, eu adoro borboletas — disse o bilionário, melancólico. — E também arco-íris, estrelas cadentes, luas cheias e o nascer do sol glorioso. Para que viver se você não estiver totalmente *vivo*? — Eu era um robô quando estava na casa dos 20 anos — admitiu ele. — Eu me levava muito a sério. Não tinha um minuto a perder, todas as horas eram agendadas, toda viagem de carro exigia um audiolivro, todo tempo de voo era dedicado à produtividade. O negócio é o seguinte... — A voz do bilionário ficou embargada e os olhos dele pareciam solitários, melancólicos e perdidos. — Eu estava exausto boa parte do tempo. O Orador Fascinante salvou minha vida. Salvou mesmo. E o modelo que estou lhes ensinando esta manhã ajudou imensamente nisso.

O bilionário respirou fundo e continuou:

— Meus bens da genialidade erodiram com o tempo. Minha criatividade estava com problemas, assim como a eficácia. Desde então, percebi que sou pago pelo meu grupo de empresas para pensar, criando visões e ideias para novos produtos e inovações que vão abalar o mercado e fornecer imenso valor a todos os nossos clientes pelo mundo, mas na época eu não entendia isso. O Orador Fascinante me ajudou imensamente, ensinando os *Ciclos gêmeos do desempenho de elite* durante a primeira sessão de *coaching* e insistindo de modo implacável para que eu os aplicasse instantaneamente e de modo consistente. Vocês não sabem como discuti com ele em relação a isso! Era contra a minha natureza relaxar, respirar e fazer uma pausa. Agora eu entendo que o descanso *permite* o desenrolar da grandeza primal.

ROBIN SHARMA

A empreendedora aquiesceu, compreendendo:

— Se não estou trabalhando, eu me sinto superculpada, como se estivesse fazendo algo errado.

— Cuidar de si é essencial para se amar — comentou o bilionário. — Agora entendo que o equilíbrio é vastamente importante para o desempenho de nível mundial. Trabalhar dia e noite não me deixou mais eficiente, apenas mais cansado e mal-humorado. Por isso, agora reservo algum tempo para me nutrir, descansar, andar de *mountain bike*, ler os livros que sempre quis, apreciar uma taça de vinho como o pinotage incrível que saboreei ontem à noite diante da lareira, em minha cabana no vale. Ironicamente, quando pratiquei esse tipo de recuperação, a criatividade se multiplicou, a produtividade foi às alturas e meus resultados melhoraram imensamente. É muito profundo: *eu trabalho menos, me divirto mais e ainda assim faço mais.*

Em seguida o sr. Riley pegou a mochila azul e tirou um pedaço de material branco, que parecia ter saído de uma vela de escuna. O interessante é que dava para ver um desenho de Albert Einstein em um barco a vela nele. Se você estivesse naquele vinhedo precioso com eles, teria visto o seguinte:

O industrial continuou a discursar naquele vinhedo encantador: — Ah, sim, caras legais, divertir-se é essencial para liderar seu campo, melhorar a vida e inspirar o mundo. Todos os criativos incríveis e ícones produtivos da história tinham algo em comum, sabiam?

— Conte-nos, por favor — pediu a empreendedora, fazendo barulho com as pulseiras. A aliança de casamento brilhava no sol da manhã.

O bilionário plantou bananeira rapidamente e bateu no peito com uma das mãos enquanto sussurrava as seguintes palavras:

"Este dia é inestimável. Todo o dinheiro do mundo não vai trazê-lo de volta, portanto, eu o aproveito, saboreio e honro.

"Neste dia eu preencho a mente com grandes sonhos, de modo que não haja espaço para dúvidas triviais. Substituo a psicologia do 'não posso' pela mentalidade do 'eu posso' e lembro que o maior crescimento está nas bordas irregulares dos meus limites mais altos.

"Neste dia eu lembro que meus dons nunca serão gloriosos até minha missão se transformar em obsessão. E enquanto minha fome de servir não transcender as inseguranças do eu, vou perder a grande oportunidade de fazer dessas preciosas horas um veículo para ser útil.

"Neste dia eu recarrego minha devoção para evitar uma nobreza falsa, mantendo-me sincero, humilde e com os dois pés neste chão sagrado. Se os detratores e as pessoas ruins me jogarem pedras, responderei com bondade e amor diante do comportamento inadequado, mesmo se eles não merecerem. Se os críticos me ridicularizarem, como sempre fizeram desde a minha infância, vou pegar as pedras que jogam em mim e transformá-las em monumentos à maestria. E se alguém me chamar de estranho, como frequentemente acontece, vou sorrir com a sabedoria flagrante arraigada profundamente no meu coração de que apenas os desajustados, esquisitos e excêntricos mudam o mundo. Ser diferente é realmente legal, e a excentricidade é muito moderna."

Foi uma cena sensacional: Stone Riley, de cabeça para baixo, batendo no peito como se quisesse ativar o coração e recitando sua poesia.

— As palavras são criativas, sabe? — articulou ele, voltando à posição normal e inspirando boa quantidade do ar fresco de Franschhoek. — Falem as palavras do heroísmo livre, preguem o discurso de quem acredita em possibilidades passionais, usem a linguagem da esperança, além das frases do poder, da liderança e do amor desenfreado. Eu gerencio minhas palavras meticulosamente a cada manhã.

O bilionário olhou para as videiras e continuou:

— Todos os grandes gênios realmente adoravam brincar. Eles entendiam que se divertir é uma forma poderosa de recuperação. Todos tinham atividades de laser que recarregavam suas baterias. Einstein adorava velejar, Aristóteles e Charles Dickems eram fãs de caminhadas diárias. A superestrela de Hollywood, Meryl Streep, costumava tricotar, Steve Wozniak jogava polo, Bill Gates dominou o bridge e Sergey Brin costumava se pendurar em um trapézio. O período longe do trabalho não é um desperdício, é uma necessidade — lembrou o magnata. — Isso oferece um espaço para *incubar* as ideias que vão fazer vocês ganharem uma fortuna, então, trabalhem menos para fazer mais. É basicamente disso que fala o modelo dos *Ciclos gêmeos do desempenho de elite*.

— Estou entendendo ainda mais o valor do *método 60/10* — contribuiu o artista. — Ele também significa que não há problema em tirar uns dias de folga toda semana.

— Além de não haver problema, é necessário, para proteger os cinco bens da genialidade, os mesmos que os grandes jogadores aproveitam para obter o destaque em suas áreas de modo que suas obras passem no teste do tempo. Para ser específico e tático: *tire pelo menos dois dias de folga por semana*, sem tecnologia. O Orador Fascinante os chama de "Dias sem dispositivos". Obtenha recuperação total. E reserve ainda mais tempo de folga a cada trimestre. Por várias décadas tirei férias em junho, julho e agosto. Eu velejo, ando de bicicleta, durmo, leio, nado, relaxo com os amigos, tenho os momentos mais felizes com minha filha e aproveito o melhor da vida. Vocês, caras, podem não ser capazes de tirar tanto tempo de folga, mas preciso dizer que durante esses ciclos de renovação eu faço o melhor pensando, planejando, e tenho as melhores ideias. Sempre volto ao escritório mais inspirado, a mil por hora, e mais vivo.

Outra borboleta passou. O vinhedo parecia sussurrar os milagres maravilhosos que estão por vir. Embora o sol esteja em sua glória total e radiante, uma pequena parte da lua disputava a atenção no grande céu africano. Era de tirar o fôlego.

A empreendedora pegou a mão do marido, dizendo:

— Isso é mágico.

— Sabem, caras — disse o sr. Riley, pegando a bicicleta e começando a andar pela estrada secreta dos fundos que tinha descoberto. — O paraíso na Terra não é um lugar místico e espiritual a se desejar, nem um reino reservado apenas para os santos, videntes e sábios. Eu descobri que o paraíso na Terra é um estado a ser criado, por *qualquer* pessoa que o queira criar, e olha que tive uma vida intensa e agitada todos esses anos.

O CLUBE DAS 5 DA MANHÃ

O bilionário aprofundou significativamente a conversa, ficando cada vez mais filosófico em torno dessa lição específica sobre as fronteiras entre a vida e o trabalho para obter um desempenho lendário prolongado e uma existência mais feliz. Afinal, a vitória nos negócios sem um coração alegre é um desperdício de oportunidade.

— Eu me sinto muito abençoado na vida — declarou Stone Riley. — Na maior parte do tempo, vivo na magia.

— Magia? — perguntou o artista, puxando duas tranças rastafári e desamarrando os sapatos de ciclista.

— Sim, magia — confirmou o bilionário, de um jeito ao mesmo tempo sereno e confiante, relaxado e pensativo, brincalhão e espiritual. — Eu aprendi que ter sucesso sem me emocionar é a maior das derrotas.

A empreendedora e o artista sentaram um perto do outro no chão do vinhedo.

O bilionário continuou:

— Sempre fui apaixonado por avançar minhas empresas e expandir meus interesses comerciais basicamente para ver até onde eu conseguia ir de modo a alimentar meu trabalho filantrópico. Sou igualmente dedicado a saborear a magia de uma vida incrivelmente bem vivida. Vencer sem apreciar não significa nada.

— Não sei bem se entendi — admitiu a empreendedora, enquanto um caminhão carregando um grupo de trabalhadores com sorrisos carismáticos passou ao lado deles.

— É uma ótima manhã! — gritou um dos homens.

— Eu amo muito meu trabalho. E tenho muito prazer com as casas, os bens e os brinquedos que tenho, mas não preciso de nada disso. Tenho bens e a reputação pública de homem de negócios global, mas não *me identifico* com ela. Não estou ligado a nada disso. À medida que fico mais velho, continuo amando os prazeres do mundo, mas não preciso deles para ser feliz e ter paz. Passei a ver tudo como um grande jogo, uma espécie de esporte. Sou dono dos meus bens, mas eles não são meus donos — continuou o barão. — E embora eu brinque no mundo, também adoro a vida selvagem, tanto no sentido metafórico quanto literal, como vivenciar as maravilhas naturais desse vale etéreo em Franschhoek. Também é assim que eu vivo o modelo dos *ciclos gêmeos*: arrumo tempo para apreciar totalmente a vida.

— A magia — repetiu o bilionário enquanto os pássaros pareciam cantar mais alto e outras borboletas apareceram para ouvir a conversa.

— Meu Deus, a vida é linda. Não deixem de ver o quanto ela é assombrosa e incrível, não importa o que estejam passando. Vejam bem: todos nós estamos com os dias contados, e a vida passa rápido demais. Quando vocês se derem conta, estarão velhos e provavelmente vivendo com uns 100 netos — disse ele, rindo. — Mas, enfim — sussurrou o sr. Riley. — Utopia, Shangri-la, nirvana e paraíso na Terra são apenas nomes para um estado, não um lugar. Vocês entrarão na magia da vida e começarão a viver o êxtase diariamente quando recuperarem o poder dormente em seu âmago e quando não adiarem a gratidão pelas menores graças diárias. Vocês vão virar imãs de milagres quando começarem a ser uma espécie de mágicos.

"O bilionário está entrando em território bem místico e incomum agora", pensou a empreendedora.

— O paraíso na Terra — repetiu o industrial. — Minha vida, em geral, é um fluxo constante de beleza, sabem? E descobri que isso não está relacionado a ter muito dinheiro e sim a encontrar realização nos melhores detalhes. O jeito que o fogo me aqueceu e me inspirou ontem à noite, por exemplo. Tem a ver com passar muito tempo ao ar livre, em vinhedos como este — disse ele, apontando o indicador pelas fazendas de vinho que cobriam o vale. — Caminhar pela floresta, nas trilhas nas montanhas, ficar perto do mar ou andar pelas areias de um deserto. Está relacionado a se reconectar ao espanto, maravilha e majestade que toda vida humana tem disponível para si visitando galerias de arte com frequência e deixando a energia e genialidade dos criadores inundar sua mente, coração, saúde e alma. Também está ligado a comer alimentos frescos e de preparação simples, com pessoas interessantes, verdadeiras, atentas, criativas e compassivas, que fazem você se sentir bem. Entrar na magia também diz respeito a dar adeus ao passado, aceitar o presente e voltar à imaginação, inocência, exuberância e amor dos quais vocês eram íntimos na infância. Adultos são crianças deterioradas. O paraíso na Terra aparece naturalmente no coração quando vocês têm o brilhantismo e a coragem para reabri-lo, como faziam na infância.

— Picasso disse: "Levei quatro anos para pintar como Rafael e uma vida para pintar como uma criança"— contribuiu o artista, entusiasmado: — Concordo que reencontrar a inocência traz a magia de volta à vida.

O bilionário parou; encostou a bicicleta e acenou para que os alunos o seguissem até uma área do vinhedo com uma placa de metal com "Chenin Blanc" em letras amarelas. Depois, Stone Riley ficou de joelhos.

A empreendedora e o artista o viram desenhar o seguinte modelo de aprendizado no solo rico em minerais do *terroir*:

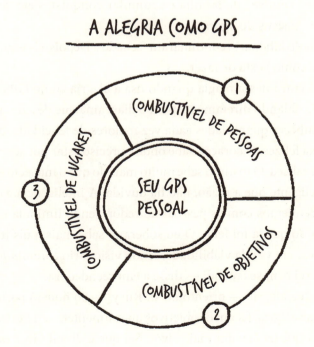

— A magia — disse o bilionário, ainda sussurrando, enquanto se colocava em posição de sentido, como um soldado. Os olhos dele agora estavam fechados e os cabelos cheios balançavam levemente na brisa suave. Quando ele colocou uma das mãos no coração, mais pombas apareceram.

— Gosto muito de brisas ultimamente. Você só consegue apreciá-las quando as perde. Como estava dizendo, tem uma espécie de encanto na vida, que está bem à sua frente e disponível para quem desejar. Todos nós podemos ser mágicos, de certa forma, mas para vivenciar essa realidade maior de que estou falando e realmente encontrá-la é preciso sair do mundo. Jogar na sociedade comum e ter sucesso no jogo funciona, mas é preciso se desconectar com frequência para não ser dominado por ele. Porque o esporte que a maioria está praticando é apenas uma ilusão, uma espécie de sonho desperto. Muita gente boa está doando as melhores manhãs dos seus melhores dias ao valorizar o dinheiro em vez do significado, o lucro em vez das pessoas, a popularidade em vez da integridade, ficar ocupado em vez da família e acumular conquistas em vez de amar os milagres básicos do agora.

Os olhos do bilionário continuaram fechados. Depois, ele ergueu as mãos para o céu, como gosta de fazer.

— Você entra nessa magia quando usa a alegria como GPS — revelou o bilionário, falando diretamente para o diagrama que desenhara no chão. — Para conhecer quantidades cada vez maiores de felicidade, confiem no que os deixa felizes. O coração sabe onde é preciso estar por ser muito mais sábio que a cabeça. O instinto sabe muito mais do que o intelecto e a intuição é mais inteligente que a razão, não há dúvida. A inteligência é o conjunto do que aprendemos com as pessoas ao redor, sendo limitada e confinada pela lógica do que já foi feito. O eu soberano sabe mais, pois funciona na possibilidade em vez da viabilidade, sendo visionário e *ilimitado*.

— Não sei bem se entendi — disse a empreendedora.

— Siga sua alegria — orientou o sr. Riley. — Só fiquem perto de quem alimenta sua alegria, façam os objetivos que alimentem seu êxtase e estejam nos lugares que os deixam mais vivos. Sei que é difícil viver esse modelo perfeitamente, então, pensem nessa estrutura como ideal para a vida. Como tudo mais que ensinei, é um processo, não um evento. Vai levar tempo, mas vocês começam tendo *consciência* desse modelo e depois permitem que a alegria seja seu GPS.

O bilionário começou a pedalar a *mountain bike* e convidou seus alunos para que o seguissem.

— Ah, a magia que vive na essência da vida. Eu a amo demais. Ela me enche de serenidade e tranquilidade muito mais do que qualquer material. Essa é a importância de equilibrar o sucesso com os sentimentos.

O bilionário cruzou os braços com força e parecia enfrentar dores fortes mais uma vez.

— O coração sempre é mais sábio que a cabeça — refletiu ele suavemente. — Ele sabe onde vocês devem estar. Sigam-no, confiem nele, e encontrarão a magia.

O bilionário fez um sinal e instantaneamente um assistente saiu de trás de um espantalho e correu pelo vinhedo até o chefe, a quem entregou uma pá prateada e depois trocou um rápido abraço com ele.

O magnata começou a cavar com vontade. Não demorou até eles ouvirem um barulho de metal batendo em metal. O sr. Riley ajoelhou e começou a tirar terra da caixa de aço que tinha sido enterrada. Ao fazer isso, começou a entoar um canto tirolês, como os cantores folclóricos na Suíça e na Áustria. Era impressionante ver o industrial cavando e ouvi-lo cantar.

A empreendedora e o artista estavam hipnotizados.

Ele abriu a caixa com extremo cuidado. Dentro dela havia 11 amuletos mágicos com suas respectivas cartas. Naquele momento, o sol que brilhava sobre o bilionário provocava o efeito de um halo.

— Sou parte de tudo que existe — murmurou o bilionário. — O grande poder do universo está em mim. Tudo o que desejo com fé ativa, positividade, expectativa e convicção está a caminho. E se o que eu desejo não vier, é porque algo ainda melhor está a caminho. Sei que esta crença é verdadeira. Todos os magos sabem disso.

A empreendedora e o artista se entreolharam, de olhos arregalados.

— O que você está fazendo? — perguntou o artista.

— Usando um de meus encantamentos — respondeu o bilionário, acrescentando mais um pouco de canto tirolês ao fim da frase e dizendo: — Não é possível produzir mágica na vida até aprender a arte luminosa de um mágico de verdade.

De repente a caixa começou a flutuar sobre o solo por um instante. A empreendedora e o artista ficaram de queixo caído.

O artista ficou um pouco nervoso:

— Ilusão de ótica que alguém ensinou, não é?

— Talvez sim, talvez não. — A resposta do sr. Riley só aumentou o mistério. — Esses amuletos vão ajudá-los a lembrar das 11 regras que venho aplicando nas últimas décadas para aumentar a fortuna financeira e ter uma vida perfeita. Como já disse, meus dias fornecem um fluxo constante de beleza, grande espanto e sensação incansável de admiração. O paraíso na Terra — reiterou o bilionário. — E quero que vocês também vivam assim. O melhor é que qualquer um pode criar esse tipo de existência, mas poucas pessoas hoje sabem manifestá-la. — E as cartas associadas aos amuletos reúnem alguns dos principais temas que partilhei com vocês nessa aventura sensacional, para resumir tudo a quando estamos perto do fim — acrescentou o magnata.

O primeiro amuleto era um espelhinho. A carta associada a ele dizia o seguinte:

Primeira regra do bilionário

Para criar magia no mundo, domine a magia que existe em você.

Olhe para o espelho. O relacionamento com você prevê o relacionamento com o mundo. Lembre-se: vocês têm um desejo primitivo pelo silêncio e pela solidão, e a quietude melhora o autoconhecimento. O matemático francês escreveu: "Todos os problemas da humanidade vêm da incapacidade de se sentar quieto e sozinho em um quarto." Livre-se da necessidade de complexidade e mergulhe no silêncio que só o início da manhã pode fornecer para que vocês voltem a se conhecer, pois fugir da solidão é escapar da liberdade.

O CLUBE DAS 5 DA MANHÃ

De modo a virar um mágico cotidiano e ter uma vida plena de paixão, fartura e paz, é preciso sentir-se mais confortável com a quietude para começar a ouvir os sussurros da genialidade que dorme em vocês. Na tranquilidade, vocês vão lembrar tudo o que verdadeiramente são e também acessar o eu supremo, repleto de criatividade, potência, invencibilidade e amor incondicional. Nesse santuário do silêncio, vocês também terão algo raro hoje em dia: tempo para *ser*. E quanto mais o fizerem, mais descobrirão como a vida realmente funciona. Vocês também vão diferenciar as crenças que são meras restrições culturais das que são verdades reais e a voz confiável da intuição dos pronunciamentos persuasivos do medo. Na solidão, vocês receberão as ideias contestadoras que vão transformar sua área de trabalho. Sei que parece estranho, mas é na serenidade que conhecerão a realidade alternativa onde os visionários como Nikola Tesla, Albert Einstein, Grace Hopper, Thomas Edison, John D. Rockefeller, Marie Curie, Andrew Carnegie, Katharine Graham, Sam Walton, Rosalind Franklin e Steve Jobs, entre outros luminares, passam tanto tempo. Por que vocês acham que cientistas, inventores, industriais e artistas lendários fazem tanto esforço para ficar sozinhos? Eu ensinei que longos períodos em contemplação silenciosa são um dos segredos da mente avançada. No fim das contas, você é a única pessoa com quem você vai estar pelo restante da vida. Por que não fortalecer o relacionamento com o eu maior, conhecendo sua genialidade total e iniciando um caso de amor para toda a vida com sua natureza mais nobre?

O segundo amuleto era uma flor. O bilionário sentiu a fragrância, sorriu e passou a carta associada a ela para os alunos lerem. Ela dizia:

Segunda regra do bilionário
Colecione experiências milagrosas em vez de objetos materiais.
O mundo sobrecarregou e endureceu vocês. Quando crianças, o instinto ensinou a ver o milagre de um floco de neve, encontrar a sorte em uma

teia de aranha e adorar o esplendor das folhas que caem na manhã colorida de outono. O objetivo não era acumular objetos e sim explorar a vida. Trocar a lente através da qual ver a vida da que enxerga o comum para a que percebe o extraordinário multiplica a capacidade de criar milagres. Reencontrem-se com a pureza perdida que conheceram na juventude antes que a sociedade partida os treinasse para valorizar objetos e dinheiro em vez de alegrias e deleites. Riam mais, dancem mais e brinquem mais, por favor.

— "O futuro promete o bem misterioso. Tudo pode acontecer da noite para o dia", disse a mística Florence Scovel Shinn. Sejam mais vivos para as maravilhas que habitam seus dias: brisas suaves, esquilos caçando uns aos outros em um parque e músicas maravilhosas a ponto de levar às lágrimas. Assim, vocês começarão a viver como a realeza e aumentarão os poderes primais para produzir ainda mais magia em suas manhãs. Nunca sacrifiquem o bem-estar e a qualidade de vida por uma renda anual ou patrimônio líquido maior. Os determinantes de uma vida magnífica continuam os mesmos há séculos: a ideia de crescimento e capitalização do potencial humano, o trabalho esforçado, que é mais produtivo e lucrativo para a humanidade, as conexões importantes com pessoas positivas, que aumentam o júbilo e tempo para fazer o que nutre seu espírito, além de passar os dias com o coração grato.

Sim, em Roma eu lambi meu diário. É um dos meus rituais para elevar ativamente a vida, aumentando o apreço pelas bênçãos que me foram dadas. Quanto mais eu valorizar tudo na vida, maior será o valor que ela terá em todos os aspectos.

Então, colecionem experiências incríveis em vez consumir bens materiais. Simplifiquem a vida e retornem aos prazeres essenciais que estão bem debaixo do seu nariz. Ao fazer isso, vocês vão superar as forças que reprimiram seu fogo e acabarão com a fachada de superficialidade que prende tanta gente boa entre nós. Ao continuar esse processo, vocês vão descobrir o quanto a vida realmente é linda e maravilhosa.

Lembrem-se: o passado é um servo que os transformou no que são agora, mas não é um companheiro para conviver no presente ou um amigo que os levará ao futuro imaculado. É impossível entrar na magia de cada manhã se parte de vocês ainda se apega a velhas decepções, ressentimentos e mágoas. Vocês sabem muito bem disso agora.

A alegria do ser e as dores antigas não se suportam. Então, treinem-se através da prática incessante para mergulhar totalmente nesse momento. Sim, isso exige trabalho e paciência, mas saborear esse instante exato é essencial para ter uma vida deslumbrante. Esse tempo é tudo o que vocês têm e um império mais valioso do que todo o dinheiro do mundo. Um dia vocês verão.

O terceiro amuleto era o símbolo de uma porta.

— Todo fim marca um novo começo. Tudo o que vivenciamos acontece por um motivo útil. E quando uma porta se fecha, outra estará aberta para vocês — observou o bilionário. — Sempre acredite que a vida está cuidando de vocês, mesmo quando os acontecimentos não fizerem sentido.

A carta em anexo dizia:

Terceira regra do bilionário

O fracasso aumenta o destemor.

"É impossível viver sem falhar em algo, a menos que você viva tão cautelosamente que é como se nem estivesse vivendo, o que também é um fracasso", disse J. K. Rowling.

Os gigantes poderosos da ambição e o imenso monstro da imaginação que existem em você nunca devem ser sequestrados pelos pequenos covardes do "O que os outros vão pensar?", "E se me rejeitarem?" e "Vou parecer idiota se fizer isso".

Você pode ficar paralisado pelo medo da rejeição ou pode ir à luta e impressionar o mundo, mas é impossível fazer ambos.

A realidade da vida é: vocês têm um destino transcendente que implora por atenção nessa era de esmagadora complexidade. Parem de abusar de sua grandeza, deformando a magnificência e negando seu brilho ao rotular algo que não saiu conforme o desejado, como fracasso. Todos nós sabemos que cada obstáculo representa notável oportunidade para ter um sucesso ainda maior.

Comecem a dizer sim com mais frequência na vida. A coragem é excelente arma para derrotar o exército do arrependimento que ataca a vida vivida com mansidão.

———

Um pincel de madeira do tamanho de um dedo foi o próximo amuleto mágico que o sr. Riley tirou cuidadosamente da caixa de metal.

— Isso reforça a ideia que vocês são criadores poderosos da sua vida e grandes artistas de suas ambições. Acreditar que as pessoas produtivas, prósperas, em forma e otimistas conquistaram suas fortunas por sorte é mentira. Investi muito tempo para que vocês entendam essa parte. Pensar que esses indivíduos construíram impérios de dinheiro, vitalidade e influência na sociedade porque as estrelas se alinharam de modo a gerar o sucesso é puro mito. Olhem para isso, por favor — orientou o mentor carinhosamente, entregando a próxima carta.

Quarta regra do bilionário
O uso adequado do poder primal cria sua utopia pessoal.

Muitos seres humanos gastam as melhores horas da vida criando uma fachada de satisfação. Eles pensam e dizem que estão felizes, mas na verdade estão sofrendo. Eles racionalizam o fato de terem traído sonhos, deixado de lado os tesouros humanos e minimizado o impacto que poderiam ter no planeta contentando-se com o que têm, em vez de evoluir. Sejam imensamente gratos por tudo o que têm, mas pensem que esses indivíduos se colocaram em um beco sem saída ao esquecer e abandonar seu poder inerente. Como resultado, a ideia de liberdade pessoal e a esperança de soberania sobre seus grandes talentos foram destruídos.

Para inserir a magia em sua vida é preciso conhecer as quatro ferramentas criativas que transformam seus desejos em resultados visíveis. Os quatro recursos que permitem materializar milagres no mundo são seus pensamentos, sentimentos, palavras e atos. Exercitem a mente para ter apenas pensamentos que sirvam à sua ascensão rumo à maestria e felicidade. Sintam regularmente gratidão, expectativas positivas e amor por tudo o que vocês têm na vida. Falem apenas palavras de elevação, abundância e encorajamento, como fiz quando estava de cabeça para baixo. Pratiquem apenas atos vigorosamente alinhados com o herói que reside em sua base mais sábia.

Estudem pessoas que diminuem o próprio potencial e vocês entenderão claramente por que as condições são tão difíceis. Elas concentram o pensamento na falta em vez da fartura e desrespeitam a força da palavra, falando continuamente de "problemas", rotulando as circunstâncias em que vivem como "terríveis"; classificando recompensas como vasto sucesso, riqueza financeira, contentamento e serviço empolgado como "impossíveis"; não conseguindo entender que o próprio discurso os desconecta da capacidade de criar mágica. As palavras são verdadeiros multiplicadores criativos. E quando se trata dos atos diários, essas pessoas empacadas não trabalham arduamente, fazem o mínimo possível e esperam uma vida linda, acreditando que ninguém vê esse crime contra a humanidade deles. Mas o maior mágico interior, a consciência, e a mente subconsciente observam tudo e testemunham esse roubo do melhor que existe nesses indivíduos.

O próximo objeto foi um olho turco, amuleto usado por algumas culturas para afastar pessoas más. Você já deve ter visto um desses em alguma de suas viagens.

— Olha, caras, eu acredito que ninguém seja verdadeiramente mau — disse o bilionário a seus alunos. — Bom, talvez alguns sejam, mas quanto mais eu vivo, mais sei que cada um de nós teve diversos traumas na vida. Como disse, só quem está sofrendo fere outras pessoas. Quem sofre cria sofrimento, e indivíduos de comportamento confuso geralmente estão perdidos e sofrendo. Algo aconteceu para deixá-los ameaçados, contraindo e fechando o bem que existe em seu âmago. Chamá-las de pessoas horríveis configura um julgamento superficial, pois o problema é muito mais profundo do que a rápida percepção dá a entender. Por ora vamos apenas dizer que para obter produtividade máxima, desempenho de alto nível, alegria sem limites e paz de espírito é muito importante evitar "pessoas ruins", que estão cheias de feridas do passado e não têm a consciência para não projetá-las em vocês. Uma vez, eu estava em uma viagem de negócios em Barbados e recebi um conselho muito sábio de um taxista, que me serviu muito bem: "Evite gente ruim."

O olho tinha a seguinte carta anexada a ele:

Quinta regra do bilionário

Evite gente ruim.

Nunca subestime o poder de suas associações. Graças ao fenômeno do "contágio emocional", além de ativar os neurônios espelho no cérebro, nós imitamos o comportamento das pessoas com quem convivemos. Encha a vida de pessoas excelentes, arrojadas, saudáveis, positivas, éticas e sinceramente carinhosas, e ao longo do tempo você imitará essas características sublimes. Deixem os ladrões de sonhos, energia e entusiasmo entrar em sua pequena bolha do foco total e saibam que vocês ficarão iguais a eles.

O verdadeiro segredo é evitar quem causa transtornos. Pessoas que cresceram em ambientes cheios de drama e problemas ininterruptos vão recriar esses dramas e problemas sem parar, conscientemente e inconscientemente. Por incrível que pareça, essas condições parecem familiares, seguras e são como um lar para elas. Afastem-se de todas as rainhas do drama e reis da negatividade. Se não fizerem isso, cedo ou tarde eles vão dissolver sua grandeza e destruir sua vida. É só o que eles sabem fazer.

Recomendo que vocês se deem bem com todos. Um inimigo já é demais. Passem pela vida com graça, sempre saindo por cima quando o conflito aparecer. Se alguém lhes fizer algum mal, deixem o carma fazer o trabalho sujo e faça de uma vida incrível sua vingança.

———

Anexado à sexta carta na caixa de metal estava uma grande quantidade de papel-moeda. Por algum motivo críptico desconhecido para a empreendedora e o artista, as notas estavam dobradas em triângulos. Essa carta, mais longa que as outras, dizia:

Sexta regra do bilionário

O dinheiro é fruto da generosidade, não da escassez.

Não se deixe enganar pela filosofia dominante do mundo. A pobreza é consequência de uma condição interna, não de uma situação externa. Acreditar no contrário é entregar sua capacidade de produzir a mágica da prosperidade para todos os motivos de suas reclamações.

O dinheiro é uma moeda que precisa fluir como eletricidade. Sim, grana viva é uma corrente que precisa circular. A acumulação dela interrompe o fluxo nos negócios e na vida particular. Todos os verdadeiros mágicos sabem disso, então deem mais, para receber mais. Deixem gorjetas generosas para os atendentes de restaurantes, arrumadeiras de hotel e taxistas, doem para caridade, façam algo maravilhoso para sua família e seus amigos sem pensar em qualquer tipo de retorno e um tsunami de abundância surgirá em sua vida.

Vocês podem se perguntar por que tantos de nós vivem em tamanha escassez. Isso acontece devido às cicatrizes relacionadas a dinheiro, são os programas alojados bem no fundo do subconsciente que foram colocados lá pelas mensagens de nossos pais, de outras influências poderosas que tivemos na infância, sem nosso conhecimento. As afirmações comuns com base nas ideias falsas que eles aprenderam são do tipo: "Seja feliz com o que tem", "Ricos são desonestos" ou "Dinheiro não dá em árvore". Essas frases plantaram em nós as sementes da falta em uma idade tenra e impressionável.

Quatro práticas me ajudaram a garantir a fortuna financeira, e vou presenteá-las a vocês: expectativa positiva, fé ativa, gratidão crescente e entrega de valor extremo. Expectativa positiva significa manter sempre a mentalidade de espera de receber dinheiro regularmente e de fontes altamente inesperadas. A fé ativa é quando seu comportamento mostra à vida que vocês acreditam na abundância e benevolência. O universo adora gestos de fartura como pagar um jantar para os amigos em um restaurante caro quando você não tem condições totais para isso ou comprar as ferramentas necessárias para elevar seu oficio quando não houver muito dinheiro em sua carteira. De forma alguma estou sugerindo que vocês se joguem em uma prisão de dívidas. O excesso de alavancagem financeira é uma força destrutiva para a civilização hoje. Basta mostrar à natureza que vocês têm consciência da prosperidade futura e agir como se ela já tivesse chegado. Sobre a gratidão crescente nós falamos muito ao longo dessa jornada. Continuem abrindo o coração para tudo e todos na vida. Abençoem o dinheiro quando pagarem uma conta, o caixa do supermercado, os fazendeiros que colheram sua comida, o motorista que dá passagem no trânsito e os músicos que compuseram as canções da trilha sonora de sua vida. Abençoem também suas pernas, por carregarem vocês todos esses anos, os olhos, por deixarem vocês verem a beleza, e o coração, por permitir que vocês se sintam vivos. Por fim, a entrega extrema de valor significa dar aos outros (colegas de equipe, clientes, familiares ou desconhecidos) exponencialmente mais benefícios do que esperariam de vocês, porque colhemos o que plantamos.

Desenvolver e blindar sua consciência de prosperidade vai gerar ganhos quânticos em termos de renda e patrimônio líquido pessoal. Então, por favor, entendam bem isso. Boa parte da tristeza em nossa cultura existe porque muitas pessoas não têm dinheiro suficiente. Isso não precisa ser assim.

———

— E agora? — perguntou o artista, tirando uma generosa uva de uma videira e engolindo-a de uma só vez.

O bilionário tirou um minitênis de corrida da caixa, dizendo: — Os exercícios físicos são um amuleto mágico. Leiam a carta que escrevi para vocês, que está em anexo.

Sétima regra do bilionário

Ter saúde excelente maximiza o poder de criar mágica.

Exercitar-se como a primeira ação de manhã garante a vitória primária de cuidar da saúde logo de cara. Essa atividade importantíssima agora está feita, deixando a cognição, energia, fisiologia e espírito preparados para criar maravilhas em seu dia.

Quando vocês começarem a fazer exercícios físicos consistentemente pela manhã, vão se surpreender com o quanto vão ficar mal se deixarem de praticá-los um dia. Vocês vão perceber que ficavam assim a maior parte do tempo, antes desse hábito, e só não estavam cientes disso porque se sentir mal era seu estado usual de ser.

O ápice da saúde é a verdadeira riqueza. Quem perde a boa saúde passa o restante da vida tentando recuperá-la. A vitalidade incomum também é um método incrível para aumentar a prosperidade. Quando você está na melhor forma física de sua vida, calibra sua nutrição para o nível da maestria, acerta a rotina de sono e minimiza o envelhecimento, vai notar grande aumento na criação de intimidade com o eu soberano. Assim, vocês acrescentarão mais de sua genialidade, glória e compaixão para o mundo, consequentemente produzindo grande fortuna financeira. E muito mais importante que isso: vocês serão capazes de dar uma contribuição maior, e nada é tão glamoroso quanto ser útil. Todo mágico conhece bem essa verdade.

O oitavo símbolo era um pequeno alpinista:

— Nunca parem de melhorar a qualidade de suas manhãs e a excelência de sua vida — explicou o bilionário, antes de se entregar a um último canto tirolês alto. Os trabalhadores do vinhedo olharam para ele e riram com vontade. O sr. Riley acenou e riu também, e continuou o discurso.

— O objetivo de um grande jogador é sempre ascender. Quando vocês chegam ao topo de uma montanha, verão a próxima cordilheira esperando para ser escalada. Essa é a principal metáfora para vocês, caras.

Ele soprou um pouco de poeira da carta que correspondia a esse amuleto segurou-a para os alunos lerem. Ela dizia o seguinte:

Oitava regra do bilionário

Aumentem o padrão de vida até chegar ao nível mundial absoluto.

A adaptação hedônica descreve a circunstância psicológica em que seres humanos se adaptam às mudanças ambientais e na vida. Vocês recebem o aumento que desejavam há anos e ficam felizes da vida por um dia. Depois, o novo nível de renda passa a ser normal e a alegria que vocês sentiram diminui. Ou vocês se mudam para um apartamento barulhento perto da linha do trem, mas se acostumam ao longo do tempo e param de ouvir os trens. Ou talvez o carro dos sonhos que acabaram de comprar é motivo de empolgação por algumas semanas até fazer parte da vida. Esses são exemplos de adaptação hedônica, e o fenômeno acontece com todos, ao longo da vida.

O antídoto para esse jeito humano de existir é elevar constantemente seus padrões e aumentar a qualidade de vida. Faça cada trimestre e cada ano ser melhor que o anterior. É assim que os titãs e as lendas agem.

Relacionado a isso está uma filosofia muito importante que me serviu bem: passe pela vida em nível mundial. Ela é curta demais para não se tratar da melhor forma possível. Ao cuidar melhor de vocês, o relacionamento com os outros, com o trabalho, o dinheiro e o mundo será elevado na mesma proporção porque a relação com o exterior reflete a relação com o seu interior. É assim que funciona.

Invistam nos melhores livros que puderem comprar e serão recompensados em múltiplos. Coma alimentos fantásticos do mais alto calibre, mesmo se tudo o que você puder bancar atualmente seja uma excelente salada de entrada no restaurante de luxo local. Tome um café no melhor hotel de sua cidade. Se onde vocês moram tiver uma equipe esportiva profissional que vocês amam, comprem ingressos bem perto do campo ou quadra em um jogo em vez de ficarem na parte mais barata. Dirijam o melhor carro que puderem, ouçam músicas alegres diariamente, visitem galerias de arte, como lhes ensinei, para que a criatividade e a consciência dos pintores passem para sua alma. E lembrem-se: fiquem perto de flores, que aumentam sua frequência e a capacidade de ver o universo alternativo ao qual todos os visionários se conectam. Por que tantos dos grandes santos, videntes, curandeiros e sábios tinham flores a seu lado? Vocês vão ficar agradavelmente surpresos com a contribuição delas para gerar tudo o que desejam.

O nono amuleto era um coração, e a carta associada a ele dizia o seguinte:

Nona regra do bilionário
O amor profundo gera alegria inigualável.

Em toda oportunidade que tiverem, mostrem amor pelas pessoas. Essa citação frequentemente atribuída a William Penn guiou maravilhosamente minha vida: "Espero passar pela vida uma vez. Se houver algum tipo de bondade que eu possa mostrar ou algo de bom que possa fazer a um ser humano, deixe-me fazê-lo agora, sem adiar ou deixar de lado, pois talvez não volte a percorrer esse caminho."

Diga às pessoas o quanto vocês se orgulham delas e o quanto as amam enquanto vocês (e elas) ainda estão vivos. Uma vez conheci um homem que sentia uma felicidade abundante ao ver uma pessoa viva.

— Por quê? — perguntei.

— Porque já vi tanta gente morta que encontrar alguém vivo é um presente especial — respondeu ele.

Ninguém sabe quando encontraremos nosso fim, então por que guardar algo tão valioso quanto a capacidade humana de amar profundamente?

Parte do seu trabalho como ser humano totalmente vivo é fazer as pessoas se sentirem melhor e fazer os outros sorrirem. Vocês podem ficar chocados, mas não é preciso muito para deixar alguém feliz. Escrevam antiquadas cartas de amor para quem vocês gostam, bilhetes de agradecimento a quem os ajudou e mensagens de consideração para qualquer indivíduo que precise de um pouco de apreço. Expressem os sentimentos reais, sem se limitar pelo medo diabólico da rejeição. E sempre se interessem mais pelos outros, sem se preocupar em parecer interessantes. Todo ser humano tem uma lição a ensinar, uma história para contar e algum sonho no coração para o qual deseja seu apoio.

O melhor eu ficará acorrentado pelas palavras de carinho que não foram ditas, os sentimentos de afeto que não foram demonstrados e as boas ações que não foram feitas.

———

— Peguem isto, por favor — pediu gentilmente o magnata, oferecendo a figura de um anjo aos alunos. — O que está nesta página é especialmente importante. Sugiro que a leiam com espírito muito aberto.

A carta dizia o seguinte:

Décima regra do bilionário

O paraíso na Terra é um estado, não um lugar.

Faça viagens diárias para o espanto e aventuras regulares para a curiosidade. A curiosidade é poderosa fonte de felicidade e crucial para promover a genialidade crescente. Todas as grandes mulheres e homens do mundo aprenderam a aproveitar a mágica de um dia vivido de modo encantador.

Graças aos meus experimentos com a vida, agora entendo que o "paraíso na Terra", dos filósofos, místicos e salvadores imortais, não é um lugar a ser visitado e sim um estado que se habita. Podem acreditar: à medida que vocês cultivarem a mente, purificarem o coração, otimizarem a saúde e elevarem a alma, o modo de perceber e vivenciar a vida vai revolucionar sua experiência. Porém, se vocês não fizerem esse trabalho importantíssimo, nunca irão saber disso, e minhas palavras vão parecer divagações de um velho excêntrico. Uma pessoa sã em um mundo enlouquecido sempre foi considerada insana, sabiam?

Então, à medida que vocês dedicarem mais tempo à maestria pessoal, a quantidade de amor-próprio vai se expandir. E todos os sucessos opulentos e alegrias particulares dependem de amar a si mesmo. O que prende vocês às dúvidas, inseguranças e medos é a falta de autoestima, pois o que outras pessoas falaram sobre vocês no início da infância leva o inconsciente a diminuir sua bravura, esmagar a elevação e acorrentar a grandeza.

Ao abrir mão dessas falsas crenças aprendidas e curar as feridas emocionais que os bloquearam para o amor (e estou falando de algo bem maior que romance), vocês desenvolverão a capacidade de sentir essa realidade totalmente nova da qual estou falando, que sempre esteve lá, mas o filtro bloqueador pelo qual vocês viam o mundo impedia o acesso a ela.

Assim, nada está errado, não houve desperdício algum e tudo está se desenrolando como deveria. No fim, vocês vão perceber que praticamente nada em sua vida foi acidente. Tudo aconteceu para seu crescimento e para o seu bem.

A empreendedora e o artista ficaram levemente surpresos ao verem o décimo primeiro e último amuleto.

— Se vocês realmente quiserem se envolver na magia da vida, reflitam sobre isto aqui — orientou o bilionário, entregando a eles um pequeno caixão.

Esta carta, ao contrário das outras, estava escrita em tinta vermelha e dizia:

Décima primeira regra do bilionário

O amanhã é um bônus, não um direito.

Não posterguem o heroísmo e nunca adiem a paz. Sua vida pode desabar em uma hora. Sou um otimista e verdadeiro mercador da esperança, mas também sou realista. Acidentes, doenças, perdas e mortes acontecem todos os dias. É da natureza humana pensar que isso nunca vai acontecer, mas todos os sábios filósofos falam sobre a efemeridade da existência.

Munidos dessa ideia, conectem-se à mortalidade. Entendam que seus dias estão contados e a cada manhã gloriosa vocês estão mais perto do fim.

Não adiem a expressão de seus dons e talentos e façam questão de apreciar a viagem. Divirtam-se na ascensão rumo à magnificência. É triste como a maioria das pessoas adia uma vida linda, divertida e mágica até ficarem velhas demais para aproveitá-la totalmente.

A vida é, sem dúvida, uma jornada sublime. Todos nós enfrentamos tribulações e mágoas, mas ela é boa em sua maior parte. Toda história de herói precisa de um vilão, além de uma bela tragédia acompanhando os triunfos e a vitória final para valer a pena.

Assim, mantenham a brevidade da vida em foco máximo. Não adiem a felicidade até terem mais tempo, conseguirem aquela promoção ou terem mais dinheiro no banco. Essas desculpas nascem da sensação que vocês não são merecedores. Sintam isso e extraiam de sua órbita para continuarem subindo até os reinos mais altos.

O CLUBE DAS 5 DA MANHÃ

O amanhã é uma promessa, não um fato. Apreciem cada manhã de todos os dias que vocês têm na Terra. Corram riscos, mas baseiem-se no senso comum. Equilibrem o viver como se não houvesse amanhã e o agir como se fosse viver para sempre. Assim, quando o fim realmente chegar, vocês vão saber que viveram a vida como testemunho majestoso à capacidade de ser uma lenda que todo ser humano carrega dentro de si.

———

Em seguida o bilionário beijou seus alunos.

— Eu amo vocês dois, sabem? Vou sentir muita falta de vocês.

E depois ele desapareceu pelo vinhedo, deixando apenas a *mountain bike*.

CAPÍTULO 17

Os integrantes do Clube das 5 da Manhã se transformam nos heróis da própria vida

"Viva como um herói. Isso é o que os clássicos nos ensinam.
Seja o protagonista. Caso contrário, para que serve a vida?"
— **J. M. Coetzee**

O heliponto na Cidade do Cabo, África do Sul, fica no V&A Waterfront, onde os turistas andam na Cape Wheel, os donos de iates se reabastecem para corridas cheias de coragem e movidas a adrenalina no oceano, pessoas fazem excursões de pesca e tomam café forte de manhã.

A morena animada com óculos de bibliotecária conferiu se o bilionário, a empreendedora e o artista haviam assinado o documento que reconhece o risco da atividade. Depois, permaneceu em um sofá de couro, fez anotações em uma lista de tarefas e forneceu aos três clientes VIP as informações de segurança obrigatórias antes que o helicóptero os levasse até Robben Island.

Como vocês sabem, Robben Island, um pequeno pedaço de terra, estéril e cercado de tubarões perto do litoral da Cidade do Cabo, é onde Nelson Mandela ficou em uma minúscula cela por 18 dos 27 anos que passou na prisão. Ao longo do tempo, esse grande herói do nosso mundo foi atacado, agredido e maltratado. Mesmo assim, ele respondeu a esse comportamento com ramos de oliveira, vendo o bem em seus captores e mantendo a esperança de viver em um país democrático em que todos seriam iguais. Falando

ROBIN SHARMA

de Mahatma Gandhi, Einstein disse: "As próximas gerações dificilmente vão acreditar que alguém como ele andou pela Terra." O mesmo pode se dizer do sr. Mandela.

— É um prazer absoluto ter vocês aqui para este breve passeio até a ilha — disse a mulher educadamente. — Os sul-africanos são extraordinariamente gentis e atenciosos.

O bilionário usava um boné de beisebol preto com a frase "Liderar é ser útil" costurada na frente.

— Você terá que tirar isso quando entrar no heliponto, meu jovem — disse a mulher com um brilho nos olhos.

O bilionário ficou exultante:

— Acho que ela gosta de mim — sussurrou ele para seus companheiros. — Hoje será o último dia que passaremos juntos — disse o magnata, de modo casual.

Após ouvir as instruções de segurança, o bilionário, a empreendedora e o artista foram levados até uma área pavimentada onde havia duas mesas de piquenique gastas pelo tempo. Embora o dia estivesse ensolarado, ventava bastante. O bilionário tirou o boné.

— Estou um pouco ansioso — pensou o industrial. — Nunca estive em Robben Island. Li muito sobre o que aconteceu lá durante o período cruel e desumano do *apartheid*, que tratava as pessoas de acordo com a cor da pele, sem levar em conta o calibre do caráter ou a qualidade do coração.

Um jovem de olhar sério vestindo uma bela capa de chuva, calças cáqui e sapatos *dockside* surgiu de uma das baias de manutenção vazias e pediu que o bilionário e seus alunos o seguissem até o heliponto. No centro, um helicóptero militar girava os rotores de modo impressionante. O piloto estava nos controles, ajustando diversos botões e alavancas.

O jovem fez questão de conferir meticulosamente se todos os clientes estavam posicionados na aeronave em uma distribuição segura e equilibrada e colocou um fone de ouvido com microfone na cabeça do bilionário.

— Bom dia! — disse o bilionário ao piloto do helicóptero com empolgação, enquanto os rotores aceleravam.

O CLUBE DAS 5 DA MANHÃ

Não dava para ver a expressão do piloto embaixo do capacete, dos óculos escuros de aviador e protetor de rosto. Ele se recusou a responder.

— Não muito amigável — murmurou o bilionário, igualmente nervoso e empolgado com a experiência única que estava prestes a acontecer.

O helicóptero começou a subir; primeiro, lentamente, depois, cada vez mais rápido.

— A viagem vai levar uns cinco minutos. Os ventos e o mar estão extremamente fortes hoje — foi tudo o que o piloto disse. E ainda assim, de um modo bem sucinto.

O bilionário, o artista e a empreendedora continuaram quietos. Eles apenas olhavam para Robben Island, uma massa de terra que parecia mais vasta e brutal à medida que eles se aproximavam.

A aeronave desceu em um heliponto cercado de árvores baixas, e ao fazê-lo sete cabras-de-leque passaram graciosamente. Sim, sete cabras-de-leque! Além disso, começou a chover e outro arco-íris duplo, como o que apareceu quando eles nadaram com golfinhos nas Ilhas Maurício, ocupou o horizonte junto com o oceano Atlântico.

— Tudo isso é muito especial — observou o artista de braços dados com a esposa.

— Definitivamente, entramos na magia — respondeu o bilionário, em tom respeitoso, demonstrando enorme apreço pela oportunidade de visitar Robben Island e, ao mesmo tempo, um pouco triste pelas vidas preciosas que tinham sido arruinadas no local.

O piloto ficou na cabine, apertando botões e desligando o helicóptero enquanto os três passageiros saíram para a pista asfaltada, observando silenciosamente a paisagem. Do nada, uma antiga caminhonete com as letras "KSA" pintadas na lateral acelerou na direção deles, deixando volumosas nuvens de poeira.

— Vocês não podiam estar aqui! — gritou o motorista com forte sotaque sul-africano quando chegou ao helicóptero.

O homem, que certamente era um segurança, continuou no veículo.

— Robben Island foi fechada ao público devido ao mau tempo — disse ele com vigor. — As barcas pararam de funcionar, nenhuma embarcação pode vir à área portuária e nenhum helicóptero tem permissão para pousar. Vocês deveriam saber disso! *Vocês não podiam estar aqui!* — enfatizou o guarda, perguntando: — Quem são vocês?

O segurança manteve o profissionalismo o tempo todo, mas estava visivelmente surpreso e abalado, talvez imaginando que os ocupantes da aeronave tivessem planejado algum tipo de ataque e teriam intenções ilícitas.

— Está tudo bem — disse o piloto, com firmeza e confiança raramente vistas. Ele agora estava em pé diante do helicóptero e começou a andar lentamente na direção do homem na caminhonete, primeiro ajustando a camisa e depois o capacete, que ele não tirou. O piloto não era jovem, dava para notar pelo jeito como ele andava.

— É um dia especial para eles — comentou o piloto, aumentando o tom de voz. — Essas pessoas vieram de muito longe para ver a cela onde Mandela ficou preso e a pedreira de calcário onde ele foi obrigado a quebrar pedras por mais de uma década, no sol torturante que refletia a ponto de ter danificado permanentemente sua visão. Eles querem ver o pátio onde o estadista se exercitava e jogava bolas de tênis com mensagens confidenciais para os outros prisioneiros políticos no bloco de celas ao lado. E também precisam ir ao local onde o manuscrito para a autobiografia de Mandela, *Longa Caminhada Até a Liberdade,* foi secretamente enterrado na terra após ter passado várias horas trabalhando nela. Eles precisam vivenciar pelo menos um pouco do sofrimento do sr. Mandela ao longo dos 18 anos cruéis que aqui passou e saber como escolheu perdoar todos os que foram tão cruéis com ele depois de sua libertação, mesmo tendo sido maltratado e perdido vários dos melhores anos de sua vida nesse local.

O piloto parou na frente da caminhonete, dizendo:

— Esses indivíduos querem ser heróis genuínos na vida pessoal e profissional, pelo que ouvi. Eles desejam ser líderes em produtividade, ícones da expressão total da maestria e talvez até inovadores para melhorar a

O CLUBE DAS 5 DA MANHÃ

humanidade. O mundo nunca precisou tanto de heróis puros como hoje. E como sempre ensino quando estou no palco: *Por que esperar os heróis quando você tem o necessário para se transformar em um deles?*

— Você não concorda, Stone? — perguntou o piloto, virando-se para falar com o bilionário, instantaneamente de queixo caído.

Em seguida o piloto tirou o protetor de rosto cuidadosamente, quase em câmera lenta. Depois, os óculos de sol e, por fim, o capacete. O bilionário, a empreendedora e o artista ficaram impressionados com o que viram.

Era o Orador Fascinante!

———

A iluminação estéril, calculada e fluorescente deixava a prisão de Robben Island assustadoramente lúgubre, mesmo durante o dia, transmitindo a sensação de algo brutal e impiedoso.

Mãos invisíveis pareciam guiar os integrantes do Clube das 5 da Manhã naquela fantástica manhã sul-africana. Por alguma sincronicidade preciosa que o bilionário chamaria de "mágica", o segurança que estava na caminhonete empoeirada era ardoroso seguidor do Orador Fascinante, do tipo que diz "sou seu fã número 1". Ele amava o trabalho desse mentor internacionalmente famoso.

Vocês não acreditariam que isso realmente tenha acontecido: após receber o sinal verde do guarda, a chefe de manutenção ligou o ônibus turístico que estava parado devido ao mau tempo e o conduziu até os visitantes. Ela também pediu a um dos poucos guias ainda na ilha para abrir a prisão e permitir uma visita totalmente particular, apenas para o bilionário, a empreendedora, o artista e o Orador Fascinante.

Na vida de todos, especialmente as mais difíceis, as portas de possibilidades e os caminhos para o milagroso se escancaram, revelando a realidade: tudo o que vivenciamos faz parte de um plano inteligente (e, sim, frequentemente ilógico) feito para nos aproximar de nossos maiores poderes, das circunstâncias mais maravilhosas e do bem maior. Tudo pelo que passamos

ROBIN SHARMA

ao viajar pela vida é na verdade uma fantástica orquestração para nos apresentar aos talentos mais verdadeiros, além de nos conectar ao eu soberano e aprofundar a intimidade com o herói glorioso que vive em cada um de nós. Sim, *em cada um de nós*. E isso significa vocês.

O guia do passeio era um homem grande e de voz rouca, que por acaso também tinha sido preso político. Enquanto levava os convidados até a cela onde Nelson Mandela foi obrigado a viver por um período tão longo e árduo, ele respondia a todas as perguntas feitas pelo grupo.

— Você conheceu Nelson Mandela? — quis saber o Orador Fascinante.

— Sim, cumpri pena com ele por oito anos aqui em Robben Island.

— Como ele era como pessoa? — perguntou o artista, tomado pela emoção enquanto andavam pelo corredor principal da prisão onde aconteceram tantas atrocidades durante o *apartheid*.

— Ah, ele era um servo humilde — disse o guia com um sorriso gracioso e sábio.

— E como era Nelson Mandela como líder? — quis saber a empreendedora.

— Tremendo. Majestoso. Inspirador, pela forma como se comportava e por tudo o que passou. Toda vez que encontrava um de seus colegas líderes, em geral era neste pátio — comentou o guia, entrando na área onde os presos políticos andavam, conversavam, planejavam e passavam o tempo. — Ele sempre perguntava "Você está aprendendo?", e costumava dizer: "Ensinem uns aos outros", mostrando aos colegas a importância de compartilhar o aprendizado diário para aumentar a capacidade de liderança de todos ao redor. O sr. Mandela entendia que a educação é o caminho decisivo para a liberdade. Aquele homem foi muito maltratado. Tantas horas de trabalho árduo na pedreira de calcário, tanta degradação e humilhação! Alguns anos depois, Mandela recebeu a ordem para cavar uma cova no pátio da prisão e deitar nela — acrescentou o guia do passeio.

— Ele deve ter pensado que era o fim — refletiu o bilionário, falando baixo.

— Provavelmente — respondeu o guia. — Em vez disso, os guardas abriram as calças e urinaram nele.

O Orador Fascinante, o bilionário, a empreendedora e o artista olharam para baixo.

— Todos nós temos as Robben Islands que nos mantém aprisionados, eu acho — meditou o bilionário.

— Ao passar pela vida, enfrentamos percalços e injustiças. Nada tão grave quanto o que houve nesta ilha, é claro. Li que a maior tristeza de Nelson Mandela era não ter recebido permissão de sair da cadeia para o enterro do filho mais velho, que morreu em um acidente de carro — disse o bilionário, olhando para o céu. — Acho que todos vivemos tristezas, provações e tragédias.

O guia do passeio apontou para a quarta janela à esquerda da entrada, na parte interna do pátio.

— Ali era a cela de Nelson Mandela. Vamos entrar — orientou ele.

A cela era incrivelmente pequena. Com piso de concreto, não tinha cama, apenas uma pequena mesa de madeira, na qual o prisioneiro se ajoelhava para escrever seu diário, pois não havia cadeira. Havia também um cobertor de lã marrom com manchas verdes e vermelhas.

— No primeiro ano de encarceramento, Nelson Mandela não podia nem usar calças compridas, apesar do inverno congelante na África do Sul. Ele recebeu apenas uma camisa e um short fino. Quando tomava banho, os guardas ficavam em pé observando aquele homem idoso nu, em uma tentativa de humilhá-lo e subjugá-lo. Na hora das refeições, ele recebia comida que não serviria nem para um animal. As cartas da esposa e dos filhos, muitas vezes, não eram entregues. E quando ele as recebia, estavam significativamente censuradas. Tudo isso era cuidadosamente feito para esmagar o ânimo do sr. Mandela — explicou o guia.

— Tudo o que aconteceu nesta minúscula cela de prisão em uma ilha desolada e com o mar furioso ao redor desenvolveu, fortaleceu e *abriu* Mandela. A prisão foi uma prova de fogo e os maus-tratos se transformaram em salvação, levando Mandela a seu poder natural, maior humanidade e ao estado mais pleno de heroísmo puro. Em um mundo de tanto egoísmo, apatia e pessoas desconectadas do que significa ser humano, ele usou o que recebeu para crescer e se transformar em uma alma avançada neste mundo, um homem que nos ensinaria o que é liderança, bravura e amor. Ao fazer isso, ele virou um dos grandes símbolos do perdão e da paz — refletiu o Orador Fascinante.

— É verdade — respondeu o guia. — Quando o sr. Mandela finalmente saiu de Robben Island, foi transferido para o atual Drakenstein Correctional Centre, que fica entre Paarl e Franschhoek. A ascensão à presidência da África do Sul era inevitável. Ele estava sendo preparado para assumir o posto e liderar uma nação livre, embora imensamente dividida. Durante o período final de encarceramento, ele ficou na casa do diretor do presídio, e no dia da libertação, saiu dessa residência para uma longa estrada pavimentada que tinha uma guarita e um portão branco no final. A equipe da prisão perguntou se Nelson Mandela queria ser levado por essa estrada até a liberdade de carro. Ele recusou, dizendo que preferia caminhar. Assim, esse líder transformador que fez história e deixou um legado que vai inspirar muitas gerações deu hesitantes passos rumo à tão esperada liberdade.

O guia fez uma pausa longa e cansada e depois continuou:

— O sr. Mandela recebeu um país à beira da guerra civil, mas conseguiu unifica-lo, em vez de destruí-lo. Ainda me lembro do famoso discurso feito por ele em um de seus julgamentos:

> *"Dediquei minha vida à luta do povo africano. Lutei contra o domínio branco e lutei contra o domínio negro. Tratei com carinho o ideal de uma sociedade democrática e livre, na qual todas as pessoas viverão juntas em harmonia e com oportunidades iguais. É um ideal pelo qual espero viver e ver acontecer, mas... se for preciso, é um ideal pelo qual estou disposto a morrer."*

O sr. Riley limpou a garganta e continuou olhando para o piso da minúscula cela.

— O sr. Mandela foi um verdadeiro herói — afirmou o guia. — Após a libertação, ele almoçou com o promotor que exigiu a pena de morte para ele.

Dá para acreditar nisso? E também convidou um dos carcereiros que o vigiaram aqui em Robben Island para sua posse como presidente da África do Sul.

— Sério? — perguntou a empreendedora em voz baixa.

— Sim, aconteceu mesmo — respondeu o guia. — Ele era um líder de verdade, um homem com genuína capacidade de perdoar.

O Orador Fascinante levantou um dedo para sinalizar que gostaria de contar outra história:

— Nelson Mandela escreveu: "Quando fui até o portão que me levaria à liberdade, eu sabia que se não deixasse a amargura e o ódio para trás, ainda estaria na prisão."

— Ele também disse que "estar livre não é apenas tirar os grilhões de alguém, e sim viver de um jeito que respeite e aumente a liberdade alheia" — acrescentou o guia. — E ainda: "Ninguém nasce odiando outra pessoa pela cor da pele, origem ou religião. Para odiar, as pessoas precisam aprender. E se elas aprendem a odiar, podem ser ensinados a amar, pois o amor chega mais naturalmente ao coração humano do que o seu oposto."

— Li que ele costumava levantar por volta das 5 da manhã e correr por 45 minutos, depois fazer duzentas abdominais e cem flexões com as pontas dos dedos. É por isso que estou sempre fazendo flexões — contribuiu o bilionário, meio sem jeito.

— Hummm — disse o guia do passeio antes de continuar. — O sr. Mandela entrou nesta cela como um jovem militante hostil, com raiva e de cabeça quente. A pessoa em quem ele se transformou nesta prisão fez dele o ícone que todos reverenciamos agora. Como ensinou o arcebispo Desmond Tutu: "O sofrimento pode nos deixar amargos ou nobres." Felizmente, Madiba, que era o nome de seu clã, escolheu a segunda opção.

— Todos os melhores homens e mulheres do mundo têm algo em comum: sofrimento extremo — disse o Orador Fascinante. — E cada um deles evoluiu para sua grandeza porque escolheu aproveitar as circunstâncias para se curar, purificar e elevar.

Em seguida o Orador Fascinante tirou um modelo de aprendizado da jaqueta, o último que os dois alunos veriam. Ele se chamava *O círculo heroico humano,* e tinha a seguinte aparência:

— Essas são as virtudes que todos devemos almejar a fim de mudar o mundo e sermos heróis para o benefício de uma sociedade melhor — disse o Orador Fascinante esta manhã, com traços tanto de melancolia como de imensa força na voz. — A liderança é para todos. Cada um de nós precisa se libertar dos grilhões da culpa, das correntes do ódio, algemas da apatia e grades do comum criadas pelas forças sombrias da natureza inferior para nos escravizar, não importa onde vivemos, o que fazemos, o que aconteceu no passado e o que vivemos agora. Todos devemos acordar cedo (sim, às 5 da manhã) e fazer o possível para revelar a genialidade, desenvolver os talentos, aprofundar o caráter e elevar o espírito. Cada um de nós precisa fazer isso no mundo.

O Orador Fascinante começou a chorar enquanto dizia:

O CLUBE DAS 5 DA MANHÃ

— Temos que nos libertar das prisões que encarceram a glória e mantêm a nobreza acorrentada. Lembrem-se: os dons e os talentos negligenciados transformam-se em maldições e mágoas.

O Orador Fascinante fez uma pausa.

— É a sua vez — disse ele, olhando diretamente para a empreendedora e o artista.

A estrutura do *Círculo heroico humano* foi colocada na pequena mesa embaixo da janela gradeada. O Orador Fascinante a arrastou para o centro para que pudesse ser o foco da cela naquele dia muito especial.

Em seguida, o Orador Fascinante pediu ao bilionário, à empreendedora, ao artista e ao guia do passeio para se reunirem em torno do diagrama e darem as mãos.

— Não importam as lutas que travamos e adversidades que precisaremos superar. Não importam os ataques, as humilhações e violências que enfrentamos. Devemos persistir, seguir em frente e continuar fortes. É preciso viver a natureza luminosa e aumentar o eu soberano, mesmo quando o mundo parece estar contra nós. Isso é o que nos faz humanos. Mesmo quando parecer que a luz nunca superará a escuridão, continuem fazendo *sua* caminhada para a liberdade. Mirem o mais alto possível, exemplifiquem a graça e demonstrem *amor* verdadeiro para inspirar todos nós.

— Agora é o seu momento — disse o Orador Fascinante, colocando uma das mãos no braço do artista e gentilmente apoiando a outra no ombro da empreendedora.

Um sorriso tranquilo surgiu em seu rosto. Ele parecia centrado e sereno.

— Hora de quê? — perguntou o artista.

— De começar a peregrinação — foi a resposta simples.

— Para onde? — perguntou a empreendedora, um pouco confusa.

— Para um território chamado legado — explicou o Orador Fascinante. — Muitas pessoas são turistas neste lugar. Por alguns minutos de suas manhãs preciosas, eles pensam na obra que construíram e no que deixarão para trás quando morrerem. Por breves intervalos, antes de se distraírem, eles refletem sobre a qualidade de sua produtividade, o grau de sua decência e a profundidade do seu impacto. Por breves instantes, antes da correria de estar ocupado consumi-los novamente, eles fazem uma pausa e contemplam o quanto viveram lindamente e foram úteis. Eles são meros visitantes deste reino.

O sr. Riley levantou os braços bem alto enquanto ouvia as palavras do seu mentor:

— Eu amo minha vida. Vou me transformar em um líder ainda melhor, dar uma contribuição ainda maior e evoluir para um ser humano muito mais inspirador — sussurrou ele, basicamente para si mesmo.

— Os heróis ilustres da humanidade eram cidadãos e habitantes vitalícios deste território do legado, e foi isso que os transformou em lendas. A missão poderosa em torno da qual construíram a vida era a de existir por uma causa maior, então, quando morreram, eles deixaram o mundo mais brilhante. — resumiu o Orador Fascinante.

— Todos nós temos uma data de validade. Ninguém sabe quanto tempo vamos viver — disse o bilionário.

— Verdade — concordou a empreendedora.

— É hoje — declarou o Orador Fascinante. — Este momento exato merece e exige o compromisso de serem incrivelmente criativos, impecavelmente produtivos, absurdamente decentes e servir muitas pessoas. Parem de adiar a maestria, por favor. Não resistam mais ao poder primal. Abstenham-se de permitir que as forças sombrias do medo, da rejeição, dúvida e decepção diminuam a luz do eu mais luminoso. Este é o seu momento. E hoje é o dia de fazer o salto original até o ar rarefeito dos melhores líderes que já viveram, entrando no universo dos verdadeiros mestres, virtuosos eminentes e heróis autênticos que foram responsáveis pelo progresso da civilização.

Todos os cinco ainda estavam unidos em um círculo. O sr. Riley começou a fazer o canto tirolês, mas diminuiu o volume depois de receber um olhar austero do Orador Fascinante. Os dois sorriram um para o outro, um gesto claro de respeito mútuo.

O CLUBE DAS 5 DA MANHÃ

— Liderar é inspirar os outros com sua forma de viver. Liderar é atravessar o fogo dos momentos mais difíceis e entrar no perdão. Liderar é remover qualquer tipo de mediocridade de sua vida e celebrar a majestade que é sua por direito. Liderar é transformar seus terrores em triunfos e traduzir cada uma de suas mágoas em heroísmo. E mais do que tudo: liderar é ser uma força para o bem neste planetinha. Hoje, vocês aceitam este chamado grandioso para elevar seu padrão pelo restante da vida.

— Começando amanhã — sugeriu o Bilionário com um sorriso travesso.

— Às 5 horas. Controle suas manhãs. Mude sua vida! — todos disseram juntos.

Epílogo

Cinco anos depois

Alguns meses depois da visita à Robben Island, Stone Riley faleceu.

Ele morreu tranquilamente enquanto dormia no pequeno apartamento do centro histórico de Roma. A filha querida estava ao seu lado, assim como o Orador Fascinante.

No dia da morte do titã, borboletas e pombas sobrevoaram a Cidade Eterna como nunca. Houve até um duplo arco-íris desde a Escadaria da Praça da Espanha até o Coliseu.

Você teria se impressionado se estivesse lá para ver o que ocorreu.

O Bilionário vinha sofrendo com uma doença rara e incurável e só a revelou ao Orador Fascinante, seu melhor amigo.

Você ficará feliz em saber que, em seus últimos dias, o magnata excêntrico liquidou completamente os vários empreendimentos de seu vasto império de negócios e doou toda a quantia para caridade.

O sr. Riley deixou o complexo à beira-mar nas Ilhas Maurício para a empreendedora e o artista, pois sabia o quanto eles adoravam o lugar.

Deixem-me contar o que aconteceu à empreendedora e ao artista desde a aventura surreal que tiveram com o Bilionário. Você deve estar se perguntando isso.

A empreendedora virou uma mulher fabulosamente rica depois de expandir a empresa que fundou e transformá-la em um marcante empreendimento. Ela abandonou os demônios do passado que a assombraram por tanto tempo e ama a vida que divide com o marido artista. Ela ainda trabalha arduamente, mas aproveita muito os períodos de folga. A empreendedora acabou de correr sua quarta maratona, adquiriu prazer pela jardinagem e é voluntária em um abrigo para os sem-teto todas as terças-feiras à noite. Ela não se importa mais tanto com a fama, a fortuna e o poder mundano, mesmo que agora tenha tudo isso.

Você vai ficar fascinado ao saber que o artista se tornou um dos mais celebrados pintores do mercado. Ele derrotou totalmente a procrastinação, sendo considerando um mestre de seu ofício, além de um extraordinário marido. Ele correu duas maratonas com a esposa, tornou-se vegano e faz aulas de canto tirolês às quartas-feiras à noite.

E vejam só: o casal tem um filhinho maravilhosamente lindo e inteligente. Eles o batizaram de Stone.

A empreendedora e o artista ainda integram o Clube das 5 da Manhã e executam a *fórmula 20/20/20* diariamente, bem antes do nascer do sol. Eles continuam praticando a maioria das disciplinas ensinadas pelo sr. Riley e mantiveram a promessa feita ao mentor de ensinar a importância de levantar cedo ao maior número de pessoas possível.

Quanto ao Orador Fascinante, ele ainda está vivo. E mais forte do que nunca, em vários aspectos. Ele está morando em Tóquio, mas ainda passa boa parte da vida em estádios, aviões e quartos de hotel pelo mundo.

Ele ainda adora pescar.

Quais serão os próximos passos de sua aventura heroica?

O fim deste livro é o começo de sua jornada no Clube das 5 da Manhã. Para ajudá-lo a instalar o hábito de acordar cedo como prática para toda a vida, além de instalar a *fórmula 20/20/20* como rotina matinal de modo a vivenciar resultados de primeira classe, Robin Sharma criou as seguintes ferramentas para você, disponíveis de modo totalmente gratuito:

O instalador do hábito das 5 da manhã

Um aplicativo incrível para analisar seu progresso nos próximos 66 dias até que acordar antes do nascer do sol passe a ser automático. Você também terá acesso a planilhas para integrar as estruturas que aprendeu, playlists com músicas para aumentar a confiança e uma incrível plataforma de apoio para se conectar a outros integrantes do Clube das 5 da Manhã.

O desafio do Clube das 5 da Manhã

Você vai receber dois meses de conteúdo enriquecedor e vídeos imensamente práticos, mentorias e doses rápidas de inspiração de Robin Sharma para manter seu compromisso e maximizar as vitórias como alguém que levanta cedo.

As meditações de maestria matinal do Clube das 5 da Manhã

Para ajudá-lo a começar o dia sentindo-se calmo, concentrado e positivo, Robin Sharma criou e calibrou meticulosamente uma série de meditações guiadas para serem feitas a cada manhã, com o intuito de otimizar a mente, purificar o coração, fortalecer a saúde e elevar a alma.

O capítulo secreto perdido

Em um surto de fogo criativo ocorrido de manhã bem cedo, o autor escreveu um capítulo final alternativo (e inesperado) para este livro. É intrigante, encantador e intensamente dramático.

Para obter acesso completo a todos esses recursos lindos e valiosos sem custo algum, acesse robinsharma.com/The5AMClub [em inglês].

Ascenda mais rapidamente ao ler todos os livros de Robin Sharma, que estão entre os mais vendidos do mundo

Você já notou que as pessoas mais cuidadosas, articuladas, bem-sucedidas e graciosas têm uma prática em comum? Elas leem tudo o que encontram pela frente.

Independente de estar no alto da montanha ou apenas começando a escalada, ler é um dos hábitos da maestria dos grandes.

Portanto, aqui está uma lista completa dos livros internacionalmente aclamados do autor para ajudar sua ascensão ao ápice da produtividade, domínio total do seu ofício e ter uma vida incrível, deixando sua marca na história.

[ ] O Monge que vendeu sua Ferrari
[ ] The Greatness Guide
[ ] The Greatness Guide, Book 2
[ ] O líder sem status
[ ] Quem vai chorar quando você morrer?
[ ] Leadership Wisdom from The Monk Who Sold His Ferrari
[ ] Family Wisdom from The Monk Who Sold His Ferrari
[ ] Descubra seu destino: os sete estágios para o autoconhecimento
[ ] The Secret Letters of The Monk Who Sold His Ferrari
[ ] The Mastery Manual
[ ] The Little Black Book for Stunning Success
[ ] The Saint, the Surfer, and the CEO

Este livro foi composto na tipografia
Minion Pro, em corpo 11/16, e impresso em
papel off-white no Sistema Cameron da
Divisão Gráfica da Distribuidora Record.